CW00348870

LE ZÉRO ET L'INFINI

Paru dans Le Livre de Poche :

SPARTACUS

ARTHUR KOESTLER

Le Zéro et l'Infini

TRADUIT DE L'ANGLAIS PAR JÉRÔME JENATTON

CALMANN-LÉVY

Titre original :

DARKNESS AT NOON

ISBN : 978-2-253-00341-0 – 1re publication LGF

Les personnages de ce livre sont imaginaires. Les circonstances historiques ayant déterminé leurs actes sont authentiques. La vie de N.-S. Roubachof est la synthèse des vies de plusieurs hommes qui furent les victimes des soi-disant procès de Moscou. Plusieurs d'entre eux étaient personnellement connus de l'auteur. Ce livre est dédié à leur mémoire.

PARIS, octobre 1938-avril 1940.

PREMIÈRE AUDIENCE

On ne saurait gouverner sans laconisme.

SAINT-JUST

Celui qui établit une dictature et ne tue pas Brutus, ou celui qui fonde une République et ne tue pas les fils de Brutus, celui-là ne régnera que peu de temps.

MACHIAVEL
(Discorsi)

Voyons, voyons, mon ami, on ne peut pas vivre absolument sans pitié.

DOSTOIEVSKI
(Crime et Châtiment)

I

La porte de la cellule claqua en se refermant sur Roubachof.

Il demeura quelques secondes appuyé à la porte, et alluma une cigarette. Sur le lit à sa droite étaient disposées deux couvertures relativement propres, et la paillasse semblait fraîchement remplie. Le lavabo à sa gauche n'avait pas de tampon, mais le robinet fonctionnait. A côté, le seau hygiénique venait d'être désinfecté et ne sentait pas. De part et d'autre les murs étaient de briques pleines, qui étoufferaient tous tapotements, mais là où les tuyaux de chauffage et d'écoulement pénétraient dans la paroi, elle avait été replâtrée et elle résonnait très suffisamment ; d'ailleurs le tuyau du chauffage lui-même paraissait conduire les sons. La fenêtre commençait à hauteur des yeux ; on voyait dans la cour sans avoir à se hisser par les barreaux. Ce n'était en somme pas trop mal.

Il bâilla, ôta sa veste, la roula et la mit sur la paillasse en guise d'oreiller. Il regarda dans la cour. La neige avait des reflets jaunes sous la double lumière de la lune et des lampes électriques. Tout autour de la cour, le long des murs, une piste étroite avait été déblayée pour l'exercice quotidien. L'aube n'avait pas encore commencé de poindre ; les étoiles brillaient encore d'un éclat glacial, malgré les lampes électriques. Sur la courtine de la muraille extérieure, située en face de la cellule de Roubachof, une sentinelle, fusil sur l'épaule, faisait les cent pas, frappant du talon à chaque pas. De temps en temps, sa baïonnette étincelait dans la lumière jaune des ampoules.

Debout à la fenêtre, Roubachof ôta ses souliers. Il éteignit sa cigarette, déposa le mégot sur le carrelage près de son lit, et resta quelques minutes assis sur la paillasse. Il revint encore à la fenêtre. La cour était silencieuse ; la sentinelle fit demi-tour ; au-dessus de la tourelle aux mitrailleuses, il vit un morceau de Voie lactée.

Roubachof s'allongea sur la couchette et s'enveloppa dans la couverture de dessus. Il était cinq heures, et, ici, en hiver, on ne devait guère avoir à se lever avant sept heures. Il mourait de sommeil, et calcula qu'il ne serait sans doute pas conduit à l'interrogatoire d'ici trois ou quatre jours. Il ôta son pince-nez, le posa à côté de la cigarette, sourit et ferma les yeux. Il était chaudement emmitouflé dans la couverture, et se sentait protégé ; pour la première fois depuis des mois il n'avait pas peur de ses rêves.

Quand le gardien, quelques minutes plus tard, éteignit la lampe de l'extérieur et regarda dans sa cellule par le judas, Roubachof, ancien commissaire du peuple, dormait, le dos au mur, la tête sur son bras gauche, qui, raide, sortait du lit ; mais sa main retombait mollement au bout de ce bras et se crispait dans son sommeil.

II

Lorsque une heure plus tôt, deux agents du commissariat du peuple à l'Intérieur, venus pour l'arrêter, s'étaient mis à frapper à coups redoublés sur la porte de Roubachof, il était précisément en train de rêver que l'on venait l'arrêter.

Ils cognaient de plus en plus fort et Roubachof faisait des efforts pour se réveiller. Il était versé dans l'art de s'arracher à ses cauchemars ; le rêve de sa première arrestation revenait périodiquement depuis des années et se déroulait avec la régularité d'un mouvement d'horlogerie. Parfois, avec un sursaut de volonté, il parvenait à arrêter le mouvement, à se tirer du cauchemar ; mais cette fois, il n'y arrivait pas ; les dernières semaines l'avaient épuisé, il suait et haletait dans son sommeil ; le mouvement d'horlogerie tournait et le rêve continuait

Il rêvait, comme à l'ordinaire, que l'on heurtait à sa porte à grands coups, et que trois hommes étaient là dehors, prêts à l'arrêter. Il les voyait à travers la porte close, debout et qui frappaient contre le chambranle. Ils portaient des uniformes flambant neufs, dernier chic des prétoriens de la dictature allemande ; leurs képis et leurs manches étaient décorés de leur insigne, la croix aux agressives barbelures ; chacun tenait dans sa main restée libre un pistolet d'une grosseur exagérée ; leurs sangles et tout leur harnachement sentaient le cuir neuf. Et maintenant ils étaient dans sa chambre, à son chevet. Deux d'entre eux étaient de jeunes paysans dégingandés aux lèvres épaisses et aux yeux de poissons ; le troisième était un petit gros. Ils se tenaient à côté du lit, pistolet à la main, et il sentait passer sur lui leur haleine chargée. C'était le silence total de la nuit ; on n'entendait que la respiration asthmatique du petit gros. Puis quelqu'un tirait la chasse d'eau à quelques étages au-dessus et l'eau se précipitait par les tuyaux à l'intérieur des murs avec son bruit régulier.

Le mouvement d'horlogerie se détendait. Les coups sur la porte de Roubachof se firent plus bruyants ; dehors, les deux hommes venus pour l'arrêter cognaient tour à tour et soufflaient dans leurs doigts gelés. Mais Roubachof ne parvenait pas à se réveiller, bien qu'il sût que dans son rêve suivait une scène particulièrement pénible : les trois hommes sont toujours à son chevet et il essaie de mettre sa robe de chambre. Mais la manche est à l'envers ; il n'arrive pas à y passer le bras. Il fait de vains efforts jusqu'à ce qu'une sorte de paralysie s'empare de lui ; il ne peut pas bouger, et cependant tout est subordonné à cela : passera-t-il cette manche à temps ? Cette angoisse impuissante dure plusieurs secondes, pendant lesquelles Roubachof gémit ; une sueur froide lui mouille les tempes et, comme un lointain roulement de tambour, le martèlement des coups sur la porte transperce son sommeil ; son bras passé sous l'oreiller se crispe dans un fiévreux effort à la recherche de la manche de sa robe de chambre. Le voici enfin libéré par le premier coup de crosse de revolver qui lui est assené derrière l'oreille...

Le ressouvenir si familier de ce premier coup de crosse, revécu mille fois et toujours nouveau, le réveillait habituellement. Il continuait de frissonner pendant quelque temps, et sa main, serrée sous l'oreiller, cherchait encore convulsivement la manche de sa robe de chambre ; car, en général, avant de se réveiller tout à fait, il lui fallait encore faire la dernière et la plus dure étape. Il s'agissait d'un moment de vertige rempli du sentiment chaotique d'un réveil qui serait en réalité un rêve ; il se demandait si, en fait, il n'était pas étendu sur les dalles humides du cachot noir, avec à ses pieds le seau, et près de sa tête la carafe d'eau et quelques miettes de pain...

Cette fois encore, cette stupeur le saisit pendant quelques secondes ; il ne savait pas si en tâtonnant sa main allait rencontrer le seau ou le bouton de sa lampe de chevet. Puis la lumière l'aveugla et la brume se dissipa. Roubachof respira profondément plusieurs fois de suite, et, tel un convalescent, les mains croisées sur sa poitrine, il jouit d'un délicieux sentiment de liberté et de sécurité. Il épongea avec le drap son front moite et la petite plaque chauve qu'il avait derrière la tête ; il regarda, avec un clignement d'yeux où déjà se retrouvait de l'ironie, la chromo du N° 1, chef du Parti, accrochée au mur de sa chambre au-dessus de son lit — comme elle l'était aux murs de toutes les chambres voisines, à côté, en haut et en bas, à tous les murs de la maison, de la ville, et de l'immense pays pour lequel il avait lutté et souffert, et qui l'avait maintenant repris dans son giron énorme et protecteur. Il était à présent tout à fait éveillé ; mais on continuait de frapper à sa porte.

III

Debout sur le palier obscur, les deux hommes venus pour arrêter Roubachof se consultaient. Le concierge Vassilii, qui leur avait montré le chemin, restait dans l'embrasure de l'ascenseur et haletait de peur. C'était un maigre vieillard ; au-dessus du col déchiré de la capote de soldat qu'il avait endossée sur sa chemise de nuit, on apercevait une large cicatrice rougeâtre qui lui donnait l'air d'un scrofuleux. C'était la trace d'une blessure au cou reçue pendant la Guerre civile, qu'il avait faite tout entière dans le régiment de partisans de Roubachof. Par la suite, Roubachof avait été envoyé à l'étranger, et Vassilii n'avait entendu parler de lui que de temps à autre, dans le journal que sa fille lui lisait chaque soir. Il s'était fait lire les discours que Roubachof prononçait aux Congrès ; ils étaient longs et difficiles à comprendre, et Vassilii ne parvenait jamais tout à fait à y retrouver le ton de voix du petit homme barbu, du chef de partisans qui savait de si beaux jurons que la Sainte Vierge de Kazan elle-même devait en sourire. D'ordinaire, Vassilii s'endormait au milieu de ces discours, mais il se réveillait toujours lorsque sa fille, arrivant à la péroraison et aux applaudissements, élevait solennellement la voix. A chacune des phrases rituelles de ces fins de discours : « Vive l'Internationale ! Vive la Révolution ! Vive le N° 1 ! », Vassilii ajoutait du fond de son cœur, mais en sourdine pour que sa fille ne l'entende pas, un « Ainsi soit-il » bien senti ; puis il enlevait sa vareuse, faisant honteusement en secret le signe de la croix, puis allait se coucher. Au-dessus de son lit, il y avait aussi le portrait du N° 1, et à côté une photographie de Roubachof en chef de partisans. Si cette photographie était découverte, lui aussi serait probablement emmené en prison.

Il faisait froid dans l'escalier obscur et silencieux. Le plus jeune des deux agents du commissariat à l'Intérieur voulait faire sauter la serrure à coups de revolver. Vassilii était accoté contre la porte de l'ascenseur ; il n'avait eu le temps de rien mettre que ses souliers, et ses mains tremblaient tant qu'il n'avait pas pu les lacer. Le plus âgé n'était pas partisan de tirer des coups de feu ; l'arrestation devait se faire discrètement. Tous deux soufflaient dans leurs mains engourdies et recommencèrent à cogner sur la porte ; le plus jeune y allait avec la crosse de son revolver. A quelques étages au-dessous, une femme se mit à crier d'une voix perçante. « Dis-lui de la fermer », dit le jeune homme à Vassilii. « Taisez-vous, cria Vassilii. Ce sont les autorités. » La femme se calma immédiatement. Le jeune homme changea de méthode et administra à la porte une volée de coups de botte. Le vacarme emplit tout l'escalier ; en fin de compte, la porte céda.

Tous trois étaient au chevet de Roubachof, le jeune homme pistolet en main, le vieux rigide comme au garde-à-vous : Vassilii restait à quelques pas en arrière, s'appuyant au mur. Roubachof essuyait encore la sueur derrière sa tête ; il les regardait de ses yeux myopes et ensommeillés.

« Citoyen Roubachof, Nicolas Salmanovitch, nous vous arrêtons au nom de la loi », dit le plus jeune.

Roubachof fourragea sous l'oreiller à la recherche de son lorgnon et se souleva un peu. Avec son pince-nez, ses yeux avaient l'expression que Vassilii et l'aîné des deux agents lui connaissaient sur de vieilles photographies de la Révolution. Le plus âgé se mit plus rigidement au garde-à-vous, le jeune homme, qui avait grandi sous de nouveaux héros, fit un pas vers le lit ; tous trois comprirent que, pour cacher son embarras, il allait dire ou faire quelque brutalité.

« Rengainez votre revolver, camarade, lui dit Roubachof. Et, d'ailleurs, que me voulez-vous ?

— Vous avez entendu, vous êtes arrêté, dit le jeune homme. Habillez-vous et ne faites pas d'histoires.

— Vous avez un mandat d'arrêt ? » demanda Roubachof.

Le vieux tira un papier de sa poche, le tendit à Roubachof et se remit au garde-à-vous.

Roubachof le lut attentivement.

« Alors, bien, dit-il. Ces choses-là ne nous apprennent jamais rien ; le diable vous emporte !

— Habillez-vous et grouillez-vous », dit le jeune homme. On voyait que sa brutalité n'était plus une pose, elle lui était naturelle.

« Quelle belle génération nous avons formée », se dit Roubachof.

Il songea aux affiches de propagande où la jeunesse était toujours représentée avec des visages rieurs. Il se sentait très las.

« Passez-moi ma robe de chambre, au lieu de tripoter votre revolver », dit-il au plus jeune.

Le jeune homme rougit, mais garda le silence. Son

aîné tendit la robe de chambre à Roubachof. Roubachof mit le bras dans la manche.

« Cette fois, du moins, ça va », dit-il avec un sourire contraint.

Les trois autres ne comprirent pas et ne dirent rien. Ils le regardèrent sortir du lit lentement et rassembler ses vêtements fripés.

L'immeuble était redevenu silencieux depuis le cri perçant de la femme, mais on sentait tous ses habitants éveillés dans leurs lits, retenant leur respiration.

Puis quelqu'un tira la chasse d'eau, et l'eau se précipita dans les tuyaux avec son bruit régulier.

IV

La voiture qui avait amené les agents stationnait devant la porte : c'était une marque américaine toute neuve. Il faisait encore nuit ; le chauffeur avait allumé les phares ; la rue dormait ou faisait semblant. Ils montèrent, d'abord le jeune homme, puis Roubachof, puis le plus âgé des deux fonctionnaires. Le chauffeur, lui aussi en uniforme, démarra. Au coin de la rue l'asphalte s'arrêtait ; ils étaient encore au centre de la ville ; tout autour d'eux s'élevaient de grands immeubles modernes de neuf et dix étages, mais les routes étaient des chemins charretiers de campagne, couverts de boue gelée, légèrement saupoudrée de neige dans ses crevasses. Le chauffeur conduisait au pas et la luxueuse suspension de la voiture grinçait et gémissait comme une charrette à bœufs.

« Conduis plus vite », dit le jeune homme, qui ne pouvait pas supporter le silence à l'intérieur de la voiture.

Le chauffeur haussa les épaules sans se retourner. Quand Roubachof était monté dans la voiture, il l'avait regardé d'un air indifférent et sans bienveillance. Roubachof avait jadis eu un accident ; l'homme au volant de l'ambulance l'avait regardé de la même façon. Le lent cahotement par les rues mortes, avec devant eux la lumière vacillante des phares, était pénible.

« C'est loin ? » demanda Roubachof, sans regarder ses compagnons. Il faillit ajouter : d'ici à l'hôpital.

« Une bonne demi-heure », dit l'aîné des hommes en uniforme.

Roubachof tira des cigarettes de sa poche, en mit une dans sa bouche et passa le paquet à la ronde d'un geste automatique. Le jeune homme refusa brusquement, le plus vieux en prit deux et en passa une au chauffeur. Le chauffeur porta une main à sa casquette et donna du feu à tout le monde, tenant le volant d'une seule main. Roubachof se sentit le cœur plus léger ; en même temps, il se le reprocha. C'était bien le moment de faire du sentiment, se dit-il. Mais il ne put résister à la tentation de parler et de dégager autour de lui un peu de chaleur humaine.

« Dommage pour la voiture, dit-il. Les autos étrangères nous coûtent pas mal d'or, et après six mois sur nos routes elles sont fichues.

— Ça oui, vous avez raison. Nos routes sont très arriérées », dit le plus âgé.

Le ton de sa voix indiqua à Roubachof que cet homme avait compris combien il se sentait abandonné. Roubachof se fit l'effet d'un chien à qui on vient de jeter un os ; il décida de ne plus parler. Mais soudain, le plus jeune dit d'un air farouche :

« Sont-elles meilleures dans les Etats capitalistes ? »

Roubachof ne put réprimer un sourire.

« Etes-vous jamais sorti de chez vous ? demanda-t-il.

— Je sais tout de même de quoi il en retourne là-bas, répliqua le gosse. Vous n'allez pas essayer de m'en conter.

— Et pour qui me prenez-vous au juste ? » demanda Roubachof très calmement. Mais il ne put s'empêcher d'ajouter : « Vous devriez vraiment étudier un peu l'histoire du Parti. »

Le jeune homme gardait le silence et regardait fixement le dos du chauffeur. Personne ne disait mot. Pour la troisième fois, le chauffeur cala son moteur qui ahanait et le fit repartir en jurant. Ils traversaient les faubourgs cahin-caha ; ici, rien de changé à l'aspect des misérables masures de bois. Au-dessus de leurs formes délabrées, la lune était pâle et froide.

V

Dans chaque corridor de la prison modèle brûlait la lumière électrique. Blafarde, elle traînait sur les galeries de fer, sur les murs nus blanchis à la chaux, sur les portes des cellules avec leurs petits judas noirs et leurs cartes portant les noms des détenus. Cette lumière falote, et le grincement sans écho de leurs pas sur le carrelage, faisaient à Roubachof un tel effet de déjà vu que, pendant quelques secondes, il se complut dans l'illusion qu'il rêvait encore. Il essaya de se persuader que rien de toute cette scène n'était réel. « Si je parviens à croire que je rêve, se disait-il, alors, ce sera réellement un rêve. »

Il essaya si intensément qu'il en eut presque le vertige ; puis aussitôt il faillit suffoquer de honte. « Le vin est tiré, se dit-il, il faut le boire ; le boire jusqu'à la lie. » Ils arrivèrent devant la cellule n° 404. Au-dessus du judas, était une carte sur laquelle était écrit son nom, Nicolas Salmanovitch Roubachof. « Ils ont tout bien préparé », pensa-t-il ; voir son nom sur la carte lui fit une étrange impression. Il voulait demander au gardien une couverture de plus, mais déjà la porte s'était refermée sur lui.

VI

Par intervalles réguliers, le gardien avait jeté par le judas un coup d'œil dans la cellule de Roubachof. Celui-ci dormait tranquillement sur sa couchette ; seule, sa main se crispait de temps en temps dans son sommeil. Sur le carrelage à côté de la couchette reposaient son pince-nez et un bout de cigarette.

A sept heures du matin, deux heures après avoir été amené dans la cellule 404, Roubachof fut éveillé par une sonnerie de clairon. Il avait dormi sans rêves, et il avait la tête lucide. Par trois fois, le clairon répéta la même séquence éclatante. Les notes vibrantes retentirent, puis s'éteignirent ; il ne resta plus qu'un silence hostile.

Il ne faisait pas encore tout à fait clair ; les contours du seau et du lavabo s'estompaient dans le petit jour. Les barreaux de la fenêtre se dessinaient en noir contre la vitre sale ; en haut, à gauche, un morceau de journal était collé sur un carreau cassé. Roubachof se mit sur son séant, tendit le bras pour ramasser son pince-nez et son mégot au pied de son lit, se recoucha. Il mit le binocle et ralluma son bout de cigarette. Le silence se prolongeait.

Dans chacune des cellules badigeonnées de cette ruche de ciment, des hommes devaient se lever de leurs couchettes au même moment, jurer en tâtonnant sur le carrelage ; et pourtant, ici, dans les cellules des prisonniers au secret, l'on n'entendait rien, rien que, de temps en temps, des pas qui s'éloignaient dans le corridor. Roubachof savait qu'il était au secret et qu'il y resterait jusqu'à ce qu'on le fusillât. Il passait ses doigts au travers de sa barbiche en pointe, fumait son mégot et resta allongé sans bouger.

« Je vais donc être fusillé », se disait Roubachof. Il observait en clignotant le mouvement de son gros orteil qui se dressait verticalement au pied du lit. Dans la bonne chaleur, il se sentait en sécurité et très las ; il ne voyait pas d'inconvénient à mourir tout de suite en dormant, pourvu qu'on lui permette de rester couché sous la douillette couverture. « Ainsi, ils vont te fusiller », se disait-il à lui-même. Il remuait lentement ses orteils dans sa chaussette, et il se souvint d'un vers qui comparait les pieds du Christ à un chevreuil blanc dans un buisson d'épines. Il frotta son pince-nez sur sa manche, geste bien connu de tous ses admirateurs. Bien au chaud dans sa couverture, il se sentait presque parfaitement heureux et il ne redoutait qu'une chose, d'avoir à se lever et à se mouvoir. « Ainsi tu vas être exterminé », se dit-il presque à haute voix en allumant encore une cigarette, bien qu'il ne lui en restât plus que trois. Les premières cigarettes fumées à jeun causaient parfois chez lui une légère ivresse ; et il était déjà dans cet état d'exaltation que procure le contact avec la mort. En même temps, il savait que cet état était répréhensible, et même, d'un certain point de vue, inadmissible, mais il ne se sentait à ce moment-là nullement disposé à adopter ce point de vue. Il préférait observer le jeu de ses orteils dans ses chaussettes. Il sourit. Une chaleureuse vague de sympathie envers son propre corps, pour lequel il n'éprouvait ordinairement aucune affection, montait en lui, et l'imminente destruction de ce corps l'emplissait d'un délicieux attendrissement. « La vieille garde est morte, se dit-il à mi-voix. Nous sommes les derniers. Nous allons être exterminés. » « O Mort, vieux capitaine, il est temps, levons l'ancre... »

Il essaya de se rappeler le reste du poème, mais seules ces paroles lui revenaient. « La vieille garde est morte », répéta-t-il en essayant de se remémorer leurs visages. Il ne put en évoquer que trois ou quatre. Du premier président de l'Internationale, exécuté comme traître, il ne put revoir qu'un pan de gilet à carreaux sur le léger embonpoint de son ventre. Il ne portait jamais de bretelles, toujours une ceinture de cuir. Le second premier ministre de l'Etat révolutionnaire, exécuté lui aussi, se mordait les ongles au moment du danger... « L'Histoire te réhabilitera », pensa Roubachof, sans grande conviction. L'Histoire se fiche pas mal que vous vous rongiez les ongles. Il fumait et pensait à ces morts, et à l'humiliation qui avait précédé leur mort. Et cependant, il ne pouvait pas se résoudre à détester le N° 1, comme il l'aurait dû. Souvent, il avait regardé la chromo du N° 1 au-dessus de son lit, et avait en vain essayé de la détester. Ils l'avaient, entre eux, affublé de bien des sobriquets, mais en fin de compte, c'était celui de « N° 1 » qui lui était resté. L'horreur que répandait autour de lui le N° 1 provenait avant tout de ce qu'il avait peut-être raison, et que tous ceux qu'il avait tués devaient bien reconnaître, même avec leur balle dans la nuque, qu'il était bien possible après tout qu'il eût raison. Il n'y avait aucune certitude, seulement l'appel à cet oracle moqueur qu'ils dénommaient l'Histoire, et qui ne rendait sa sentence que lorsque les mâchoires de l'appelant étaient depuis longtemps retombées en poussière. O Mort, vieux capitaine...

Roubachof eut le sentiment qu'on l'observait par le judas. Sans regarder, il savait qu'une pupille collée au trou regardait dans la cellule ; un instant plus tard, la clef grinça dans la lourde serrure. Un certain temps s'écoula avant que la porte s'ouvrît. Le geôlier, un petit vieillard en pantoufles, se tenait dans l'embrasure.

« Pourquoi ne vous êtes-vous pas levé ? demanda-t-il.

— Je suis souffrant, dit Roubachof.

— Qu'avez-vous ? Vous ne pouvez pas voir le docteur avant demain.

— Mal aux dents, dit Roubachof.

— Mal aux dents, hein ? » dit le geôlier, qui sortit en traînant les pieds et fit claquer la porte.

« Maintenant, je puis du moins rester couché ici tranquillement », pensa Roubachof, mais cette idée ne lui fit plus aucun plaisir. La couverture sentait le renfermé et sa chaleur l'incommodait ; il la rejeta. Il essaya encore d'observer les mouvements de ses orteils, mais cela l'ennuya. Chacune de ses chaussettes avait un trou au talon. Il voulut les raccommoder, mais la pensée d'avoir à frapper à la porte et à demander du fil et une aiguille au geôlier le retint ; en tout cas, on lui refuserait sans doute une aiguille. L'envie folle de lire un journal le prit. C'était si fort qu'il sentit l'odeur de l'encre d'imprimerie et entendit le bruissement des pages que l'on froisse en les tournant. Peut-être une révolution avait-elle éclaté la veille au soir, ou un chef d'Etat avait-il été assassiné, ou un Américain avait-il inventé le moyen de neutraliser la pesanteur. Son arrestation n'y serait pas encore ; à l'intérieur du pays, elle serait tenue secrète pendant quelque temps, mais à l'étranger, cette nouvelle sensationnelle s'ébruiterait bientôt, et l'on imprimerait des photos de lui, vieilles de dix ans et tirées des archives des journaux, et l'on publierait d'effarantes insanités sur lui et sur le N° 1. A présent, il ne voulait plus de journal, mais il désirait avec la même avidité savoir ce qui se passait dans le cerveau du N° 1. Il le voyait assis à son bureau, solidement accoudé, lourd et morose, dictant lentement à une sténographe. D'autres se promenaient de long en large en dictant, faisaient des ronds avec la fumée de leur cigarette ou bien jouaient avec une règle. Le N° 1 ne bougeait pas, ne jouait pas, ne faisait pas de ronds de fumée... Roubachof s'aperçut soudain qu'il marchait lui-même de long en large depuis cinq minutes ; il s'était levé de son lit sans s'en apercevoir. Et voilà qu'il se trouvait déjà repris par un rite familier consistant à ne jamais poser le pied sur le bord des carreaux dont il savait déjà le dessin par cœur. Mais sa pensée n'avait pas une seconde quitté le N° 1, qui, assis à son bureau, et dictant de son air impassible, s'était peu à peu transformé en son propre portrait, en cette chromo célèbre, pendue au-dessus de chaque lit et de chaque buffet dans tout le pays, et qui vous regardait de ses yeux figés.

Roubachof allait et venait dans la cellule, de la porte à la fenêtre et retour, entre la couchette, le lavabo et le seau, six pas et demi dans un sens, six pas et demi dans l'autre. A la porte il tournait à droite, à la fenêtre il tournait à gauche : c'était une vieille habitude de prison ; si l'on ne changeait pas de sens à chaque demi-tour, on avait vite le vertige. Que se passait-il dans le cerveau du N° 1 ? Il se représentait une coupe de ce cerveau, soigneusement peinte en gris à l'aquarelle sur une feuille de papier fixée avec des punaises sur une planche à dessin. Les circonvolutions de la matière grise s'enflaient comme des entrailles, s'enroulaient les unes sur les autres comme des serpents musculeux, s'estompaient en un vague brouillard comme la spirale des *nébuleuses* sur des cartes astronomiques... Que se passait-il dans les renflements de ces grises circonvolutions ? On savait tout des lointaines *nébuleuses*, mais sur elles on ne savait rien. Telle était sans doute la raison pour laquelle l'Histoire était un oracle plutôt qu'une science. Plus tard, peut-être, beaucoup plus tard, on l'enseignerait au moyen de tables statistiques auxquelles s'ajouteraient de pareilles coupes anatomiques. Le professeur dessinerait au tableau une formule algébrique représentant les conditions de vie des masses d'un pays donné à une époque donnée : « Citoyens, voici les facteurs objectifs qui ont conditionné ce processus historique. » Et, montrant de sa règle un paysage brumeux et grisâtre entre le second et le troisième lobe du cerveau du N° 1 : « Et maintenant, voici l'image subjective de ces facteurs. C'est elle qui pendant le second quart du XXe siècle a conduit au triomphe du principe totalitaire. » Tant qu'on n'en serait pas là, la politique ne serait jamais qu'un dilettantisme sanglant, que pure superstition et magie noire...

Roubachof entendit le bruit de plusieurs personnes avançant du même pas dans le corridor. Sa première pensée fut : « Maintenant, la raclée va venir. » Il s'arrêta au milieu de la cellule, l'oreille tendue, le menton en avant. Les pas s'arrêtèrent devant une des cellules voisines, un ordre fut donné à voix basse, il y eut un cliquetis de clefs, puis le silence se fit.

Roubachof se raidit entre le lit et le seau, retint sa respiration, et attendit le premier cri. Il se souvint que le premier cri, dans lequel la terreur prédomine encore sur la souffrance physique, était généralement le plus pénible ; ce qui suivait était déjà plus supportable, on s'y accoutumait et, au bout de quelque temps, on pouvait même déduire le moyen de torture employé d'après le ton et le rythme des cris. Vers la fin, la plupart des gens se comportaient de la même façon, si différents fussent-ils par le tempérament et la voix ; les cris s'affaiblissaient, devenaient un gémissement et une plainte étranglée. D'ordinaire, la porte se refermait peu après. Les clefs cliquetaient à nouveau ; et le premier cri de la victime suivante venait souvent avant qu'on l'eût touchée, simplement à la vue des bourreaux dans l'embrasure de la porte.

Debout au milieu de sa cellule, Roubachof attendait le premier hurlement. Il frotta son pince-nez sur sa manche et se dit qu'il ne crierait pas cette fois-ci non plus, quoi qu'il advînt. Il répéta cette phrase comme s'il disait son chapelet. Il attendait, debout ; toujours pas de hurlement. Puis il entendit un léger cliquetis ; une voix murmurait quelques mots, la porte d'une cellule claqua. Les pas s'avancèrent vers la cellule suivante.

Roubachof alla au judas regarder dans le corridor. Ils s'arrêtèrent presque en face de sa cellule, au N° 407. C'était le vieux geôlier, suivi de deux valets qui traînaient un baquet de thé ; un troisième portait un panier plein de tranches de pain noir, et deux agents en uniforme armés de pistolets fermaient la marche. Il ne s'agissait pas de rosser les prisonniers ; on leur apportait le petit-déjeuner.

On donnait justement du pain au N° 407. Roubachof ne le voyait pas. Le N° 407 se tenait sans doute dans la position réglementaire, à un pas de la porte ; Roubachof ne voyait de lui que les avant-bras et les mains. Les bras étaient nus et très maigres ; comme deux bâtons parallèles, ils sortaient dans le corridor par l'embrasure de la porte. Les paumes des mains de l'invisible N° 407 étaient tournées vers le ciel, recourbées et formaient comme une jatte. Quand on lui eut donné son pain, il serra ses mains l'une contre l'autre et s'enfonça dans la cellule obscure. La porte claqua.

Roubachof quitta le judas et se remit à marcher de long en large. Il acheva de frotter ses lunettes sur sa manche, les mit sur son nez et respira profondément avec soulagement. Il se mit à siffler en attendant son déjeuner. Il se rappelait avec une légère émotion ces bras maigres et le creux de ces mains ; ils lui rappelaient vaguement quelque chose qu'il ne parvenait pas à préciser. Le contour de ces mains tendues et même leurs ombres lui étaient familiers — tout proches, et cependant sortis de sa mémoire comme une mélodie d'autrefois ou les effluves de quelque rue étroite dans un port.

VII

Le cortège avait ouvert et refermé toute une série de portes, mais pas encore la sienne. Roubachof retourna au judas, pour voir s'ils arrivaient enfin ; il avait envie de boire du thé chaud. Il avait vu fumer le baquet, de minces tranches de citron flottaient à la surface. Il enleva son pince-nez et colla l'œil au judas. Son champ visuel embrassait quatre des cellules opposées : du N° 401 au N° 407. Au-dessus des cellules courait une étroite galerie de fer ; derrière elles étaient d'autres cellules, celles du second étage. Le cortège revenait justement le long du corridor sur la droite ; évidemment ils servaient d'abord les numéros impairs, puis les pairs. Voici qu'ils étaient au N° 408 ; Roubachof voyait seulement le dos des deux hommes en uniforme avec des revolvers dans leurs ceinturons de cuir : le reste du cortège restait en dehors de son champ visuel. La porte claqua ; maintenant, ils étaient tous au N° 406. Roubachov revit le baquet fumant et le valet avec son panier dans lequel ne restaient plus que quelques tranches de pain. La porte du N° 406 claqua instantanément ; la cellule était inoccupée. Le cortège s'approcha, passa devant sa porte et s'arrêta au N° 402.

Roubachof se mit à tambouriner des deux poings sur la porte. Il vit les deux hommes au baquet se regarder et jeter un coup d'œil à sa porte. Le geôlier s'affairait à la porte du 402 et faisait semblant de ne pas entendre. Les deux hommes en uniforme tournaient le dos au judas de Roubachof. Maintenant on passait du pain au N° 402 ; le cortège se remit en marche. Roubachof tambourina plus fort. Il ôta un de ses souliers et s'en servit pour taper.

Le plus gros des deux hommes en uniforme se retourna, regarda la porte de Roubachof d'un air impassible et se détourna. Le geôlier fit claquer la porte du N° 402. Les valets qui tiraient le baquet de thé semblaient hésitants. L'homme en uniforme qui s'était retourné dit quelque chose au vieux geôlier, qui haussa les épaules et, son trousseau de clefs cliquetant, traîna ses savates jusqu'à la porte de Roubachof. Les hommes au baquet le suivirent ; le valet au pain dit quelque chose au N° 402 par son judas.

Roubachof recula d'un pas et attendit que la porte s'ouvrît. La tension qui régnait en lui se relâcha tout d'un coup ; cela lui était égal maintenant d'avoir du thé, ou de n'en pas avoir. Au retour, le thé ne fumait plus dans le baquet et les tranches de citron sur ce qui restait du liquide jaune pâle lui avaient paru flasques et ratatinées.

La clef tourna dans sa serrure, puis une pupille le fixa par le trou et disparut. La porte s'ouvrit toute grande. Roubachof s'était assis sur le lit et remettait son soulier. Le gardien tenait la porte ouverte pour permettre au gros homme en uniforme d'entrer dans la cellule. Celui-ci avait le crâne rond et tout rasé et des yeux impassibles. Son uniforme raide crissait ; ses souliers aussi ; Roubachof crut sentir l'odeur de cuir de son ceinturon. L'homme s'arrêta près du seau et inspecta la cellule, qui semblait s'être rétrécie du fait de sa présence.

« Vous n'avez pas nettoyé votre cellule, dit-il à Roubachof. Vous connaissez pourtant le règlement, je suppose.

— Pourquoi m'a-t-on oublié au déjeuner ? dit Roubachof, dévisageant l'officier à travers son lorgnon.

— Si vous voulez discuter avec moi, il faudra vous lever, dit l'officier.

— Je n'ai pas la moindre envie de discuter ni même de vous parler, dit Roubachof, qui laça son soulier.

— Alors, la prochaine fois, ne cognez pas à la porte, ou bien il faudra vous expliquer les mesures disciplinaires habituelles », répondit l'officier.

Il jeta à nouveau un regard circulaire dans la cellule.

« Le prisonnier n'a pas de torchon pour nettoyer le carreau », dit-il au gardien.

Le gardien dit quelque chose au porteur de pain, qui disparut au trot dans le corridor. Les deux autres valets restaient plantés devant la porte ouverte et jetaient dans la cellule des regards curieux. Le second officier tournait le dos ; il était dans le corridor, les jambes écartées et les mains derrière le dos.

« Le prisonnier n'a pas d'écuelle non plus, dit Roubachof, toujours à lacer son soulier. Je suppose qu'on veut m'épargner la peine de faire la grève de la faim. J'admire vos nouvelles méthodes.

— Vous faites erreur », dit l'officier, le regardant de son air impassible.

Une large cicatrice zébrait son crâne rasé, et il portait à la boutonnière le ruban de l'Ordre de la Révolution.

« Il a donc fait la Guerre civile, après tout, se dit Roubachof. Mais il y a si longtemps de cela... »

« Vous faites erreur. Si vous n'avez pas eu de déjeuner, c'est parce que vous vous êtes porté malade.

— Mal aux dents, dit le vieux geôlier, accoudé à la porte. Il était toujours en pantoufles, son uniforme était fripé et couvert de taches de graisse.

— Comme vous voudrez », dit Roubachof.

La langue lui démangeait de demander si la dernière réalisation du régime consistait à traiter les malades par le jeûne obligatoire, mais il se retint. Cette scène l'écœurait.

Le porteur de pain revint en courant, tout essoufflé et agitant un chiffon crasseux. Le gardien le lui prit des mains et le jeta dans le coin, à côté du seau.

« Avez-vous d'autres vœux à formuler ? demanda l'officier sans aucune ironie.

— Laissez-moi tranquille avec votre comédie », dit Roubachof.

L'officier sortit, le geôlier fit tinter son trousseau de clefs. Roubachof alla à la fenêtre, leur tournant le dos. La porte s'était refermée quand il se souvint qu'il avait oublié le plus important ; il bondit vers la porte.

« Du papier et un crayon », cria-t-il par le petit trou.

Il enleva son binocle et colla un œil à l'orifice pour voir s'ils se retournaient. Il avait crié très fort, mais le cortège suivit son chemin dans le couloir comme si personne n'avait rien entendu. Il ne vit bientôt plus que le dos de l'officier au crâne rasé, et son large ceinturon auquel pendait un étui à revolver.

VIII

Roubachof reprit la marche dans sa cellule, six pas et demi vers la fenêtre, six pas et demi dans l'autre sens. Cette scène l'avait remué ; il se la remémora dans le menu détail tout en frottant son pince-nez sur sa manche. Il essayait de se cramponner à la haine qu'il avait ressentie pendant quelques minutes pour l'officier à la cicatrice ; il pensait qu'elle le durcirait pour la lutte à venir. Au lieu de quoi il retomba une fois de plus sous le coup de ce penchant familier et fatal qui le forçait à se mettre à la place de son adversaire, et à envisager la scène avec les yeux de l'autre. Il était resté assis là sur la couchette, ce Roubachof, petit, barbu, arrogant ; et, d'un air évidemment provocateur, il avait remis son soulier sur sa chaussette imprégnée de sueur. Bien sûr, ce Roubachof avait ses mérites, et pouvait se targuer d'un grand passé ; mais c'était une chose de le regarder sur l'estrade à un congrès, et une autre de le voir sur une paillasse dans un cachot. C'est donc cela, le légendaire Roubachof ? se disait Roubachof au nom de l'officier aux yeux impassibles. Il gueule comme un écolier pour avoir son déjeuner et n'en a même pas honte. Ne nettoie pas sa cellule. Des trous dans sa chaussette. Intellectuel grognon. Conspire contre l'ordre établi ; que ce soit pour de l'argent ou par principe, peu importe. Nous n'avons pas fait la Révolution pour faire plaisir à des originaux. C'est vrai qu'il a aidé à la faire ; dans ce temps-là, c'était un homme ; mais à présent il est vieux et plein de lui-même, mûr pour être liquidé. Peut-être était-il comme cela même dans le temps ; il y avait dans la Révolution bien des bulles de savon qui ont éclaté par la suite. S'il lui restait la moindre trace de fierté, il nettoierait sa cellule.

Pendant plusieurs secondes Roubachof se demanda s'il ne devrait pas vraiment frotter le carrelage. Il demeurait hésitant au milieu de la cellule, puis il remit son pince-nez et s'accouda contre la fenêtre.

Il faisait jour maintenant dans la cour, un jour grisâtre teinté de jaune ; cette lumière n'était pas hostile, et promettait encore de la neige. Il était environ huit heures — trois heures seulement s'étaient écoulées depuis qu'il était entré dans la cellule. Les murs qui entouraient la cour ressemblaient à des murs de caserne ; des grilles de fer revêtaient toutes les fenêtres, et les cellules qui se trouvaient derrière étaient trop sombres pour que l'on vît au-dedans. Il était même impossible de voir si quelqu'un était debout immédiatement derrière sa fenêtre, à regarder comme lui la neige de la cour. C'était une belle neige, légèrement gelée ; elle crépiterait si on marchait dessus. De part et d'autre du sentier qui faisait le tour de la cour à dix pas des murs, la neige déblayée et entassée formait un parapet irrégulier. Sur la courtine d'en face la sentinelle faisait les cent pas. Une fois, en faisant demi-tour, elle cracha dans la neige en décrivant un grand arc, et se pencha sur la rampe pour voir où son crachat était tombé tout gelé.

« Ma vieille maladie, se dit Roubachof. Les révolutionnaires ne devraient pas voir les choses à travers l'esprit d'autrui. »

Ou peut-être le fallait-il ? Ou même était-ce indispensable ?

Comment peut-on transformer le monde, si l'on s'identifie avec tout le monde ?

Et comment faire autrement pour le transformer ?

Celui qui comprend, et pardonne — où donc trouvera-t-il un mobile d'action ?

Et où n'en trouvera-t-il pas ?

« Ils vont me fusiller, se dit Roubachof. Mes motifs ne les intéresseront pas. » Il appuya le front contre la vitre. La cour était blanche et déserte.

Il resta là un instant, sans penser à rien, sentant sur son front la fraîcheur du verre. Peu à peu il prit conscience d'un bruit léger, mais persistant dans sa cellule.

Il se retourna, prêtant l'oreille. On frappait si doucement que tout d'abord il ne put pas distinguer de quel mur cela venait. Tandis qu'il tendait l'oreille, cela s'arrêta. Il se mit à taper lui aussi, d'abord sur le mur au-dessus du seau, du côté du N° 406, mais n'obtint pas de réponse. Il essaya l'autre mur, qui le séparait du N° 402, à côté de son lit. Ici on lui répondit. Roubachof s'installa à son aise sur la couchette, d'où il pouvait surveiller le judas ; son cœur battait. Le premier contact était toujours très émouvant.

Le N° 402 frappait maintenant avec régularité ; trois fois avec de brefs intervalles, puis une pause, puis encore trois fois. Roubachof répéta la même série pour lui faire comprendre qu'il l'entendait. Il était pressé de savoir si l'autre connaissait « l'alphabet quadratique » — sinon il faudrait de longs tâtonnements pour le lui enseigner. Le mur était épais et résonnait mal ; il devait appuyer sa tête contre la paroi pour bien entendre, et en même temps il lui fallait guetter le judas. Le N° 402 avait évidemment une longue pratique ; il frappait distinctement et sans se presser, probablement avec un objet dur comme un crayon. Tout en se rappelant le nombre de coups frappés, Roubachof, qui était un peu rouillé, essayait de se représenter visuellement le carré dans lequel s'insérait l'alphabet, avec ses vingt-cinq compartiments — cinq rangées horizontales de cinq lettres chacune. Le N° 402 frappa d'abord quatre coups — donc la quatrième ligne : P — T ; puis deux fois ; c'était donc la seconde lettre de la quatrième ligne : Q. Puis un temps ; puis cinq coups — la cinquième ligne : U — Z ; puis un coup — la première lettre de la série : U. Puis deux coups et enfin quatre coups ; donc la quatrième lettre de la seconde série : I. Il s'arrêta.

QUI ?

Un type pratique, se dit Roubachof. Il veut tout de suite savoir à qui il a affaire. Selon l'étiquette révolutionnaire il aurait dû commencer avec quelque cliché politique ; puis il aurait parlé de mangeaille et de tabac ; et beaucoup plus tard seulement, plusieurs jours plus tard, à supposer qu'on le fît jamais, on se présentait. Mais l'expérience de. Roubachof était jusqu'ici limitée à des pays où le parti était persécuté, et non persécuteur ; les membres du Parti, étant des conspirateurs, ne s'y connaissaient que par leurs prénoms — et d'ailleurs ils en changeaient si fréquemment qu'un nom n'avait plus aucun sens. Ici, ce n'était évidemment pas la même chose. Roubachof se demanda s'il devait donner son nom. Le N° 402 s'impatientait. Il répéta : QUI ?

« Eh bien, pourquoi pas ? » se dit Roubachof. Il tapota son nom tout au long : NICOLAS SALMANOVITCH ROUBACHOF, et attendit le résultat.

Pendant longtemps il n'eut pas de réponse. Roubachof sourit ; il était à même d'apprécier la surprise de son voisin. Il attendit une minute entière, puis une autre ; enfin il haussa les épaules et se leva. Il reprit sa promenade dans la cellule, mais à chaque demi-tour il s'arrêtait pour prêter l'oreille. Le mur restait muet. Il frotta son binocle sur sa manche, s'avança lentement, d'un pas fatigué, vers la porte, et jeta un coup d'œil dans le corridor, par le petit trou.

Le corridor était vide ; les lampes électriques répandaient leur fausse lumière blafarde ; on n'entendait pas le moindre bruit. Pourquoi le N° 402 devenait-il muet comme une carpe ?

Sans doute la peur ; il avait peur de se compromettre avec Roubachof. Peut-être le N° 402 était-il un docteur, ou un ingénieur politique, tout tremblant à l'idée de son dangereux voisin. Il n'avait certainement pas d'expérience politique, ou il n'aurait pas commencé par demander le nom. Evidemment en prison depuis un certain temps, il s'est perfectionné dans l'art de frapper au mur, et il est dévoré du désir de prouver son innocence. Il est encore imbu de cette croyance simpliste, que sa culpabilité ou son innocence subjective ont la moindre importance ; il n'a aucune idée des intérêts supérieurs qui sont réellement en jeu. Selon toute probabilité il est à présent assis sur sa couchette, à écrire sa centième protestation aux autorités qui ne la liront jamais, ou sa centième lettre à sa femme qui ne la recevra jamais ; de désespoir il s'est laissé pousser la barbe — une barbe noire à la Pouchkine —, il ne se lave plus et il a contracté l'habitude de se ronger les ongles et de se livrer à des excès érotiques. Rien de pire en prison que d'avoir conscience de son innocence ; cela vous empêche de vous acclimater et cela vous sape le moral... Tout à coup les tapotements reprirent.

Roubachof se rassit en toute hâte sur la couchette ; mais il avait déjà manqué deux lettres. Le N° 402 tapait maintenant très vite et moins distinctement ; il était certainement très agité : ...ST BIEN FAIT POUR VOUS.

« C'est bien fait pour vous. »

Voilà qui était inattendu. Le N° 402 était un conformiste. Il détestait les hérétiques d'opposition, comme cela se doit, il croyait que l'Histoire roule sur rails selon un plan infaillible et grâce à un aiguilleur infaillible, le N° 1. Il était persuadé que son arrestation à lui n'était que l'effet d'un malentendu, et que toutes les catastrophes de ces dernières années — depuis la Chine jusqu'à l'Espagne, depuis la famine jusqu'à l'extermination de la vieille garde — étaient soit de regrettables accidents, soit l'effet des machinations diaboliques de Roubachof et de ses amis de l'opposition. La barbe à la Pouchkine du N° 402 s'évanouit ; il avait maintenant un glabre visage de fanatique ; il nettoyait laborieusement sa cellule et respectait rigoureusement le règlement. A quoi bon discuter avec lui ? Ceux-là étaient inéducables. Mais il ne fallait pas non plus se priver du seul et peut-être du dernier contact avec le monde.

QUI ? tapota Roubachof très nettement et lentement.

La réponse vint par à-coups, et comme avec agitation :

ÇA NE VOUS REGARDE PAS.

COMME VOUS VOUDREZ, repartit Roubachof, qui jugeant la conversation terminée, se leva pour reprendre sa course dans la cellule. Mais les coups recommencèrent, cette fois-ci très forts et résonnant clairement — le N° 402 avait évidemment pris un de ses souliers pour donner plus de poids à ses paroles :

VIVE S.M.L'EMPEREUR !

Ah ! Voilà ce que c'est, se dit Roubachof. Il existe encore de véritables et authentiques contre-révolutionnaires — et nous qui pensions qu'aujourd'hui on ne les trouvait que dans les discours du N° 1, sous forme de boucs émissaires pour cacher ses déconfitures. Mais en voici un vrai, un alibi en chair et en os pour le N° 1, un qui gueule comme faire se doit : Vive le Monarque !...

AMEN, fit Roubachof à petits coups, avec un sourire grimaçant. La réponse arriva immédiatement, si possible encore plus sonore.

CANAILLE !

Roubachof s'amusait. Il prit son pince-nez et frappa avec la monture de métal, afin de changer le ton, adoptant une intonation nonchalante et distinguée :

PAS TRÈS BIEN COMPRIS.

Le N° 402 sembla devenir fou. Il martela CANAIL — mais le reste ne vint pas. Au lieu des deux dernières lettres, sa fureur soudain apaisée, il tapota :

POURQUOI ÊTES-VOUS EN TAULE ?

Quelle touchante simplicité... Le visage du N° 402 subit une nouvelle métamorphose. Il devint celui d'un jeune officier des gardes, beau et stupide. Peut-être même avait-il un monocle ? Roubachof tapa avec son pince-nez :

DIVERGENCES POLITIQUES

Un petit intervalle. Le N° 402 se creusait évidemment la cervelle pour trouver une réponse sarcastique. Elle arriva enfin :

BRAVO ! LES LOUPS SE DÉVORENT ENTRE EUX.

Roubachof ne répondit pas. Il en avait assez de ce genre de passe-temps et il se remit en marche. Mais l'officier du 402 prenait goût à la conversation. Il tapa :

ROUBACHOF...

Eh bien, cela frisait la familiarité.

OUI ? répondit Roubachof.

Le N° 402 parut hésiter, puis vint une phrase assez longue :

COMBIEN DE TEMPS Y A-T-IL QUE VOUS AVEZ COUCHÉ AVEC UNE FEMME ?

Il avait certainement un monocle : il s'en servait sans doute pour taper et son orbite dénudée était prise de tics nerveux. Roubachof n'éprouva aucune répulsion. Du moins, cet homme se montrait tel qu'il était ; c'était plus agréable que s'il avait tapé des manifestes monarchistes. Roubachof réfléchit un peu, puis il tapa :

IL Y A TROIS SEMAINES.

La réponse vint aussitôt :

RACONTEZ-MOI TOUT.

Vraiment, il allait un peu fort. Le premier mouvement de Roubachof fut de rompre la conversation ; mais il se souvint que son voisin pourrait par la suite devenir très utile comme intermédiaire avec le N° 400 et les cellules au-delà. La cellule à sa gauche était évidemment inhabitée ; la chaîne s'arrêtait là. Roubachof se cassait la tête à chercher une réponse. Une vieille chanson d'avant la guerre lui revint à l'esprit ; il l'avait entendue quand il était étudiant, dans quelque music-hall où des femmes aux bas noirs dansaient le cancan à la française. Il soupira d'un air résigné et tapa avec son pince-nez :

LES SEINS DORES COMME DES POMMES...

Il espérait que c'était le ton juste. Il avait bien deviné, car le N° 402 insista :

CONTINUEZ. DES DÉTAILS.

Maintenant il devait certainement se tirailler nerveusement la moustache. Il ne pouvait manquer d'avoir une petite moustache aux bouts frisés. Le diable l'emporte ; il était le seul intermédiaire ; il fallait rester en relations. De quoi parlaient les officiers dans leur mess ? De femmes et de chevaux. Roubachof frotta son binocle sur sa manche et tapota consciencieusement :

DES CUISSES DE POULICHE SAUVAGE...

Il s'arrêta, épuisé. Avec la meilleure volonté du monde il n'en pouvait plus. Mais le N° 402 jubilait.

DIABLE D'HOMME QUE VOUS ÊTES ! tapa-t-il avec enthousiasme. Sans doute riait-il bruyamment, mais on n'entendait rien ; il se frappait sur les cuisses et se frisait la moustache, mais on ne voyait rien. L'abstraite obscénité de la muraille muette inspirait une certaine gêne à Roubachof.

CONTINUEZ, réclama le N° 402.

Impossible — C'EST TOUT — lui signifia Roubachof qui s'en repentit aussitôt. Il ne fallait pas offenser le N° 402. Mais heureusement, le N° 402 ne se laissait pas offenser. Il s'obstinait à frapper avec son monocle :

CONTINUEZ — JE VOUS EN PRIE...

Roubachof avait maintenant repris assez d'entraînement pour n'avoir plus besoin de compter les signaux ; il les transformait automatiquement en perceptions acoustiques. Il lui semblait vraiment entendre le ton sur lequel le N° 402 le suppliait de l'alimenter encore en sujets érotiques. L'appel revint, plus pressant :

JE VOUS EN PRIE — JE VOUS EN CONJURE...

Le N° 402 était évidemment encore jeune — probablement grandi en exil, rejeton d'une vieille famille militaire, renvoyé dans son pays avec un faux passeport — évidemment il se tourmentait beaucoup. Sans doute tiraillait-il sa petite moustache et avait-il remis son monocle, et regardait-il d'un air désespéré le badigeon de la paroi :

ENCORE — S'IL VOUS PLAIT, S'IL VOUS PLAIT.

... Le regard fixe et désespéré, il contemplait le mur

silencieux blanchi à la chaux, les taches d'humidité qui, peu à peu, épousaient les formes de la femme aux petits seins dorés comme des pommes et aux cuisses de pouliche sauvage.

DITES-M'EN DAVANTAGE — S'IL VOUS PLAIT.

Peut-être était-il agenouillé sur la couchette, les mains jointes — jointes comme celles du prisonnier du N° 407 pour prendre son morceau de pain.

Roubachof sut enfin quelle scène ce geste lui avait rappelée — le geste suppliant des mains maigres et tendues. La *Pietà*...

IX

Pietà... La pinacothèque d'une ville de l'Allemagne du Sud, un lundi après-midi. Il n'y avait pas âme qui vive dans ce musée, excepté Roubachof et le jeune homme qu'il était venu y voir ; leur entretien eut lieu sur une banquette circulaire en peluche, au milieu d'une salle vide, aux murs de laquelle étaient accrochées des tonnes de lourdes chairs de femmes, œuvres des maîtres flamands. C'était en 1933, pendant les premiers mois de terreur, peu avant l'arrestation de Roubachof. Le mouvement était battu, les membres en étaient hors la loi, traqués, assommés à coups de trique. Le Parti avait cessé d'être une organisation politique ; ce n'était plus qu'une masse de chair sanglante, aux mille bras et aux mille têtes. De même que les cheveux et les ongles d'un mort continuent de pousser, de même on constatait encore des mouvements dans les cellules, les muscles et les membres du Parti défunt. Dans tout le pays il existait de petits groupes réunissant ceux qui avaient survécu à la catastrophe et qui continuaient de conspirer dans la clandestinité. Ils se rencontraient dans des caves, des bois, des gares, des musées et des sociétés sportives. Ils changeaient constamment de chambre, de nom et d'habitudes. Ils ne se connaissaient que par leurs prénoms et ne se demandaient jamais leurs adresses. Chacun remettait sa vie entre les mains de l'autre, et aucun n'avait confiance en son camarade. Ils imprimaient des tracts dans lesquels ils essayaient de se convaincre eux-mêmes et de persuader autrui qu'ils étaient encore en vie. Ils se faufilaient la nuit par d'étroites rues de faubourgs et crayonnaient sur les murs les anciens mots d'ordre pour démontrer qu'ils étaient encore en vie. Ils escaladaient à l'aube des cheminées d'usine pour y arborer l'ancien drapeau, afin de prouver qu'ils étaient encore en vie. Rares étaient ceux qui voyaient leurs tracts, que l'on se hâtait de jeter, en frissonnant d'avoir vu ce message d'outre-tombe ; lorsque chantait le coq, les cris de guerre sur les murs étaient effacés et les drapeaux étaient arrachés des cheminées, mais ils reparaissaient sans cesse. Car dans tout le pays il y avait de petits groupes d'hommes qui se nommaient « morts en vacances » et qui consacraient leur existence à démontrer qu'ils étaient encore en vie.

Ils manquaient de moyens de communications entre groupes ; la fibre nerveuse du Parti était déchirée et chaque groupe ne représentait que lui. Mais, peu à peu, ils se remirent à tâter le terrain autour d'eux. De respectables commis voyageurs arrivaient de l'étranger, avec de faux passeports et des malles à double fond ; c'étaient les Délégués. Ils étaient habituellement arrêtés, torturés et décapités ; d'autres prenaient leur place. Le Parti restait un corps sans vie, incapable de bouger ou de respirer, mais ses cheveux et ses ongles continuaient de pousser ; les chefs envoyaient par-delà les frontières des courants qui galvanisaient ce corps inerte et provoquaient dans ses membres des secousses spasmodiques.

Pietà... Roubachof oublia le N° 402 et continua de faire six pas et demi dans chaque sens ; il se retrouvait sur la banquette circulaire en peluche, dans le musée qui sentait la poussière et l'encaustique. Il était venu tout droit de la gare au rendez-vous, en taxi, et il était arrivé quelques minutes en avance. Il était à peu près sûr de n'avoir pas été observé. Sa valise, remplie d'échantillons des dernières nouveautés d'une maison hollandaise de matériel pour dentistes, était restée à la consigne. Il s'assit sur la banquette circulaire en peluche, et il attendit en regardant à travers son pince-nez les masses de chair molle tapissant les murs.

Le jeune homme, connu sous le nom de Richard, en ce moment chef du groupe du Parti dans cette ville, avait quelques minutes de retard. Il n'avait jamais vu Roubachof et Roubachof ne l'avait jamais vu. Il avait déjà parcouru deux salles vides lorsqu'il aperçut Roubachof sur la banquette circulaire. Un livre reposait sur les genoux de Roubachof : le *Faust* de Goethe dans l'Edition Universelle de Reclam. Le jeune homme vit le livre, jeta rapidement un regard autour de lui, et s'assit à côté de Roubachof. Il était plutôt timide, et se mit tout au bord de la banquette, à quelque distance de Roubachof, sa casquette sur les genoux. Il était serrurier de son état et portait un complet noir des dimanches ; il savait qu'un homme en salopette se ferait remarquer dans un musée.

« Bonjour, dit-il. S'il te plaît, excuse-moi d'être en retard.

— Bien, dit Roubachof. D'abord la liste des militants. Tu l'as sur toi ? »

Le jeune homme nommé Richard secoua la tête.

« Je ne porte pas de listes sur moi, dit-il. Je les ai tous dans ma tête, adresses et tout.

— Bien, dit Roubachof. Mais s'ils te prennent ?

— Pour ça, dit Richard, j'ai donné une liste à Annie. Annie, tu sais, c'est ma femme. »

Il s'interrompit, avala sa salive, et sa pomme d'Adam s'agita ; puis, pour la première fois, il regarda Roubachof bien en face. Roubachof vit qu'il avait les yeux injectés ; leurs globes assez saillants étaient recouverts d'un réseau de veines rouges ; au-dessus du col noir de l'habit du dimanche, une barbe de deux jours recouvrait son menton et ses joues.

« Annie a été arrêtée hier soir, tu sais », dit-il en regardant Roubachof ; et Roubachof lut dans ses yeux l'espoir épais et puéril que lui, le Délégué du Comité central, ferait un miracle et viendrait à son secours.

« Vraiment ? dit Roubachof en frottant son binocle sur sa manche. Ainsi la police a toute la liste ?

— Non, dit Richard, parce que, tu sais, ma belle-sœur était dans l'appartement quand ils sont venus la chercher, et elle a pu lui refiler la liste. Il n'y a pas de danger avec elle, tu sais ; elle est mariée avec un agent, mais elle est des nôtres.

— Bien, dit Roubachof. Où étais-tu quand ta femme a été arrêtée ?

— C'était comme ça, dit Richard. Il y a trois mois que je ne couche pas chez moi, tu sais. J'ai un copain qui est projectionniste dans un cinéma ; je peux y aller avec lui, et quand la représentation est terminée je peux dormir dans sa cabine. On y va tout droit de la rue par l'escalier de sûreté. Et le cinéma à l'œil... » Il s'arrêta et avala. « Annie avait toujours des billets de faveur par mon copain, tu sais, et quand il faisait noir dans la salle elle regardait vers la cabine de projection. Elle ne me voyait pas, mais parfois je voyais très bien son visage quand il y avait beaucoup de lumière sur l'écran... »

Il s'arrêta. Juste en face de lui se trouvait un « Jugement dernier » : des chérubins bouclés aux derrières grassouillets volaient en plein orage et soufflaient dans leurs trompettes. A la gauche de

Richard, c'était un dessin à la plume par un maître allemand. Roubachof ne le voyait qu'en partie, le reste était caché par le dossier en peluche de la banquette et par la tête de Richard : les mains grêles de la Madone, tendues vers le ciel et semblant épouser la forme d'une coupe, et un coin de ciel vide couvert de hachures horizontales. Impossible d'en voir davantage puisqu'en parlant Richard gardait la tête figée dans la même position sur sa nuque rougeaude, légèrement baissée.

« Tiens ! dit Roubachof. Quel âge a ta femme ?

— Dix-sept ans, dit Richard.

— Tiens ! Et quel âge as-tu ?

— Dix-neuf, dit Richard.

— Des enfants ? demanda Roubachof, soulevant légèrement la tête, mais sans parvenir à voir davantage du dessin.

— Le premier est en route », dit Richard, immobile comme un bloc de plomb.

Il y eut un silence, puis Roubachof lui fit réciter la liste des membres du Parti. Elle comprenait une trentaine de noms. Il posa quelques questions et nota plusieurs adresses dans son registre de commandes d'instruments de chirurgie dentaire pour la maison hollandaise. Il les inscrivit dans des blancs ménagés dans une longue liste de dentistes et d'honnêtes citoyens de la région recopiée dans l'annuaire du téléphone. Quand il eut achevé, Richard dit :

« Maintenant, camarade, je voudrais te faire un petit rapport sur notre travail.

— Bien, dit Roubachof. J'écoute. »

Richard fit son rapport. Assis à deux pieds de Roubachof, sur l'étroite banquette de peluche, il était légèrement penché en avant, ses grosses mains rouges sur les genoux de son pantalon du dimanche ; pas une fois il ne changea de pose en parlant. Avec la raideur et la précision d'un comptable, il parlait des drapeaux sur les cheminées d'usine, des inscriptions sur les murs et des tracts déposés dans les cabinets des fabriques. En face, les anges trompetaient en plein orage ; derrière sa tête l'invisible Vierge Marie tendait ses mains grêles ; tout autour d'eux, sur les murs, des hanches, des cuisses et des seins géants les contemplaient.

Les seins dorés comme des pommes revinrent à l'esprit de Roubachof. Il s'immobilisa sur le troisième carreau noir en commençant par la fenêtre de sa cellule, afin d'écouter si le N° 402 tapait encore. Pas un bruit. Roubachof alla chercher du regard, par le judas, le N° 407 qui avait tendu les mains pour prendre le pain. Il vit la porte de fer grise de la cellule 407 avec son petit judas noir. La lumière électrique éclairait comme toujours le corridor ; un morne silence régnait ; on avait peine à croire que des êtres humains vivaient derrière ces portes.

Tandis que Richard lui faisait son rapport, Roubachof s'abstint de l'interrompre. Des trente hommes et femmes que Richard avait groupés après la catastrophe il ne restait que dix-sept. Deux d'entre eux, un ouvrier d'usine et son amie, s'étaient jetés par la fenêtre quand on était venu les chercher. Un autre avait déserté, quitté la ville, disparu. Il y en avait deux que l'on soupçonnait d'être des mouchards de la police, mais ce n'était pas certain. Sur trois qui avaient quitté le Parti en protestant contre la politique du Comité central, deux avaient fondé un nouveau groupe d'opposition et le troisième avait adhéré au parti des Modérés. Cinq, dont Annie, avaient été arrêtés la veille ; on savait que deux au moins d'entre eux n'étaient plus au nombre des vivants. Il en restait donc dix-sept qui continuaient de distribuer des tracts et de gribouiller sur les murs.

Richard lui raconta tout cela par le menu détail, pour que Roubachof comprît tous les tenants et aboutissants et les relations personnelles ; il ne savait pas que le Comité central avait dans le groupe son homme de confiance qui, depuis longtemps, avait fait connaître à Roubachof la plupart de ces faits. Il ne savait pas non plus que cet homme était son copain, le projectionniste de cinéma, dans la cabine duquel il dormait ; ni que cet homme était depuis longtemps l'amant de sa femme Annie arrêtée la veille. Richard ne savait rien de tout cela, mais Roubachof était au courant. Le mouvement gisait en ruine, mais sa Direction des Renseignements fonctionnait encore ; c'en était peut-être la seule section qui fonctionnât, et à ce moment-là Roubachof en était le chef. Cela, le jeune homme endimanché à la nuque de taureau ne le savait pas non plus. Tout ce qu'il savait, c'était qu'Annie avait été emmenée et que l'on devait continuer de distribuer des tracts et de gribouiller sur les murs ; et qu'il fallait se fier à Roubachof comme à son propre père, ce camarade étant l'envoyé du Comité central du Parti ; mais il ne fallait pas laisser paraître ce sentiment ni trahir la moindre faiblesse. Quiconque se montrait tendre et sentimental n'était pas à la hauteur de sa tâche et devait être écarté — rejeté hors du mouvement, dans la solitude et dans la nuit.

Dans le corridor, des pas se rapprochaient. Roubachof se dirigea vers la porte, enleva son pince-nez et colla un œil au judas. Deux fonctionnaires aux ceinturons de cuir escortaient un jeune paysan, suivis du petit vieillard au trousseau de clefs. Le paysan avait un œil poché et un caillot de sang sur la lèvre supérieure ; en passant il essuya de sa manche son nez qui saignait, il avait le visage plat et sans expression. A quelque distance et hors de portée de la vue de Roubachof, la porte d'une cellule s'ouvrit, puis claqua. Les deux fonctionnaires et le gardien revinrent seuls.

Roubachof déambulait dans sa cellule. Il se revoyait assis près de Richard sur la banquette en peluche ; il entendit de nouveau le silence qui s'était appesanti sur eux lorsque le jeune homme eut terminé son rapport. Richard ne bougeait pas ; il attendait, les mains sur les genoux. Il restait là comme quelqu'un qui s'est confessé et qui attend la sentence de son directeur. Il y eut un silence assez prolongé. Puis, Roubachof dit :

« Bien. C'est tout ? »

Le jeune homme hocha la tête ; sa pomme d'Adam s'agita.

« Plusieurs choses ne sont pas claires dans ton rapport, dit Roubachof. Tu as parlé à plusieurs reprises des tracts et des brochures que vous avez rédigés vous-mêmes. Nous les avons vus, et leur contenu a été sévèrement critiqué. Il y a là plusieurs formules que le Parti ne saurait accepter. »

Richard le regarda d'un air effrayé ; il rougit. Roubachof vit s'échauffer la peau de ses pommettes et s'épaissir le réseau des veines rouges dans ses yeux injectés.

« En outre, poursuivit Roubachof, nous vous avons envoyé à plusieurs reprises des textes imprimés à distribuer, y compris l'édition spéciale petit format de l'organe officiel du Parti. Vous avez reçu ces envois. »

Richard hocha la tête. Le rouge ne quittait pas son visage.

« Mais vous n'avez pas distribué notre matériel ; il n'en est même pas question dans ton rapport. Au lieu de quoi vous avez fait circuler des textes de votre composition — sans le contrôle ni l'assentiment du Parti.

— M-mais il le f-fallait. »

Richard dut faire un grand effort pour prononcer ces paroles. Roubachof le regarda attentivement à travers son pince-nez ; il n'avait pas remarqué jusque-là son bégaiement. Curieux, se dit-il, le troisième cas en quinze jours. Quel nombre surprenant de petits anormaux nous avons dans le Parti ! Serait-ce la faute des circonstances dans lesquelles nous travaillons, ou bien la nature même du mouvement favoriserait-elle la sélection des anormaux ?...

« Il f-faut que tu c-comprennes, c-camarade, dit Richard avec un air de détresse croissante. Le t-ton de votre matériel de propagande ne convenait pas, p-parce que...

— Parle doucement, dit soudain Roubachof d'un ton sec, et ne tourne pas la tête vers la porte. »

Un grand jeune homme en uniforme noir de la garde prétorienne du régime était entré dans la salle avec sa bonne amie. C'était une blonde plantureuse ; il la tenait par sa forte taille, et elle lui passait le bras sur l'épaule. Ils ne firent pas attention à Roubachof et à son compagnon et s'arrêtèrent devant les anges aux trompettes, tournant le dos à la banquette.

« Ne t'arrête pas de parler », dit Roubachof calmement à voix basse, et automatiquement il sortit de sa poche son étui à cigarettes. Puis, se souvenant qu'il est interdit de fumer dans les musées, il remit l'étui dans sa poche. Le jeune homme restait comme paralysé par une décharge électrique, et regardait fixement le couple.

« Ne t'arrête pas de parler, répéta tranquillement Roubachof. Est-ce que tu bégayais dans ton enfance ? Réponds et ne regarde pas là-bas.

— D-des fois », parvint à dire Richard péniblement.

Le couple suivait la rangée de tableaux. Il s'arrêta devant un nu, une femme très grasse étendue sur une couche de satin et regardant le spectateur. L'homme murmura quelque chose qui voulait sans doute être spirituel, car la jeune femme rit bêtement et jeta un regard fuyant aux deux hommes assis sur la banquette. Ils passèrent à une nature morte représentant des faisans et des fruits.

« Ne d-devrions-nous pas p-partir ? demanda Richard.

— Non », dit Roubachof. Il craignait qu'une fois debout le jeune homme, agité comme il l'était, ne se fasse remarquer. « Ils s'en iront bientôt. Nous avons le dos à la lumière ; ils ne nous voient pas distinctement. Respire lentement et profondément plusieurs fois de suite. Ça aide. »

La jeune femme riait toujours et le couple se dirigeait lentement vers la sortie. En passant, tous deux tournèrent la tête vers Roubachof et Richard. Ils allaient quitter la salle, quand elle montra du doigt le dessin à la plume de la *Pietà* ; ils s'arrêtèrent pour le regarder.

« Est-ce très gê-gênant quand je b-bégaie ? demanda Richard à voix basse, les yeux rivés au parquet.

— On doit se maîtriser », dit Roubachof sèchement. Il ne pouvait pas tolérer maintenant qu'un sentiment se glissât dans la conversation.

« Ça ira m-mieux dans un m-moment, dit Richard dont la pomme d'Adam s'agita convulsivement. Annie se m-moquait t-toujours de moi à cause de cela. »

Tant que le couple restait dans la salle, Roubachof ne pouvait pas diriger la conversation. Le dos de l'homme en uniforme le clouait au côté de Richard. Leur danger commun aida le jeune homme à surmonter sa timidité ; il se rapprocha même un peu de Roubachof.

« Elle m'aimait tout de m-même, poursuivit-il en chuchotant d'un ton plus calme, son agitation avait changé de nature. Je n'ai j-jamais su au j-juste que penser d'elle. Elle ne voulait pas avoir l'enfant, m-mais elle n'a pas pu s'en débarrasser. P-peut-être qu'ils ne lui feront rien du moment qu'elle est enceinte. Ça se voit déjà, tu sais. P-penses-tu qu'ils b-battent les femmes enceintes ? »

Du menton, il désignait le jeune homme en uniforme. Au même instant, le jeune homme tourna soudain la tête vers Richard. Pendant une seconde ils se regardèrent. Le jeune homme en uniforme dit quelque chose à voix basse à sa compagne ; elle aussi tourna la tête. Roubachof empoigna de nouveau son étui à cigarettes, mais cette fois-ci il le laissa retomber avant de le tirer de sa poche. La jeune fille dit quelque chose et entraîna son compagnon avec elle. Tous deux quittèrent le musée lentement, mais l'homme hésita un peu. On entendit dehors le rire gras de la jeune femme, et leurs pas s'éloignèrent.

Richard avait tourné la tête et les avait suivis des yeux. Grâce à ce mouvement, Roubachof put mieux voir le dessin ; il découvrait maintenant jusqu'aux coudes les bras minces de la Vierge. C'étaient de maigres bras de petite fille, s'élevant avec une légèreté immatérielle vers l'arbre invisible de la croix.

Roubachof regarda sa montre. Le jeune homme s'écarta un peu de lui sur la banquette.

« Nous devons en finir, dit Roubachof. Si je te comprends bien, tu dis que c'est à dessein que tu n'as pas distribué notre matériel parce que tu n'en approuves pas le contenu. Mais nous n'approuvons pas non plus le contenu de tes tracts. Tu comprendras, camarade, que certaines conséquences découlent de cela. »

Richard tourna vers lui ses yeux rougis. Puis il baissa la tête.

« Tu sais toi-même que les textes que vous avez envoyés étaient remplis d'inepties, dit-il d'une voix blanche. Il avait tout à coup cessé de bégayer.

— Je ne sais rien de pareil, dit Roubachof durement.

— Vous écriviez comme si rien ne s'était passé, dit Richard de la même voix lasse.. Ils massacrent le Parti, et vous écrivez de belles phrases sur notre marche victorieuse en avant — le même genre de mensonges que les communiqués de la Grande

Guerre. Ceux à qui on montrerait ça cracheraient dessus. Tu le sais toi-même. »

Roubachof regarda cet enfant, maintenant penché en avant, les coudes sur les genoux, le menton sur ses poings rougeauds. Il répondit sèchement :

« C'est la seconde fois que tu m'attribues une opinion qui n'est pas la mienne. Je dois te demander de ne plus le faire. »

Richard le regarda de ses yeux injectés avec l'air de quelqu'un qui ne croit pas ce qu'on lui dit. Roubachof continua :

« Le Parti traverse une dure épreuve. D'autres partis révolutionnaires en ont subi d'encore plus difficiles. Le facteur décisif est notre volonté inflexible. Quiconque aujourd'hui mollit et faiblit n'est pas à sa place dans nos rangs. Quiconque sème une atmosphère de panique fait le jeu de nos ennemis. Les motifs qui le poussent à le faire sont dénués d'intérêt. Son attitude fait qu'il constitue un danger pour notre mouvement, et il sera traité en conséquence. »

Richard restait là, le menton dans ses mains, le visage tourné vers Roubachof.

« Ainsi, je suis un danger pour le mouvement, dit-il. Je fais le jeu de l'ennemi. Sans doute suis-je payé pour le faire. Et Annie aussi...

— Dans tes brochures, reprit Roubachof du même ton sec, et tu reconnais en être l'auteur, on trouve fréquemment des phrases comme celles-ci : que nous avons essuyé une défaite, que le Parti a subi une catastrophe, et que nous devons repartir à zéro et revoir notre tactique de fond en comble. C'est du défaitisme. Cela est démoralisant et cela porte atteinte à l'esprit combatif du Parti.

— Tout ce que je sais, dit Richard, c'est que l'on doit dire aux gens la vérité, puisqu'ils la connaissent déjà en tout cas. Il est ridicule de prétendre ce qui n'est pas.

— Le dernier congrès du Parti, reprit Roubachof,

a déclaré dans une résolution que le Parti n'a pas essuyé de défaite et n'a fait qu'exécuter une retraite stratégique ; et qu'il n'y a aucune raison de modifier la politique précédemment arrêtée.

— Mais c'est de la foutaise, dit Richard.

— Si tu continues comme cela, dit Roubachof, je crains bien qu'il ne faille mettre fin à cette conversation. »

Richard se tut un instant. La salle commençait à s'obscurcir ; aux murs, les contours des anges et des femmes s'estompaient encore davantage et devenaient plus nébuleux.

« Je demande pardon, dit Richard, je veux dire que la direction du Parti fait erreur. Vous parlez de « retraite stratégique » alors que la moitié des nôtres sont tués, et que ceux qui restent sont si heureux d'être encore en vie qu'ils passent de l'autre côté en masse. Ces résolutions dans lesquelles vous autres, à l'étranger, vous coupez des cheveux en quatre, on ne les comprend pas ici... »

Les traits de Richard commençaient à s'embrumer dans le crépuscule. Il s'arrêta, puis il ajouta :

« Je suppose qu'Annie aussi, hier soir, a exécuté une retraite stratégique. Je t'en supplie. Il faut que tu comprennes. Ici, tu sais, nous vivons tous dans la jungle... »

Roubachof attendit de voir s'il avait encore quelque chose à dire, mais Richard ne dit rien. La nuit tombait rapidement à présent. Roubachof enleva son pince-nez et le frotta sur sa manche.

« Le Parti n'a jamais tort, dit Roubachof. Toi et moi, nous pouvons nous tromper. Mais pas le Parti. Le Parti, camarade, est quelque chose de plus grand que toi et moi et que mille autres comme toi et moi. Le Parti, c'est l'incarnation de l'idée révolutionnaire dans l'Histoire. L'Histoire ne connaît ni scrupules ni hésitations. Inerte et infaillible, elle coule vers son but. A chaque courbe de son cours elle dépose la boue qu'elle charrie et les cadavres des noyés. L'Histoire connaît son chemin. Elle ne commet pas d'erreurs. Quiconque n'a pas une foi absolue dans l'Histoire n'est pas à sa place dans les rangs du Parti. »

Richard ne disait rien ; la tête sur ses poings, son visage immobile restait tourné vers Roubachof. Comme il se taisait, Roubachof poursuivit :

« Tu as mis obstacle à la distribution de notre matériel ; tu as supprimé la voix du Parti ; tu as distribué des brochures dont chaque mot était faux et malfaisant ; tu as écrit : « Les restes du mouvement « révolutionnaire doivent se rassembler et toutes les « forces hostiles à la tyrannie doivent s'unir ; nous « devons mettre fin à nos vieilles luttes intestines et « reprendre la lutte commune. » C'est faux. Le Parti ne doit pas se joindre aux Modérés. Ce sont eux qui, à d'innombrables reprises, ont de bonne foi trahi le mouvement, et ils recommenceront à la prochaine occasion, et à la suivante. Transiger avec eux, c'est enterrer la révolution. Tu as écrit : « Quand le feu est « à la maison, tous doivent collaborer à l'éteindre ; « si nous continuons de nous quereller sur des points « de doctrine, nous serons tous réduits en cendres. » C'est faux. Nous autres, nous luttons contre l'incendie avec de l'eau ; les autres y versent de l'huile. Nous devons donc tout d'abord décider quelle est la bonne méthode, l'eau ou l'huile, avant de fusionner les brigades de pompiers. On ne peut pas faire de la politique de cette façon. Il est impossible de formuler une politique à force de passion et de désespoir. La ligne du Parti est nettement définie, comme un étroit sentier de montagne. Le moindre faux pas à droite ou à gauche vous lance dans le précipice. L'air y est raréfié ; quiconque a le vertige est perdu. »

La pénombre était maintenant si épaisse que Roubachof ne voyait plus les mains de la *Pietà*. Une sonnerie retentit deux fois, stridente et pénétrante ; dans un quart d'heure le musée allait fermer. Roubachof regarda sa montre ; il fallait encore dire le mot décisif, et puis tout serait fini. Richard restait immobile à son côté, les coudes sur les genoux.

« Oui, dit-il enfin, je n'ai pas de réponse à cela. Sa voix était sourde et très lasse. Ce que tu dis est sans doute vrai. Et ce que tu as dit à propos de ce sentier de montagne est très beau. Mais tout ce que je sais, c'est que nous sommes battus. Ceux qui nous restent nous lâchent. Peut-être parce qu'il fait trop froid sur ton sentier de montagne. Les autres — ils ont de la musique et de beaux drapeaux et ils sont tous assis en rond autour d'un bon feu bien chaud. Peut-être est-ce pour cela qu'ils ont gagné. Et que nous autres nous nous cassons les reins. »

Roubachof écoutait en silence. Avant de prononcer lui-même la sentence décisive, il voulait savoir si le jeune homme avait encore quelque chose à dire. Cela ne pouvait plus maintenant modifier le verdict ; mais il attendit encore.

La forte silhouette de Richard était de plus en plus voilée par le crépuscule. Il s'était encore éloigné sur la banquette arrondie ; il courbait les épaules et son visage était presque enseveli dans ses mains. Roubachof redressait la taille sur la banquette ; il attendit. Il éprouva un léger élancement à la mâchoire supérieure ; c'était sans doute sa canine gâtée. Au bout d'un moment il entendit la voix de Richard :

« Qu'est-ce qu'il va m'arriver maintenant ? »

Roubachof passa sa langue sur la dent qui lui faisait mal. Il éprouva le besoin de la toucher du doigt avant de prononcer le mot décisif, mais il se retint. Il dit calmement :

« Conformément à la décision du Comité central, je dois t'informer, Richard, que tu n'es plus membre du Parti. »

Richard ne bougea pas. Cette fois encore, Roubachof attendit un instant avant de se lever. Richard restait assis. Il leva seulement la tête, le regarda et demanda :

« Est-ce pour cela que tu es venu ?

— Principalement, dit Roubachof. Il voulait partir, mais restait là debout devant Richard et attendait.

— Que vais-je devenir à présent ? » demanda Richard.

Roubachof ne dit rien. Au bout d'un moment, Richard dit :

« Maintenant, je suppose que je ne peux même plus habiter dans la cabine de mon ami ? »

Roubachof hésita un peu avant de dire :

« Ça vaudrait mieux pour toi. »

Il se reprocha tout de suite d'avoir dit cela, et en même temps il n'était pas sûr que Richard ait compris ce qu'il voulait dire. Il abaissa son regard sur sa forme écroulée :

« Mieux vaudrait que nous quittions le musée séparément. Salut. »

Richard se redressa, mais resta assis. Dans la pénombre, Roubachof ne pouvait que deviner l'expression des yeux injectés, légèrement saillants ; et pourtant ce fut précisément cette image indistincte d'une lourde forme assise qui s'inscrivit à jamais dans sa mémoire.

Il quitta la salle et traversa la suivante, également vide et obscure. Ses pas firent grincer le parquet. Ce ne fut qu'en arrivant à la sortie qu'il se souvint qu'il n'avait pas pensé à regarder le dessin de la *Pietà* ; maintenant il ne connaîtrait que le détail des mains jointes et les maigres avant-bras.

Sur les marches du perron il s'arrêta. Sa dent lui faisait un peu plus mal ; dehors, il faisait froid. Il rajusta autour de son cou son écharpe de laine grise passée. Les réverbères étaient déjà allumés sur la grande place tranquille, devant le musée ; à cette heure il y avait peu de monde ; un petit tram remonta bruyamment l'avenue bordée d'ormeaux, en faisant sonner sa cloche. Il se demanda s'il trouverait un taxi.

Richard le rattrapa sur la dernière marche ; il haletait, à bout de souffle. Roubachof continua son chemin, sans se hâter, mais aussi sans ralentir et sans tourner la tête. Richard avait une demi-tête de plus que lui et était bien plus trapu, mais il enfonçait sa tête dans ses épaules, se faisant tout petit à côté de Roubachof et ralentissant l'allure. Après avoir fait quelques pas, il dit :

« Etait-ce un avertissement, quand je t'ai demandé si je devais quitter mon ami et que tu as dit : « Ça vaudrait mieux pour toi » ?

Roubachof aperçut un taxi aux phares étincelants qui remontait l'avenue. Il s'arrêta au bord du trottoir, attendant qu'il s'approchât. Richard était debout à côté de lui.

« Je n'ai plus rien à te dire, Richard, dit Roubachof en appelant le taxi.

— Camarade — m-mais tu n'irais pas me d-dénoncer, camarade... » dit Richard. Le taxi ralentit, il n'était plus qu'à vingt pas. Richard se tenait tout courbé devant Roubachof ; il avait saisi la manche du pardessus de celui-ci et lui lançait les mots droit au visage ; Roubachof sentit des *postillons* sur son front.

« Je ne suis pas un ennemi du Parti, dit Richard. Tu ne peux pas m'envoyer à la boucherie, c-camarade... »

Le taxi stoppa au bord du trottoir ; le chauffeur avait certainement entendu le dernier mot. Roubachof calcula rapidement qu'il ne servirait de rien de le renvoyer ; un agent stationnait à cent mètres de là. Le chauffeur, un petit vieux en veste de cuir, les regardait d'un air impassible.

« A la gare », dit Roubachof en montant dans le taxi.

Le chauffeur allongea le bras droit et fit claquer la portière derrière lui. Richard se tenait debout au bord du trottoir, la casquette à la main ; sa pomme d'Adam s'agitait de plus belle. Le taxi démarra ; il se dirigea vers l'agent ; il dépassa l'agent. Roubachof préférait ne pas regarder en arrière, mais il savait que Richard était toujours debout au bord du trottoir à regarder fixement le feu rouge du taxi.

Pendant quelques minutes ils traversèrent des rues animées ; le chauffeur tourna la tête plusieurs fois comme s'il désirait s'assurer que son voyageur était toujours là. Roubachof connaissait trop mal la ville pour s'assurer qu'ils allaient vraiment à la gare. Les rues devinrent plus calmes ; au bout d'une avenue apparut un édifice massif orné d'une grande horloge illuminée ; ils s'arrêtèrent devant la gare.

Roubachof descendit ; les taxis de cette ville n'avaient pas encore de compteurs.

« C'est combien ? demanda-t-il

— Rien », dit le chauffeur. Son visage était vieillot et ridé ; il tira de sa poche un chiffon rouge tout sale et se moucha avec cérémonie.

Roubachof le regarda attentivement à travers son pince-nez. Il était certain de n'avoir encore jamais vu ce visage. Le chauffeur remit son mouchoir dans sa poche.

« Pour des hommes comme vous, monsieur, c'est toujours gratuit », dit-il en tirant sur le levier de son frein.

Tout à coup, il tendit la main. C'était une main de vieillard aux veines épaisses et aux ongles crasseux.

« Bonne chance, monsieur, dit-il en souriant à Roubachof d'un air plutôt embarrassé. Si votre jeune ami a jamais besoin de quelque chose — je stationne devant le musée. Vous pouvez lui envoyer mon numéro, monsieur. »

Roubachof vit à sa droite un porteur qui, debout contre un pilier, les regardait. Il ne prit pas la main tendue du chauffeur ; il y mit une pièce d'argent et entra dans la gare sans mot dire.

Il avait une heure d'attente avant le départ du train. Il but au buffet du mauvais café ; sa dent le tourmentait. Dans le train il somnola et rêva qu'il devait courir devant le train. Richard et le chauffeur de taxi étaient dans la locomotive ; ils voulaient l'écraser parce qu'il ne leur avait pas payé la course. Les roues se rapprochaient bruyamment, et ses pieds refusaient de bouger. Il avait la nausée quand il se réveilla, et une sueur froide lui mouillait le front ; dans le compartiment, les gens le regardaient d'un air étrange. Dehors il faisait nuit ; le train allait à toute vapeur à travers un pays ennemi et ténébreux ; il fallait bien en finir de cette affaire avec Richard ; sa dent lui faisait mal. Une semaine après il était arrêté.

X

Roubachof appuya le front contre la vitre et regarda dans la cour. Il avait mal aux jambes et la tête lui tournait d'avoir tant marché de long en large. Il regarda sa montre ; midi moins le quart ; il avait marché dans sa cellule pendant près de quatre heures d'affilée, depuis qu'il avait repensé à la *Pietà*. Il ne s'en étonna pas ; il était assez accoutumé aux rêveries de prison, à l'ivresse qui émane des murs badigeonnés. Il se rappelait un jeune camarade, garçon coiffeur de son état, qui lui avait raconté avoir pendant sa seconde et plus dure année de cellule rêvé les yeux ouverts sept heures durant. Il avait fait vingt-huit kilomètres, dans une cellule de cinq pas de long, et s'était fait des ampoules aux pieds sans s'en apercevoir.

Mais cette fois, c'était venu un peu vite ; dès le premier jour, ce vice s'était emparé de lui, tandis que lors de ses précédentes incarcérations cela n'avait commencé qu'au bout de plusieurs semaines. Autre chose étrange, il avait songé au passé ; les rêveurs chroniques des prisons rêvent presque toujours de l'avenir — et du passé seulement tel qu'il aurait pu être, jamais tel qu'il a été. Roubachof se demandait quelles autres surprises lui réservait son mécanisme mental. Il savait par expérience que de se trouver face à face avec la mort agit presque toujours sur le mécanisme de la pensée, et provoque les réactions les plus surprenantes — analogues aux mouvements d'une boussole rapprochée du pôle magnétique.

Le ciel restait chargé de neige prête à tomber ; dans la cour, deux prisonniers faisaient leur promenade quotidienne sur le sentier déblayé. L'un des deux regarda à plusieurs reprises la fenêtre de Roubachof. Apparemment la nouvelle de son arrestation s'était déjà propagée. C'était un homme émacié à la peau jaunâtre, et qui avait le bec-de-lièvre ; il portait un mince imperméable qu'il serrait sur ses épaules comme s'il grelottait. L'autre était plus âgé et s'était enveloppé d'une couverture. Ils ne se parlèrent pas pendant leur tour de promenade, et au bout de dix minutes ils furent reconduits dans la prison par un homme en uniforme armé d'une matraque en caoutchouc et d'un revolver. La porte où il les avait attendus était exactement en face de la fenêtre de Roubachof ; avant qu'elle se refermât sur l'homme au bec-de-lièvre, celui-ci regarda encore une fois dans la direction de Roubachof. Il ne voyait certainement pas Roubachof, dont la fenêtre, vue de la cour, devait être toute noire ; mais ses yeux s'attachèrent sur la fenêtre comme s'il cherchait quelque chose. « Je te vois et ne te connais pas ; tu ne me vois pas et, cependant, il est évident que tu me connais », se dit Roubachof. Il s'assit sur son lit et demanda au N° 402 :

QUI SONT LES PROMENEURS ?

Il s'imaginait que le N° 402 serait offensé et ne répondrait pas. Mais l'officier ne semblait pas rancunier ; il répondit immédiatement :

POLITIQUES.

Roubachof fut surpris ; il avait pris l'homme maigre au bec-de-lièvre pour un criminel.

DE VOTRE CRU ? demanda-t-il.

NON — DU VÔTRE, tapota le N° 402, sans doute avec un sourire de satisfaction. La phrase suivante fut plus sonore — elle devait être tapée avec le monocle.

BEC-DE-LIÈVRE, MON VOISIN, N° 400, A ÉTÉ TORTURÉ HIER.

Roubachof garda le silence pendant une minute et frotta son pince-nez sur sa manche, bien qu'il ne s'en servît que pour taper. Il voulut d'abord demander « Pourquoi », mais il tapa :

COMMENT ?

402 tapa sèchement :

BAIN DE VAPEUR.

Roubachof avait été roué de coups à maintes reprises pendant son dernier séjour en prison, mais cette méthode-ci, il ne la connaissait que par ouï-dire. Il savait par expérience que toute douleur physique connue est supportable ; si on savait d'avance exactement ce qui allait vous arriver, on le supportait comme une opération chirurgicale — par exemple, l'extraction d'une dent. Seul l'inconnu était vraiment mauvais ; il ne vous donnait aucune chance de prévoir vos réactions, et n'offrait aucune échelle sur laquelle calculer votre capacité de résistance. Et le pire était la crainte de dire ou de faire alors quelque chose d'irrévocable.

POURQUOI ? demanda Roubachof.

DIVERGENCES POLITIQUES, tapota le N° 402 avec ironie.

Roubachof enfourcha son pince-nez et chercha

dans sa poche son étui à cigarettes. Il ne lui restait que deux cigarettes. Puis il tapa :

ET VOUS, COMMENT ÇA VA-T-IL ?

TRÈS BIEN, MERCI... tapa le N° 402 qui abandonna la conversation.

Roubachof haussa les épaules ; il alluma son avant-dernière cigarette et se remit à marcher de long en large. Chose assez étrange, ce qui l'attendait le réjouissait presque. Sa mélancolie chagrine le quittait, il se sentait la tête plus claire, les nerfs plus alertes. Il alla au lavobo se laver le visage, les bras et la poitrine à l'eau froide, se rinça la bouche et s'essuya avec son mouchoir. Il siffla quelques mesures et se mit à sourire — il sifflait toujours horriblement faux, et seulement quelques jours auparavant quelqu'un lui avait dit : « Si le N° 1 était musicien, il aurait depuis longtemps trouvé un prétexte pour te faire fusiller. »

« Il en trouvera bien un », avait-il répondu sans y croire.

Il alluma sa dernière cigarette et, la tête lucide, se mit à établir la ligne de conduite qu'il adopterait à l'interrogatoire. Il était plein de la même confiance calme et sereine qu'il éprouvait pendant ses études chaque fois qu'il allait se présenter à un examen particulièrement difficile. Il se remémora tout ce qu'il savait sur le sujet : « Bain de vapeur. » Il imagina la situation dans le détail et essaya d'analyser les sensations physiques auxquelles on pouvait s'attendre, afin de les débarrasser de tout caractère surnaturel. L'important était de ne pas se laisser prendre au dépourvu. Il était maintenant certain qu'ils n'y parviendraient pas ; les autres n'y étaient pas arrivés, là-bas. Il savait qu'il ne dirait rien d'irrévocable. Si seulement ils pouvaient commencer bientôt.

Son rêve lui revint à l'esprit : Richard et le vieux

chauffeur de taxi, le poursuivant parce qu'ils se sentaient refaits et trahis par lui.

« Je paierai ma course », se dit-il avec un sourire gêné.

Il était presque au bout de sa dernière cigarette ; elle lui brûlait le bout des doigts ; il la laissa tomber. Il allait l'éteindre avec le pied, mais il se reprit, se baissa pour la ramasser et écrasa lentement le mégot rougeoyant sur le dos de sa main, entre les veines bleues et serpentines. Il fit durer cette procédure exactement une demi-minute, qu'il mesura avec l'aiguille des secondes de sa montre. Il était content de lui : sa main n'avait pas tressailli une seule fois en trente secondes. Il se remit à marcher.

L'œil qui l'observait depuis plusieurs minutes par le judas se retira.

XI

Le cortège du déjeuner de midi passa dans le corridor ; cette fois encore, la cellule de Roubachof fut oubliée. Il voulut s'épargner l'humiliation de regarder à travers l'orifice ; aussi ne sut-il pas ce qu'il y avait pour le repas ; mais l'odeur en remplissait sa cellule ; et cela sentait bon.

Il éprouva une violente envie de fumer. Il lui faudrait se procurer des cigarettes d'une façon ou d'une autre, afin de pouvoir concentrer son attention ; elles avaient plus d'importance que le manger. Il attendit une demi-heure après la distribution du repas, et alors il se mit à cogner contre sa porte. Il fallut encore un quart d'heure avant que le bruit des savates du vieux gardien se fît entendre.

« Que voulez-vous ? demanda-t-il, de son air revêche.

— Qu'on aille me chercher des cigarettes à la cantine, dit Roubachof.

— Avez-vous des bons ?

— On m'a pris mon argent à l'arrivée, répondit Roubachof.

— Alors, il faut attendre qu'il soit changé contre des bons.

— Et combien de temps cela prendra-t-il dans votre établissement modèle ? demanda Roubachof.

— Vous pouvez écrire une réclamation, dit le vieux.

— Vous savez très bien que je n'ai ni papier ni crayon, dit Roubachof.

— Pour acheter de quoi écrire, il vous faut des bons », répliqua le geôlier.

Roubachof sentit monter en lui la colère ; il éprouvait cette pression familière dans la poitrine et cet étranglement au fond de la gorge ; mais il se domina. Le vieux vit les pupilles de Roubachof étinceler durement derrière le pince-nez ; il se souvint des chromos de Roubachof en uniforme, que l'on voyait partout autrefois ; il sourit de malice sénile et recula d'un pas.

« Tas de fumier, dit Roubachof lentement en lui tournant le dos et en se dirigeant vers la fenêtre.

— Je signalerai que vous m'avez insulté », dit derrière lui la voix du vieillard, et la porte claqua.

Roubachof frotta son pince-nez sur sa manche et attendit que sa respiration soit redevenue normale. Il lui fallait des cigarettes, ou bien il ne tiendrait pas jusqu'au bout. Il se força à attendre dix minutes. Puis il tapota contre le mur du 402 :

AVEZ-VOUS DU TABAC ?

La réponse se fit un peu attendre. Puis elle vint, nette et bien espacée :

PAS POUR TOI.

Roubachof retourna lentement à la fenêtre. Il voyait le jeune officier avec sa petite moustache, monocle en place, le regard fixé dans une grimace stupide sur le mur qui les séparait ; derrière le monocle, l'œil était vitreux, la paupière rougie se soulevait. Que se passait-il dans sa tête ? Sans doute pensait-il : « Ça t'apprendra. » Et encore : « Canaille, combien des miens as-tu fusillés ? »

Roubachof regarda le badigeon ; il sentait l'autre debout derrière, le visage tourné vers lui ; il croyait l'entendre haleter. Oui, combien des tiens ai-je fait exécuter, je me le demande ? Il ne s'en souvenait vraiment pas. Il y avait bien, bien longtemps de cela, pendant la Guerre civile. Il devait bien y en avoir eu entre soixante-dix et une centaine. Et après ? Il n'y avait rien à redire à cela ; cela se passait sur un plan différent de l'affaire de Richard, et il le referait encore aujourd'hui. Même s'il avait su d'avance que la révolution en fin de compte mettrait le N° 1 au pouvoir ? Oui, même dans ce cas.

« Avec toi, se dit Roubachof en regardant le mur badigeonné derrière lequel se tenait l'autre — qui, entre-temps, avait dû allumer une cigarette et qui en soufflait la fumée contre la paroi — avec toi, je n'ai pas de comptes à régler. Je ne te dois pas de course. Entre toi et moi, il n'y a rien de commun, ni le numéraire ni la langue... Quoi ? Que veux-tu maintenant ? »

Le N° 402 avait recommencé de taper. Roubachof revint au mur.

VOUS ENVOIE DU TABAC, entendit-il. Puis, plus doucement, il entendit le N° 402 qui frappait à sa porte pour attirer l'attention du gardien.

Roubachof retint son souffle ; au bout de quelques minutes, il entendit les pas traînards du vieux. Le geôlier n'ouvrit pas la porte du N° 402, mais demanda par le petit trou :

« Que voulez-vous ? »

Roubachof n'entendit pas la réponse ; il aurait

pourtant aimé entendre la voix du N° 402. Puis le vieux dit assez fort pour que Roubachof l'entende :

« Ce n'est pas permis ; c'est contraire au règlement. »

Cette fois non plus, Roubachof n'entendit pas la réponse. Puis le gardien dit :

« Je vous signalerai pour propos injurieux. »

Il traîna ses savates sur le carreau et le bruit se perdit au bout du corridor.

Pendant quelque temps, ce fut le silence. Puis le N° 402 tapa :

ÇA SE PRÉSENTE MAL POUR VOUS.

Roubachof ne répondit pas. Il allait et venait, la soif de tabac brûlant les membranes desséchées de sa gorge. Il pensa au N° 402. « Et pourtant, je le ferais encore, dit-il tout haut. C'était nécessaire et juste. Mais peut-être que je te dois la course tout de même ? Doit-on aussi expier les actes qui étaient justes et nécessaires ? »

Sa gorge était de plus en plus desséchée. Il avait la tête lourde ; il allait et venait sans répit, et, tout en pensant, ses lèvres se mirent à bouger.

Fallait-il aussi payer ses actes justifiés ? Y avait-il un autre critère que celui de la raison ?

La dette du juste n'était-elle pas peut-être la plus lourde quand on la pesait sur cette autre balance ? Sa dette, à lui, ne compterait-elle pas double — parce que les autres ne savaient pas ce qu'ils faisaient ?...

Roubachof s'arrêta sur le troisième carreau noir à partir de la fenêtre.

Qu'est-ce qui le prenait ? Un vent de folie religieuse ? Il s'aperçut que depuis plusieurs minutes il se parlait à mi-voix. Et même maintenant qu'il s'observait, ses lèvres, indépendamment de sa volonté, se mouvaient pour dire :

« Je paierai. »

Pour la première fois depuis son arrestation, Roubachof eut peur. Il chercha ses cigarettes. Mais il n'en avait pas.

Il entendit à nouveau les petits coups précis sur le mur au-dessus du lit. Le N° 402 avait un message pour lui :

BEC-DE-LIÈVRE VOUS ENVOIE SES SALUTATIONS.

Il revit le visage jaune tourné vers lui : le message le mit mal à l'aise. Il tapa :

COMMENT S'APPELLE-T-IL ?

Le n° 402 répondit :

IL NE VEUT PAS LE DIRE, MAIS IL VOUS ENVOIE SES SALUTATIONS.

XII

Pendant l'après-midi, Roubachof se sentit encore plus malade. Il était pris de tremblements périodiques. Et sa dent avait recommencé de lui faire mal — la canine supérieure de droite, rattachée au nerf orbital. Il n'avait rien mangé depuis son arrestation, mais il n'avait pas faim. Il essayait de se recueillir, mais les frissons glacés qui le secouaient et l'irritation qui lui chatouillait la gorge l'en empêchaient. Sa pensée oscillait entre ces deux pôles d'attraction : l'envie forcenée de fumer et la phrase : Je paierai.

Des souvenirs l'assaillaient ; ils bourdonnaient et bruissaient sourdement à ses oreilles. Des visages et des voix surgissaient et s'évanouissaient ; chaque fois qu'il tentait de les retenir, ils lui faisaient mal ; tout son passé était devenu douloureux au toucher et suppurait au moindre contact. Son passé, c'était le Mouvement, le Parti ; présent et avenir, eux aussi, appartenaient au Parti ; mais son passé, c'était le Parti même. Et c'était ce passé qui était soudain remis en question. Le corps chaud et vivant du Parti lui apparaissait couvert de plaies — des plaies pustuleuses, des stigmates ensanglantés. Où donc dans l'histoire trouvait-on des saints aussi malades ? Une bonne cause avait-elle jamais été plus mal représentée ? Si le Parti incarnait la volonté de l'Histoire, alors l'Histoire elle-même était malade.

Roubachof regarda les taches d'humidité sur les murs de sa cellule. Il arracha la couverture de la couchette et s'en enveloppa les épaules ; il accéléra son allure, allant de long en large à petits pas rapides, faisant demi-tour à toute vitesse à la porte et à la fenêtre, mais les frissons continuaient de lui descendre le long du dos. Le bourdonnement continuait dans ses oreilles, et il s'y mêlait des voix vagues et assourdies, il ne parvenait pas à distinguer si elles venaient du corridor ou s'il était en proie à des hallucinations. « C'est le nerf orbital, se disait-il ; cela vient du chicot de la canine. Je dirai cela au docteur demain, mais, entre-temps, il me reste encore beaucoup à faire. Il faut trouver la cause des défaillances du Parti. Tous nos principes étaient bons, mais nos résultats ont été mauvais. Ce siècle est malade. Nous en avons diagnostiqué le mal et ses causes avec une précision microscopique, mais partout où nous avons appliqué le bistouri, une nouvelle pustule est apparue. Notre volonté était pure et dure, nous aurions dû être aimés du peuple. Mais il nous déteste. Pourquoi sommes-nous ainsi odieux et détestés ?

« Nous vous avons apporté la vérité, et dans notre bouche elle avait l'air d'un mensonge. Nous vous avons apporté la liberté, et dans nos mains elle ressemble à un fouet. Nous vous avons apporté la véritable vie, et là où notre voix s'élève les arbres se dessèchent et l'on entend bruire les feuilles mortes. Nous vous avons apporté la promesse de l'avenir, mais notre langue bégaie et glapit... »

Il frissonna. Une image lui apparut, une grande photographie dans un cadre de bois : les délégués au premier congrès du Parti. Ils siégeaient autour d'une longue table en bois, les uns accoudés à la table, les autres les mains sur les genoux ; barbus et convaincus, ils regardaient l'objectif. Au-dessus de chaque tête était un petit cercle entourant un numéro qui correspondait à un nom imprimé au-dessous. Tous avaient l'air solennel, et seul le « petit vieux » qui présidait avait dans ses yeux bridés de Tartare quelque chose de matois et d'amusé. Roubachof était le second à sa droite, le lorgnon sur le nez. Le N° 1, lourd et carré, était quelque part au bas bout de la table. On aurait dit la réunion d'un conseil municipal de province, et pourtant ils préparaient la plus grande révolution de l'histoire humaine. Ils étaient alors une poignée d'hommes d'une espèce toute neuve : des philosophes militants. Ils connaissaient les prisons de l'Europe aussi bien que des voyageurs de commerce en connaissent les hôtels. Ils rêvaient du pouvoir, leur but étant d'abolir le pouvoir, de gouverner les peuples afin de les sevrer de l'habitude de se faire gouverner. Toutes leurs pensées se traduisaient en actes, et tous leurs rêves se réalisaient. Où étaient-ils maintenant ? Leurs cerveaux, qui avaient changé le cours du monde, avaient reçu chacun sa décharge de plomb. Les uns dans le front, les autres à la nuque. Il n'en restait que deux ou trois, épars à travers le monde, épuisés. Et lui ; et le N° 1.

Il était gelé, et crevait d'envie de fumer. Il se retrouvait dans le vieux port belge, accompagné du jovial petit Lœwy, avec sa légère difformité et sa pipe de matelot. Il sentait l'odeur du port, où se mélangeaient les effluves des varechs en décomposition et ceux du pétrole ; il entendait le carillon du vieux beffroi de l'hôtel de ville, et revoyait les ruelles étroites aux fenêtres en saillie, au grillage desquelles les prostituées du port pendaient leur lessive pendant la journée. C'était deux ans après l'incident Richard. Ils n'avaient rien pu prouver contre lui. Il s'était tu sous leurs coups, et lorsqu'ils lui avaient cassé les dents une à une, et lorsqu'ils avaient écrasé son lorgnon sous leurs bottes. Il s'était tu, et il avait persisté à tout nier et à mentir froidement et avec circonspection. Il avait marché de long en large dans sa cellule, et s'était traîné à quatre pattes sur les dalles du cachot disciplinaire ; et lorsqu'on versait sur lui de l'eau froide pour le tirer d'un évanouissement, il avait cherché à tâtons une cigarette et il avait continué de mentir. Dans ce temps-là, la haine de ceux qui le torturaient ne lui causait aucune surprise, et il ne se demandait pas pourquoi ils le trouvaient si détestable. Toute la machine juridique de la dictature grinçait des dents, mais ils ne pouvaient rien prouver contre lui. Après sa libération, il fut renvoyé dans son pays — la patrie de la Révolution. Il y eut des réceptions, et des meetings de réjouissances, et des défilés de troupes. Le N° 1 lui-même avait paru plusieurs fois en public avec lui.

Il y avait des années qu'il n'était pas revenu dans son pays natal, et il y trouva bien des choses de changées. La moitié des hommes barbus de la photographie n'existaient plus. On ne pouvait pas prononcer leurs noms, leur mémoire n'était invoquée que pour la maudire — excepté celle du petit vieux aux yeux de Tartare, le leader d'autrefois, qui était mort au bon moment. On le vénérait comme Dieu le Père, et le N° 1 comme le Fils ; mais on chuchotait partout que ce dernier avait falsifié le testament du petit vieux afin de devenir son héritier. Des hommes barbus de la vieille photographie, ceux qui restaient étaient devenus méconnaissables. Ils étaient glabres, épuisés et désillusionnés, pleins d'une cynique mélancolie. De temps en temps, le N° 1 allongeait le bras et frappait parmi eux une nouvelle victime. Alors, ils se martelaient tous la poitrine et se repentaient en chœur de leurs péchés. Au bout de quinze jours, alors qu'il marchait encore avec des béquilles, Roubachof avait demandé une nouvelle mission à l'étranger. « Vous paraissez plutôt pressé », avait dit le N° 1, en le dévisageant à travers un nuage de fumée. Il y avait vingt ans qu'ils étaient tous deux à la tête du Parti, et ils se disaient toujours « vous ». Au-dessus de la tête du N° 1 était pendu le portrait du petit vieux ; à côté, avait figuré la photographie aux têtes numérotées, mais elle n'y était plus. Le colloque avait peu duré, quelques minutes seulement, mais lorsqu'il avait pris congé, le N° 1 lui avait serré la main avec une insistance particulière. Roubachof avait par la suite réfléchi longuement à la signification de cette poignée de main, ainsi qu'à l'étrange ironie du regard entendu que lui avait jeté le N° 1 au travers de ses nuages de fumée. Puis Roubachof était sorti en clopinant sur ses béquilles ; le N° 1 ne l'avait pas reconduit. Le lendemain il partait pour la Belgique.

A bord du bateau, il se remit un peu et médita sur sa tâche. Le petit Lœwy, avec sa pipe de matelot, vint l'accueillir à l'arrivée. C'était le chef de la section du Parti chez les dockers de l'endroit ; Roubachof le prit tout de suite en affection. Il fit visiter les bassins à Roubachof et le conduisit par les rues tortueuses du port aussi fièrement que s'il avait bâti tout cela lui-même. Dans chaque estaminet il avait des connaissances, débardeurs, matelots et prostituées ; partout, on lui offrait à boire et il rendait des saluts en soulevant sa pipe jusqu'au niveau de son oreille. Même l'agent qui dirigeait la circulation sur la place du marché le saluait d'un clin d'œil au passage, et les camarades matelots des navires étrangers, qui ne pouvaient pas se faire comprendre, lui donnaient une tape amicale sur sa bosse. Roubachof voyait tout cela avec une bénigne surprise. Non, le petit Lœwy n'était ni odieux ni détestable. La section des dockers dans cette ville était de par le monde l'une des sections du Parti les mieux organisées.

Le soir, Roubachof, le petit Lœwy et deux autres étaient réunis dans un des bistrots du port. Un nommé Paul était avec eux ; c'était le secrétaire administratif de la section, un ancien lutteur, chauve, picoté de petite vérole, avec de grosses oreilles décollées. Sous son veston il portait un jersey de marin noir, et il avait un melon noir. Il avait le don d'agiter ses oreilles de façon à soulever son melon et à le laisser retomber. Il était accompagné d'un nommé Bill, ancien matelot qui avait fait un roman sur la vie des marins, avait connu un an de célébrité avant de retomber dans l'oubli, et écrivait à présent des articles pour les journaux de Paris. Les autres étaient des débardeurs, costauds et grands buveurs. Des gens entraient sans cesse, s'asseyaient ou se tenaient debout près de la table, payaient une tournée et sortaient en se dandinant. Le gros tenancier s'asseyait à leur table chaque fois qu'il avait un instant de liberté. Il jouait de la musique à bouche. On buvait ferme.

Roubachof avait été présenté par le petit Lœwy comme « un camarade de là-bas » sans autres commentaires. Le petit Lœwy était seul à savoir qui il était. Ceux de la tablée, voyant que Roubachof ou bien n'était pas communicatif ou bien avait ses raisons pour ne pas l'être, ne lui posaient pas beaucoup de questions ; et celles qu'ils posaient se référaient aux conditions de la vie « là-bas » : les salaires, le problème agraire, le développement de l'industrie. Tout ce qu'ils disaient révélait une étonnante connaissance des détails économiques, jointe à une ignorance tout aussi étonnante de la situation générale et de l'atmosphère politique .de « là-bas ». Ils s'enquéraient du développement de la production dans l'industrie des métaux légers, comme des enfants qui demanderaient la grosseur exacte des raisins de Chanaan. Un vieux docker, resté debout auprès du bar pendant quelque temps sans rien commander, quand le petit Lœwy l'eut invité à venir boire un verre, dit à Roubachof après lui avoir serré la main : « Vous ressemblez beaucoup au père Roubachof. » « On me l'a souvent dit », répondit Roubachof. « Le père Roubachof, en voilà un type », dit le vieux docker en vidant son verre. Il n'y avait pas un mois que Roubachof était libéré et pas six semaines qu'il savait qu'il aurait la vie sauve ; le gros mastroquet jouait de la musique à bouche. Roubachof alluma une cigarette et commanda à boire pour tout le monde. Ils burent à sa santé, et à celle du peuple de « là-bas », et Paul, le secrétaire, souleva son chapeau melon avec ses oreilles.

Plus tard, Roubachof et le petit Lœwy s'attardèrent ensemble dans un débit du port. Le patron avait baissé les stores et empilé les chaises sur les tables, et dormait contre le comptoir. Le petit Lœwy racontait à Roubachof l'histoire de sa vie. Roubachof ne la lui avait pas demandée, et il prévoyait immédiatement des complications pour le lendemain : ce n'était pas de sa faute si tous les camarades se sentaient poussés à lui faire des confidences. Il avait vraiment eu l'intention de s'en aller, mais il s'était tout à coup senti très las — il fallait bien reconnaître qu'il avait surestimé ses forces ; aussi était-il resté à écouter.

Il se trouvait que le petit Lœwy n'était pas originaire du pays, bien qu'il en parlât le langage comme s'il y avait toujours vécu et qu'il y connût tout le monde. En réalité, il était né dans une ville du sud de l'Allemagne, et avait appris le métier de charpentier ; le dimanche il jouait de la guitare et faisait des conférences sur le darwinisme aux excursionnistes du club de la jeunesse révolutionnaire ouvrière. Pendant les mois agités qui avaient précédé l'arrivée au pouvoir de la Dictature, lorsque le Parti avait grand besoin d'armes, un coup de main audacieux avait été exécuté dans cette ville : un dimanche après-midi, cinquante fusils, vingt revolvers et deux mitraillettes avec leurs munitions avaient été enlevés dans un camion de déménageur au poste de police du quartier le plus affairé. Les occupants du camion avaient montré un ordre écrit, couvert de timbres officiels ; ils étaient accompagnés de deux soi-disant agents aux uniformes authentiques. Les armes furent découvertes plus tard dans une autre ville au cours d'une perquisition dans le garage d'un membre du Parti. Le lendemain de cette affaire qui n'avait jamais été tout à fait tirée au clair, le petit Lœwy avait quitté la ville. Le Parti lui avait promis un passeport et des papiers d'identité, mais les dispositions prises n'avaient pas abouti. C'est-à-dire que le messager des sphères supérieures du Parti qui devait apporter le passeport et l'argent du voyage n'était pas arrivé au rendez-vous convenu.

« C'est toujours la même pagaille parmi nous », ajouta le petit Lœwy d'un ton philosophe. Roubachof ne dit mot.

Malgré cela, le petit Lœwy était parvenu à se sauver et avait en fin de compte traversé la frontière. Comme un mandat d'arrêt était lancé contre lui, et que sa photographie avec son épaule difforme était affichée dans chaque poste de police, il lui avait fallu plusieurs mois de vagabondage en rase campagne. Quand il était parti à la rencontre du camarade des « sphères supérieures », il avait en poche juste assez d'argent pour trois jours. « J'avais toujours cru que ce n'était que dans les livres que les gens mâchaient l'écorce des arbres, fit-il remarquer. Ce sont les jeunes platanes qui ont le meilleur goût. » Ce souvenir le força à se lever pour prendre deux saucisses sur le comptoir. Roubachof se souvint de la soupe des prisons et des grèves de la faim, et mangea avec lui.

Enfin, le petit Lœwy passa la frontière française. N'ayant pas de passeport, il fut arrêté au bout de quelques jours ; on lui dit de quitter le pays, et il fut relâché. « Autant me dire de grimper jusqu'à la lune », fit-il observer. Il fit appel à l'aide du Parti ; mais dans ce pays le Parti ne le connaissait pas et lui répondit qu'il faudrait d'abord enquêter dans son pays natal. Il continua de vagabonder ; au bout de quelques jours, il fut arrêté et condamné à trois mois de prison. Il purgea sa peine et fit à son compagnon de cellule, qui était clochard, une série de conférences sur les résolutions du dernier congrès du Parti. En échange, le clochard lui apprit le secret pour gagner sa vie en attrapant des chats et en vendant leur peau. Les trois mois écoulés, on le conduisit de nuit jusqu'à un bois sur la frontière belge. Les gendarmes lui donnèrent du pain et du fromage avec un paquet de cigarettes françaises. « Marche tout droit, lui dirent-ils. Dans une demi-heure, tu seras en Belgique. Si jamais on te rattrape par ici, on te casse la gueule. »

Pendant plusieurs semaines, le petit Lœwy se balada en Belgique. Il s'adressa de nouveau au Parti, mais on lui fit la même réponse qu'en France. Comme il en avait assez des platanes, il essaya du commerce des chats. Il était assez aisé d'attraper des chats, et en échange d'une peau de jeune chat qui n'avait pas la gale, on recevait l'équivalent d'une demi-miche de pain et d'un paquet de tabac. Entre la capture et la vente, il y avait cependant une opération relativement désagréable. Le plus rapide était de prendre le chat d'une main par les oreilles et de l'autre par la queue, et de lui rompre la colonne vertébrale sur un genou. Au début, cela vous donnait la nausée ; puis on s'y faisait. Malheureusement, le petit Lœwy fut arrêté au bout de quelques semaines, car en Belgique aussi on était censé avoir des papiers. Il s'ensuivit, en son temps, expulsion, élargissement, seconde arrestation, emprisonnement. Un beau soir deux gendarmes belges l'emmenèrent dans un bois sur la frontière française. Ils lui donnèrent du pain et du fromage avec un paquet de cigarettes belges. « Marche tout droit, lui dirent-ils. Dans une demi-heure tu seras en France. Si jamais on te rattrape par ici, on te casse la gueule. »

Dans le courant de l'année suivante, le petit Lœwy passa la frontière en fraude à trois reprises, avec la complicité tantôt des autorités françaises, tantôt des autorités belges. Il crut comprendre que ce jeu se jouait depuis des années avec plusieurs centaines de gens de son espèce. Il s'adressa maintes et maintes fois au Parti, car son principal souci était de ne pas perdre contact avec le mouvement. « Nous n'avons pas été avisés de votre arrivée par votre organisation, lui disait le Parti. Nous devons attendre la réponse à notre enquête. Si vous êtes membre du Parti, respectez la discipline du Parti. » Entre-temps, le petit Lœwy s'adonnait au commerce des chats et se laissait refouler de part et d'autre de la frontière. Par ailleurs, la dictature l'emporta dans son pays. Une année s'écoula encore et le petit Lœwy, qui se ressentait un peu de ses voyages, se mit à cracher le sang et à rêver de chats. Il était en proie à l'illusion que tout sentait le chat, ses aliments, sa pipe, et même les braves vieilles prostituées qui l'hébergeaient de temps en temps. « Toujours pas de réponse à notre demande de renseignements », disait le Parti. Encore une année, et il se trouva que tous les camarades qui auraient pu fournir les renseignements demandés sur le petit Lœwy ou bien avaient été assassinés, ou bien étaient en prison, ou encore avaient disparu.

« Nous regrettons, mais nous ne pouvons rien faire pour vous, disait le Parti. Vous n'auriez pas dû venir sans nous faire aviser officiellement. Ne vous seriez-vous même pas absenté sans la permission du Parti ? Comment pouvons-nous savoir ? Il y a tant d'espions et d'*agents provocateurs*[1] qui essaient de se glisser dans nos rangs. Le Parti a le devoir de la vigilance.

— Pourquoi me racontes-tu cela ? demanda Roubachof. S'il avait su s'en aller plus tôt... »

Le petit Lœwy alla se verser de la bière au robinet, et salua avec sa pipe.

« Parce que c'est instructif, dit-il. Parce que c'est un exemple typique. Je pourrais t'en donner des centaines d'autres. Pendant des années les meilleurs d'entre nous ont été écrasés comme cela. Le Parti se fossilise de plus en plus. Le Parti a la goutte et des varices dans tous ses membres. On ne fait pas la révolution comme cela. »

« Je pourrais t'en dire bien plus long », se dit Roubachof, mais il se tut.

Cependant l'histoire du petit Lœwy se dénouait sur un événement heureux bien qu'inattendu. Alors qu'il purgeait une de ses innombrables peines d'emprisonnement, on lui donna comme compagnon de cellule Paul, l'ancien lutteur. Paul était alors docker ; il était en prison pour s'être souvenu de son passé de professionnel au cours d'une émeute, pendant une grève : il avait appliqué à son agent de police la double prise de tête connue sous le nom de Nelson. Elle consistait à passer les bras par-derrière, sous les aisselles de l'adversaire, à se serrer les deux mains derrière sa nuque, et à lui faire baisser la tête jusqu'à ce que les vertèbres cervicales commencent à craquer. Dans l'enceinte, cela lui avait toujours valu beaucoup d'applaudissements, mais il avait appris à son corps défendant que, dans la lutte de classes, le double Nelson ne se fait pas. Le petit Lœwy et Paul le lutteur se prirent d'amitié. Il se trouva que Paul était secrétaire administratif de la section du Parti chez les dockers ; quand ils sortirent de prison, il

1. En français dans le texte.

procura à Lœwy des papiers et du travail et le fit réintégrer dans le Parti. Ainsi le petit Lœwy pouvait recommencer devant les dockers ses conférences sur le darwinisme et sur le dernier congrès du Parti, tout comme si rien n'était arrivé. Il était heureux et oublia les chats ainsi que sa colère contre les bureaucrates du Parti. Au bout de six mois, il devenait secrétaire politique de la section locale. Tout est bien qui finit bien...

De tout son cœur, Roubachof, qui se sentait las et vieilli, souhaitait que cela finisse bien. Mais il savait pour quelle besogne il avait été envoyé, et il n'y avait qu'une seule vertu révolutionnaire qu'il n'eût jamais apprise, l'insincérité avec soi-même. Il regardait tranquillement le petit Lœwy à travers son pince-nez. Et tandis que le petit Lœwy, sans comprendre la signification de ce regard, était quelque peu gêné et saluait en souriant avec sa pipe, Roubachof songeait aux chats. Il s'aperçut avec horreur que ses nerfs allaient mal et qu'il avait peut-être trop bu, car il ne pouvait chasser une obsession dans laquelle il se voyait forcé de prendre le petit Lœwy par les oreilles et par les jambes et de lui casser les reins, bosse et tout, sur son genou. Il se sentit souffrant et se leva pour partir. Le petit Lœwy l'accompagna jusque chez lui ; il crut que Roubachof avait un soudain accès de dépression, et garda un silence respectueux. Une semaine plus tard, le petit Lœwy se pendait.

Entre cette soirée et la mort du petit Lœwy, la cellule du Parti avait tenu plusieurs réunions peu dramatiques. Les faits étaient simples.

Deux années auparavant le Parti avait invité les travailleurs du monde entier à lutter contre la dictature fraîchement installée au cœur de l'Europe en lui appliquant un boycott politique et économique. Il ne fallait pas acheter de marchandises provenant du pays de l'ennemi, il ne fallait laisser passer aucun envoi destiné à son immense industrie de guerre. Les sections du Parti exécutèrent ces instructions avec enthousiasme. Les dockers du petit port belge refusèrent de charger et de décharger les cargaisons venant de ce pays ou qui y étaient destinées. D'autres syndicats se joignirent à eux. La grève fut dure ; il y eut des conflits avec la police, des blessés et des morts. L'issue finale de la lutte restait dans la balance lorsqu'une flottille de cinq cargos noirs, curieusement désuets, entra dans le port. Chacun d'eux portait à la poupe le nom d'un des grands leaders de la Révolution, peint dans l'étrange alphabet en usage « là-bas », et à leur proue flottait le pavillon de la Révolution. Les grévistes les accueillirent avec enthousiasme. Ils se mirent sur-le-champ à décharger leur cargaison. Au bout de plusieurs heures, il s'avéra que cette cargaison consistait en certains minerais rares et était destinée à l'industrie de guerre du pays boycotté.

La section des dockers du Parti convoqua immédiatement une réunion du comité ; on y échangea des horions. La querelle s'étendit dans tout le pays à l'ensemble du mouvement. La presse réactionnaire exploita l'événement pour tourner le Parti en ridicule. La police ne chercha plus à briser la grève, proclama sa neutralité et laissa les travailleurs du port libres de décider s'ils déchargeraient ou non la curieuse flottille noire. La direction du Parti décommanda la grève et ordonna de décharger les navires. Elle offrit des explications rationnelles de la conduite du Pays de la Révolution, et avança d'habiles arguments, mais rares furent ceux qui se laissèrent convaincre. La section se scinda ; la majorité des anciens membres démissionna. Pendant des mois, le Parti ne vécut plus que de nom ; mais, peu à peu, à mesure que croissait la détresse industrielle du pays, il retrouva sa popularité et sa force.

Deux années avaient passé. Dans le sud de l'Europe, une autre dictature rapace entreprit en

Afrique une guerre de rapine et de conquête. Cette fois encore, le Parti demanda le boycott. La réaction des travailleurs fut encore plus enthousiaste que la première fois. Car cette fois-ci les gouvernements eux-mêmes, dans la plupart des pays du monde, avaient décidé de priver l'agresseur de ses sources de matières premières.

Sans matières premières et notamment sans essence, l'agresseur était perdu. On en était là, lorsque la curieuse petite flottille noire se remit en route. Le plus gros de ces navires portait le nom du petit vieux aux yeux de Tartare ; leurs mâts arboraient le drapeau de la Révolution, et dans leurs soutes ils transportaient de l'essence pour l'agresseur. Ils n'étaient qu'à quelques jours de distance de ce port, et le petit Lœwy et ses amis ignoraient encore leur approche. Roubachof avait pour mission de les y préparer.

Le premier jour il n'avait rien dit, il avait seulement tâté le terrain. Le lendemain du second jour la discussion s'ouvrit dans la salle de réunion du Parti.

La salle était vaste, nue et en désordre, comme tous les bureaux du Parti dans le reste du monde. Cela était partiellement dû à la pauvreté, mais surtout à une tradition d'ascétisme morose. Les murs étaient décorés de vieilles affiches électorales, de slogans politiques et d'avis dactylographiés. Dans un coin était un vieux duplicateur poussiéreux. Dans un autre, un tas de vieux vêtements pour les familles des grévistes ; à côté d'eux, des piles de brochures et de tracts jaunis. La longue table était faite de deux planches parallèles posées sur deux tréteaux. Les fenêtres étaient barbouillées de peinture comme dans un bâtiment en construction. Au-dessus de la table une ampoule électrique nue pendait du plafond, voisinant avec un piège à mouches en papier collant. Autour de la table étaient assis le petit Lœwy avec sa bosse, Paul l'ancien lutteur, Bill l'écrivain et trois autres.

Roubachof parla assez longuement. Cette ambiance lui était familière ; sa laideur coutumière le mettait à son aise. Dans cette atmosphère il se retrouvait convaincu de la nécessité et de l'utilité de sa mission et il ne comprenait plus pourquoi, dans le café bruyant de la veille, il avait éprouvé ce malaise. Il expliqua objectivement et non sans chaleur l'état réel des choses, sans pour le moment faire allusion à l'objet pratique de sa visite. Le boycott mondial de l'agresseur avait échoué à cause de l'hypocrisie et de la cupidité des gouvernements européens. Certains faisaient encore semblant de respecter le boycott, les autres ne respectaient même pas les apparences. L'agresseur avait besoin d'essence. Dans le passé, le Pays de la Révolution avait assuré une partie considérable de ses besoins. Si maintenant il arrêtait les envois, d'autres pays se jetteraient goulûment dans la brèche : ils ne demandaient d'ailleurs pas mieux que de chasser des marchés mondiaux le Pays de la Révolution. Des gestes romanesques de ce genre porteraient préjudice à l'industrie de là-bas, et partant au mouvement révolutionnaire dans le monde entier.

Paul et les trois ouvriers opinèrent du bonnet. Ils pensaient lentement ; tout ce que leur disait le camarade de là-bas leur paraissait tout à fait convaincant ; ce n'était qu'un exposé de doctrine, sans conséquences pratiques pour eux. Ils ne voyaient pas le point précis où il voulait en venir ; pas un d'entre eux ne se doutait que la flottille noire approchait de leur port. Seuls le petit Lœwy et l'écrivain au visage tordu échangèrent un rapide coup d'œil. Roubachof le remarqua. Il termina un tant soit peu plus sèchement :

« C'est vraiment tout ce que j'avais à vous dire en ce qui concerne le principe. Vous devez exécuter les décisions du Comité central et expliquer les tenants et les aboutissants de cette affaire aux camarades politiquement moins développés, à supposer que certains d'entre eux viennent à avoir des doutes. Pour le moment, je n'ai rien à ajouter. »

Il y eut une minute de silence. Roubachof enleva son pince-nez et alluma une cigarette. Le petit Lœwy dit d'un ton banal :

« Nous remercions l'orateur. Quelqu'un désire-t-il poser des questions ? »

Personne n'en posa. Au bout d'un moment l'un des trois débardeurs dit gauchement :

« Il n'y a pas grand-chose à redire. Les camarades de là-bas savent de quoi il retourne. Nous, bien sûr, nous devons continuer de travailler pour le boycott. Vous pouvez compter sur nous. Dans notre port, rien ne passera pour les salauds. »

Ses deux collègues hochèrent la tête en signe d'approbation. Paul le lutteur confirma ses paroles : « Pas ici », dit-il avec une grimace belliqueuse, et il remua les oreilles pour faire rire les autres.

Roubachof crut tout d'abord qu'il se trouvait devant une faction d'opposition ; il comprit petit à petit que les autres n'avaient vraiment pas saisi le sens de ses paroles. Il regarda le petit Lœwy, espérant qu'il dissiperait le malentendu. Mais le petit Lœwy baissait les yeux et gardait le silence. Tout à coup l'écrivain dit avec un tic nerveux :

« Vous ne pourriez pas choisir un autre port, cette fois-ci, pour vos petites affaires ? Faut-il que ce soit toujours nous ? »

Les dockers le regardèrent avec surprise ; ils ne comprenaient pas ce qu'il voulait dire par « petites affaires » ; l'idée de la petite flottille noire qui approchait de leurs côtés dans le brouillard et la fumée était plus que jamais étrangère à leurs esprits. Mais Roubachof s'attendait à cette question :

« Cela est indiqué, autant politiquement que

géographiquement, dit-il. Les marchandises seront transportées d'ici par voie de terre. Nous n'avons certes pas de raisons de cacher nos actes : mais il est plus prudent d'éviter toute sensation que pourrait, exploiter la presse réactionnaire. »

L'écrivain échangea encore un regard avec le petit Lœwy. Les dockers regardaient Roubachof sans comprendre ; on voyait qu'ils cherchaient lentement dans leur cervelle la solution du problème. Tout à coup Paul dit d'une voix changée et rauque :

« De quoi s'agit-il exactement ? »

Tous le regardèrent. Son cou avait rougi, et il regardait Roubachof avec des yeux qui lui sortaient de la tête. Le petit Lœwy dit d'une voix rauque :

« Tu t'en aperçois seulement maintenant ? »

Roubachof regarda à la ronde, et dit calmement :

« J'ai omis de vous donner les détails. Les cinq cargos du Commissariat au Commerce extérieur sont attendus ici demain matin, si le temps le permet. »

Même alors il leur fallut presque une minute entière pour comprendre. Personne ne prononça une parole. Tous regardèrent Roubachof. Puis Paul se leva lentement, jeta sa casquette par terre, et quitta la salle. Deux de ses collègues tournèrent la tête et le suivirent des yeux. Personne ne parlait. Enfin le petit Lœwy se racla la gorge et dit :

« Le camarade orateur vient de nous exposer les raisons de cette affaire : s'ils ne livrent pas les marchandises, d'autres le feront. Qui désire encore parler ? »

Le docker qui avait déjà parlé se déplaça sur sa chaise et dit :

« On connaît la chanson. Quand on fait grève, il y a toujours des gens pour dire : si je ne fais pas le boulot, quelqu'un d'autre le fera. On a assez entendu ça. C'est comme ça que parlent les jaunes. »

Il y eut une nouvelle pause. Dehors, on entendit Paul qui faisait claquer la porte d'entrée. Puis Roubachof dit :

« Camarades, les intérêts de notre développement industriel là-bas passent avant tout. Les beaux sentiments ne nous avanceront guère. Réfléchissez. »

Le docker eut un mouvement agressif du menton et dit :

« C'est tout réfléchi. On a assez entendu ça. Vous, là-bas, à vous de donner l'exemple. Le monde entier a les yeux tournés vers vous. Vous parlez de solidarité, et de sacrifices, et de discipline, et en même temps vous vous servez de votre flotte pour une besogne de jaunes, purement et simplement. »

A ces mots, le petit Lœwy leva tout à coup la tête ; il était pâle ; il salua Roubachof avec sa pipe et dit à voix très basse et très vite :

« Ce que vient de dire le camarade est aussi mon opinion. Quelqu'un a-t-il encore quelque chose à dire ? La séance est levée. »

Roubachof sortit clopin-clopant sur ses béquilles. Les événements suivirent leur cours prescrit et inévitable. Tandis que la petite flottille désuète entrait dans le port, Roubachof échangea quelques télégrammes avec les autorités compétentes de là-bas. Trois jours plus tard, les chefs de la section des dockers étaient expulsés du Parti, et le petit Lœwy était dénoncé comme *provocateur*[1] dans l'organe officiel du Parti. Trois jours encore et le petit Lœwy s'était pendu.

XIII

La nuit fut encore pire. Roubachof ne put pas s'endormir avant l'aube. Des frissons le traversaient à intervalles réguliers : sa dent le lancinait. Il lui sem-

1. En français dans le texte.

blait que tous les centres d'association de son cerveau étaient douloureux et enflammés ; et pourtant il était condamné à évoquer péniblement des images et des voix. Il pensait à Richard dans son complet noir du dimanche, avec ses yeux rouges : « Mais tu ne peux pas m'envoyer à la boucherie, camarade... » Il songea au petit bossu Lœwy : « Qui désire encore la parole ? » Il y en avait tant qui désiraient la parole. Car le mouvement était sans scrupules ; il roulait vers son but avec insouciance et déposait les cadavres des noyés le long des méandres de son cours. Son lit faisait de nombreuses boucles et bien des méandres ; c'était la loi de son être. Et quiconque ne pouvait pas suivre son cours sinueux était rejeté à la rive ; car telle était sa loi. Les mobiles de l'individu ne lui importaient pas. Sa conscience n'importait pas au Parti, qui n'avait cure de ce qui se passait dans sa tête et dans son cœur. Le Parti ne connaissait qu'un seul crime : s'écarter du chemin tracé ; qu'un seul châtiment : la mort. La mort n'était pas un mystère dans le mouvement ; elle n'avait rien d'élevé ; c'était la solution logique des divergences politiques.

Roubachof, épuisé, ne s'endormit dans sa couchette que durant les premières heures du matin. Il fut réveillé par les coups de clairon qui proclamaient l'aube d'un nouveau jour ; peu de temps après, le vieux geôlier et deux hommes en uniforme vinrent le chercher pour le mener à la visite médicale.

Roubachof avait espéré pouvoir lire les noms sur les cartes des portes de Bec-de-lièvre et du N° 402 mais on l'emmena dans la direction opposée. La cellule à sa droite était vide. C'était l'une des dernières à cette extrémité du corridor ; l'aile des prisonniers au secret était fermée par une lourde porte de ciment armé, que le vieillard ouvrit péniblement. Ils traversèrent ensuite une longue galerie, Roubachof devant avec le vieux geôlier, les deux hommes en uniforme fermant la marche. Ici, plusieurs noms étaient écrits sur la carte de chaque cellule ; et de chacune provenaient des bruits de conversations, de rires et même de chansons ; ils étaient chez les détenus de droit commun. Ils passèrent devant la porte ouverte du barbier ; un prisonnier avec un visage de vieux forçat en bec d'oiseau se faisait raser ; on tondait à ras deux paysans ; tous trois regardèrent avec curiosité passer Roubachof et son escorte. Ils arrivèrent devant une porte sur laquelle était peinte une croix rouge. Le geôlier y frappa respectueusement, et il entra avec Roubachof ; les deux hommes en uniforme attendirent à la porte.

L'infirmerie était petite et sentait le renfermé, le phénol et le tabac. Un seau et deux cuvettes étaient remplis jusqu'au bord de tampons d'ouate et de bandages maculés. Le docteur était assis à une table, leur tournant le dos, et lisait le journal en mâchonnant une tartine à la graisse de viande.

Le journal était posé sur un tas d'instruments, de pinces et de seringues. Quand le geôlier eut fermé la porte, le docteur se retourna lentement. Il était chauve et avait un tout petit crâne couvert de duvet blanc, qui fit songer Roubachof à une autruche.

« Il dit qu'il a mal aux dents, dit le vieux.

— Mal aux dents ? dit le docteur, regardant Roubachof sans le voir. Ouvre la bouche, et un peu vite. »

Roubachof le regarda à travers son pince-nez.

« J'ai l'honneur de vous faire remarquer, dit-il calmement, que je suis un prisonnier politique et que j'ai le droit d'être traité convenablement. »

Le docteur tourna la tête vers le geôlier

« Qu'est-ce que c'est que cet oiseau-là ? »

Le vieux déclina le nom de Roubachof. Pendant une seconde Roubachof sentit peser sur lui les yeux ronds de l'autruche. Puis le docteur dit :

« Vous avez la joue enflée. Ouvrez la bouche. »

La dent de Roubachof ne lui faisait pas mal à ce moment. Il ouvrit la bouche.

« Vous n'avez pas de dents du tout à la mâchoire supérieure gauche », dit le docteur en passant le doigt dans la bouche de Roubachof.

Tout à coup, Roubachof blêmit et dut s'appuyer contre le mur.

« C'est ça ! dit le docteur. La racine de la canine de droite est cassée, et elle est restée dans la mâchoire. »

Roubachof dut respirer profondément à plusieurs reprises. La douleur le lancinait de la mâchoire jusqu'à l'œil et jusqu'à la nuque. Il sentait, à intervalles réguliers, chaque pulsation de son sang dans sa tête. Le docteur s'était rassis et ouvrit le journal.

« Si vous voulez, je puis vous extraire cette racine, dit-il, puis il mordit une bouchée à même sa tartine. Bien sûr, nous n'avons pas d'anesthésiques ici. L'opération peut durer une demi-heure ou même une heure. »

Roubachof entendait la voix du docteur comme à travers un brouillard. Il s'appuya contre le mur et respira profondément.

« Merci, dit-il. Pas à présent. »

Il pensa à Bec-de-lièvre et au « bain de vapeur » et à son geste ridicule d'hier, lorsqu'il avait écrasé la cigarette sur le dos de sa main. « Les choses iront mal », se dit-il.

Rentré dans sa cellule, il s'affaissa sur sa couchette et s'endormit immédiatement.

A midi, lorsque passa la soupe, on ne l'oublia plus ; dès lors il reçut ses rations régulièrement. Sa crise de dents s'atténua et demeura dans des limites supportables. Roubachof espérait que l'abcès autour du chicot s'était ouvert de lui-même.

Trois jours plus tard il était conduit à son premier interrogatoire.

XIV

Il était onze heures du matin lorsqu'ils vinrent le chercher. A l'expression solennelle du geôlier, Roubachof devina tout de suite où ils allaient. Il suivit le gardien avec la nonchalante sérénité, effet d'une miséricorde inattendue, qui le prenait toujours à l'heure du danger.

Ils suivirent le même chemin que trois jours plus tôt lorsqu'ils allaient chez le docteur. La porte de ciment s'ouvrit de nouveau et se referma bruyamment ; chose étrange, pensa Roubachof, comme on s'habitue vite à un milieu intense ; il lui semblait respirer l'air de ce corridor depuis des années, comme si l'atmosphère empestée de toutes les prisons qu'il avait connues était emmagasinée là-dedans.

Ils passèrent devant le coiffeur et la porte fermée du docteur, devant laquelle attendaient trois prisonniers sous la garde d'un geôlier léthargique.

Après cette porte, Roubachof découvrit des régions inconnues. Ils passèrent auprès d'un escalier en colimaçon plongeant dans des profondeurs. Qu'y avait-il là-dessous ? des magasins ? des cellules disciplinaires ? Avec tout l'intérêt d'un expert, Roubachof s'efforçait de le deviner. La mine de cet escalier ne lui disait rien de bon.

Ils traversèrent une cour étroite et sans fenêtres ; c'était un puits intérieur, mais au-dessus on voyait une grande échappée de ciel. De l'autre côté de cette cour, les corridors étaient plus gais ; les portes n'étaient plus en ciment, mais en bois peint, avec des boutons de cuivre ; des fonctionnaires affairés les croisèrent ; derrière une porte, on entendait une radio ; derrière une autre, une machine à écrire. Ils étaient dans les bureaux de l'administration.

Ils s'arrêtèrent à la dernière porte, au bout du couloir ; le gardien frappa. Dedans, quelqu'un téléphonait ; une voix calme cria : « Un moment, s'il vous plaît » et continua patiemment de répondre « Oui » et « Bien sûr » dans l'appareil. La voix paraissait familière à Roubachof, mais il ne la situait pas. C'était une voix agréablement mâle. légèrement enrouée ; il était sûr de l'avoir déjà entendue quelque part. « Entrez », dit la voix, le gardien ouvrit la porte et la referma immédiatement sur Roubachof. Roubachof vit une table ; derrière cette table était assis son vieil ami d'université et son ancien chef de bataillon, Ivanof ; il le regardait en souriant, et remit en place le récepteur.

« Comme on se retrouve », dit Ivanof.

Roubachof restait debout près de la porte.

« Quelle agréable surprise, répondit-il sèchement.

— Assieds-toi », dit Ivanof avec un geste poli. Il s'était levé ; debout, il avait une demi-tête de plus que Roubachof. Il le regardait en souriant. Tous deux s'assirent — Ivanof derrière le pupitre, Roubachof devant. Ils se regardèrent pendant quelques instants, donnant libre cours à leur curiosité. Il y avait presque de la tendresse dans le sourire d'Ivanof. Roubachof restait sur une vigilante expectative. Son regard se porta sous la table vers la jambe droite d'Ivanof.

« Oh ! ça marche, dit Ivanof. Jambe artificielle avec articulations automatiques en acier chromé inoxydable ; je nage, je monte à cheval, je conduis une auto et je danse. Veux-tu une cigarette ? »

Il tendit à Roubachof un étui à cigarettes en bois.

Roubachof regarda les cigarettes et songea à sa première visite à l'hôpital militaire après l'amputation de la jambe d'Ivanof. Ivanof lui avait demandé de lui procurer du véronal, et, au çours d'une discussion qui s'était prolongée pendant tout l'après-midi, avait essayé de lui démontrer que tout homme a droit au suicide. Roubachof avait fini par lui demander le temps de réfléchir, et le soir même avait été transféré dans un autre secteur du front. Des années s'étaient écoulées avant qu'il revît Ivanof. Il regarda les cigarettes dans l'étui de bois. Elles étaient roulées à la main, et faites de tabac américain blond et frisé.

« S'agit-il encore des compliments d'usage ou les hostilités sont-elles ouvertes ? demanda Roubachof.

« Dans la seconde hypothèse, je n'en prends pas. Tu connais l'étiquette.

— Tu fais la bête, dit Ivanof.

— Alors, bon, faisons la bête », dit Roubachof. Il alluma une des cigarettes d'Ivanof. Il aspirait longuement la fumée, en essayant de ne pas montrer combien il y éprouvait de plaisir.

« Et comment vont tes rhumatismes aux épaules ? demanda-t-il.

— Très bien, merci, dit Ivanof ; et comment va ta brûlure ? »

Il sourit et désigna innocemment du doigt la main gauche de Roubachof. Sur le dos de la main, entre les veines bleuâtres, à l'endroit où trois jours auparavant il avait éteint sa cigarette, il y avait une ampoule de la grosseur d'un sou en bronze. Pendant une minute, tous deux regardèrent la main de Roubachof posée sur ses genoux. « Comment sait-il ? se demanda Roubachof. Il m'a fait espionner. » Il en éprouva plus de honte que de colère ; il aspira une dernière bouffée de sa cigarette et la jeta.

« En ce qui me concerne, les compliments d'usage sont terminés », dit-il.

Ivanof fit des ronds avec la fumée de sa cigarette et l'observa avec le même sourire tendrement ironique.

« Ne fais donc pas d'histoires, dit-il.

— Si je comprends bien, répliqua Roubachof, c'est vous qui me faites des histoires. Qui de nous deux a arrêté l'autre ? Est-ce toi ou moi ?

— C'est bien nous qui t'avons arrêté », dit Ivanof.

Il éteignit sa cigarette, en alluma une autre et tendit la boîte à Roubachof, qui ne broncha pas.

« Le diable t'emporte ! dit Ivanof. Tu te souviens de l'affaire du véronal ? »

Il se pencha en avant et souffla la fumée de sa cigarette au visage de Roubachof.

« Je ne veux pas qu'on te fusille », dit-il lentement. Il se renversa dans son fauteuil. « Le diable t'emporte ! répéta-t-il, avec un sourire.

— Très gentil de ta part, dit Roubachof. Et pourquoi au juste avez-vous l'intention de me faire fusiller, vous autres ? »

Ivanof laissa s'écouler quelques secondes. Il fumait et faisait des dessins sur le buvard avec son crayon. Il semblait chercher ses mots.

« Ecoute, Roubachof, dit-il enfin. Il y a une chose que je voudrais te faire observer. Tu viens à plusieurs reprises de dire « vous » et « vous autres » — pour désigner l'Etat et le Parti, par opposition à « je » — c'est-à-dire Nicolas Salmanovitch Roubachof. Pour le public, il faut, naturellement, un procès et une justification légale. De moi à toi, ce que je viens de te dire devrait suffire. »

Roubachof retourna cela dans sa tête ; il était plutôt interloqué. Pendant un instant, ce fut comme si Ivanof avait frappé un diapason auquel son esprit répondait spontanément. Tout ce qu'il avait cru et prêché, tout ce pour quoi il avait lutté depuis quarante ans lui envahit l'esprit en une marée irrésistible. L'individu n'était rien, le Parti tout ; la branche qui se détachait de l'arbre devait se dessécher... Roubachof frotta son binocle sur sa manche. Ivanof, appuyé au dossier de sa chaise, fumait et ne souriait plus. Soudain, l'œil de Roubachof fut attiré sur le mur par un carré plus clair que le reste du papier de tenture. Il sut immédiatement que la photographie aux visages barbus et aux noms numérotés avait été accrochée là. Ivanof suivit son regard sans changer d'expression.

« Ton argument est tant soit peu anachronique, dit Roubachof. Comme tu me l'as très justement fait observer, nous avions coutume d'employer toujours le pluriel « nous » et d'éviter autant que possible la première personne du singulier. J'ai plutôt perdu l'habitude de cette façon de parler ; tu l'as conservée. Mais qui est ce « nous » au nom duquel tu parles aujourd'hui ? Il a besoin d'être défini. Voilà ce qu'il en est.

— Tout à fait mon opinion, dit Ivanof. Je suis heureux que nous en soyons venus si vite au cœur du sujet. En d'autres termes : tu es convaincu que « nous » — c'est-à-dire le Parti, l'Etat et les masses qui sont derrière eux — ne représentons que les intérêts de la Révolution.

— Je ne mêlerai pas les masses à cela, dit Roubachof.

— Depuis quand montres-tu ce sublime mépris pour la plèbe ? demanda Ivanof. Est-ce que cela aurait aussi quelque rapport avec le changement grammatical en faveur de la première personne du singulier ? »

Il se pencha sur son pupitre avec un air de bienveillante raillerie. Sa tête cachait maintenant la tache claire du mur, et tout à coup la scène du musée fut présente à l'esprit de Roubachof ; la tête de Richard était venue se placer entre lui et les mains jointes de la *Pietà*. Au même instant, un élancement lui traversa la mâchoire, le front et l'oreille. Pendant une seconde, il ferma les yeux.

« Maintenant, je paie », pensa-t-il. Tout de suite après, il ne se rappelait plus s'il n'avait pas parlé tout haut.

« Que veux-tu dire ? » demanda la voix d'Ivanof. Elle semblait toute proche de son oreille, railleuse et légèrement surprise.

La douleur s'en alla ; le silence et la tranquillité régnèrent dans son esprit.

« N'y mêlons pas les masses, reprit-il. Vous ne savez rien d'elles. Ni moi non plus, sans doute. Naguère, lorsque existait encore le grand « nous », nous les comprenions comme personne ne les avait encore comprises. Nous avions pénétré dans leurs profondeurs, nous travaillions sur la matière première de l'histoire elle-même... »

Sans s'en rendre compte, il avait pris une cigarette dans l'étui d'Ivanof, resté ouvert sur la table. Ivanof se pencha vers lui et la lui alluma.

« Dans ce temps-là, poursuivit Roubachof, on nous appelait le Parti de la Plèbe. Les autres, que connaissaient-ils de l'histoire ? Des rides passagères, de petits remous et des vagues qui déferlent. Ils s'étonnaient des formes changeantes de la surface et ne savaient pas les expliquer. Mais nous étions descendus dans les profondeurs, dans les masses amorphes et anonymes, qui en tous temps constituent la substance de l'histoire ; et nous étions les premiers à découvrir les lois qui en régissent les mouvements — les lois de son inertie, celles des lentes transformations de sa structure moléculaire, et celles de ses soudaines éruptions. C'était la grandeur de notre doctrine. Les Jacobins étaient des moralistes ; nous étions des empiriques. Nous avons creusé dans la boue primitive de l'histoire et nous y avons découvert ses lois. Nous connaissions l'humanité mieux qu'aucun homme ne l'a jamais connue ; voilà pourquoi notre révolution a réussi. Et maintenant, vous avez tout fait rentrer sous terre... »

Ivanof, assis très en arrière, les jambes allongées, écoutait en faisant des dessins sur son buvard.

« Continue, dit-il. Je suis curieux de savoir où tu veux en venir. »

Roubachof fumait avec délices. La nicotine lui donnait un léger vertige après sa longue abstinence.

« Comme tu vois, j'en dis assez pour qu'on me coupe la tête », dit-il avec un sourire, en regardant au mur le carré clair, là où avait jadis été accrochée la photographie de la vieille garde. Cette fois-ci, Ivanof ne suivit pas son regard. « Mais soit, dit Roubachof. Qu'importe un de plus ou de moins ? Tout est enseveli, les hommes, leur sagesse et leurs espérances. Vous avez tué le « Nous » ; vous l'avez détruit. Prétendez-vous vraiment que les masses soient toujours derrière vous ? D'autres usurpateurs en Europe affirment la même chose avec autant de justification que vous... »

Il prit encore une cigarette et l'alluma tout seul cette fois, car Ivanof ne bougea pas.

« Excuse ma suffisance, poursuivit-il, mais crois-tu vraiment que le peuple soit toujours derrière vous ? Il vous supporte, muet et résigné, comme il en supporte d'autres dans d'autres pays, mais il ne réagit plus dans ses profondeurs. Les masses sont redevenues sourdes et muettes, elles sont de nouveau la grande inconnue silencieuse de l'histoire, indifférente comme la mer aux navires qu'elle porte. Toute lumière qui passe se reflète sur sa surface, mais au-dessous tout est ténèbres et silence. Il y a longtemps nous avons soulevé les profondeurs, mais cela est fini. En d'autres termes — il s'arrêta et remit son pince-nez — dans ce temps-là, nous avons fait de l'histoire ; à présent, vous faites de la politique. Voilà toute la différence. »

Ivanof s'enfonça dans son fauteuil et fit des ronds de fumée.

« Je regrette, mais la différence n'est pas tout à fait claire à mes yeux, dit-il. Sans doute auras-tu la bonté de me l'expliquer.

— Certainement, dit Roubachof. Un mathématicien a dit une fois que l'algèbre était la science des paresseux — on ne cherche pas ce que représente *x*, mais on opère avec cette inconnue comme si on en connaissait la valeur. Dans notre cas, *x* représente les masses anonymes, le peuple. Faire de la politique, c'est opérer avec *x* sans se préoccuper de sa nature réelle. Faire de l'histoire, c'est reconnaître *x* à sa juste valeur dans l'équation.

— Joli, dit Ivanof, mais malheureusement un peu abstrait. Pour en revenir à des choses plus concrètes : tu veux dire, par conséquent, que « nous » — c'est-à-dire Parti et Etat — ne représentons plus les intérêts de la Révolution, des masses, ou, si tu préfères, le progrès humain.

— Cette fois-ci tu as compris, dit Roubachof avec un sourire. Ivanof ne répondit pas à son sourire.

— Quand as-tu contracté cette opinion ?

— Assez graduellement : au cours de ces dernières années, dit Roubachof.

— Tu ne peux pas me dire plus exactement ? Un an ? Deux ? Trois ans ?

— Voilà une question stupide, dit Roubachof. A quel âge es-tu devenu adulte ? à dix-sept ans ? à dix-huit ans et demi ? à dix-neuf ans ?

— C'est toi qui fais semblant d'être stupide, dit Ivanof. Chaque étape de notre développement intellectuel est le résultat d'événements précis. Si tu veux vraiment savoir : je suis devenu homme à dix-sept ans, la première fois que j'ai été envoyé en exil.

— Dans ce temps-là, tu étais un type assez convenable, dit Roubachof. Mais n'y pense plus. Il donna un coup d'œil à la tache claire et jeta sa cigarette.

— Je répète ma question, dit Ivanof en se penchant légèrement en avant. Depuis quand appartiens-tu à l'opposition organisée ? »

Le téléphone sonna. Ivanof souleva le récepteur, dit : « Je suis occupé » et le raccrocha. Il se rencogna dans son fauteuil, la jambe allongée, et attendit la réponse de Roubachof.

« Tu sais aussi bien que moi, dit Roubachof, que je n'ai jamais fait partie d'une opposition organisée.

— Comme tu voudras, dit Ivanof. Tu m'infliges le pénible devoir de faire le bureaucrate. »

Il mit la main sur un tiroir et en tira un paquet de dossiers.

« Commençons en 1933, dit-il en déployant les papiers devant lui. Commencement de la dictature et écrasement du Parti dans le pays où précisément la victoire semblait plus proche. On t'y envoie illégalement, chargé d'épurer et de réorganiser les cadres... »

Roubachof s'appuyait au dossier de sa chaise en écoutant sa biographie. Il songeait à Richard, et au crépuscule dans l'avenue devant le musée, là où il avait appelé le taxi.

« ... Trois mois plus tard : tu es arrêté. Deux ans de prison. Conduite exemplaire, ils ne peuvent rien prouver contre toi. Tu es élargi et tu fais un retour triomphal... »

Ivanof s'interrompit, lui lança un rapide coup d'œil et poursuivit :

« Tu as été très fêté à ton retour. Nous ne nous sommes pas vus ; tu étais sans doute trop occupé... Et à propos, je ne m'en suis pas froissé. Après tout, on ne pouvait pas s'attendre à ce que tu ailles rendre visite à tous tes vieux amis. Mais je t'ai vu à deux réunions, sur l'estrade. Tu marchais encore avec des béquilles et tu avais l'air éreinté. Il aurait été logique d'aller passer quelques mois dans un sanatorium, puis de prendre quelque poste dans le gouvernement — après quatre ans en mission à l'étranger. Mais au bout de quinze jours, tu demandais déjà une nouvelle mission à l'étranger... »

Il se pencha tout à coup en avant, rapprochant son visage tout près de celui de Roubachof :

« Pourquoi ? » demanda-t-il, et pour la première fois sa voix était âpre. « Tu ne te sentais pas à ton aise, ici, je suppose ? Pendant ton absence certains changements s'étaient produits dans le pays, et évidemment tu ne les appréciais pas. »

Il attendit que Roubachof dît quelque chose ; mais Roubachof était assis tranquillement sur sa chaise et frottait son pince-nez sur sa manche ; il ne répondit pas.

« C'était peu de temps après que la première fournée de l'opposition eut été reconnue coupable et liquidée. Tu y avais des amis intimes. Lorsqu'on eut appris quel degré de pourriture l'opposition avait atteint, ce fut une explosion d'indignation dans le pays. Tu ne dis rien. Au bout de quinze jours, tu pars pour l'étranger, bien que tu ne puisses pas même marcher sans béquilles... »

Roubachof crut sentir les effluves des docks dans le petit port, mélange de varechs et de pétrole ; Paul le lutteur remuait les oreilles ; le petit Lœwy saluait avec sa pipe... Il s'était pendu à une poutre de son galetas. La vieille maison branlante frémissait à chaque camion qui passait ; on avait dit à Roubachof que le matin où l'on avait trouvé le petit Lœwy, son corps avait tourné lentement sur son axe, si bien que tout d'abord on avait cru qu'il bougeait encore.

« Ta mission accomplie avec succès, tu es nommé chef de notre Délégation commerciale en B... Cette fois aussi, tu remplis tes fonctions de façon irréprochable. Le nouveau traité de commerce avec la B... est un succès positif. En apparence, ta conduite demeure exemplaire et irréprochable. Mais six mois après que tu eus pris possession de ce poste, tes deux plus proches collaborateurs, dont ta secrétaire Arlova, durent être rappelés, suspects de conspiration pour le compte de l'opposition. Ces soupçons sont confirmés par l'enquête. On s'attend à ce que tu les désavoues publiquement. Tu gardes le silence.

« Encore six mois et tu es toi-même rappelé. Les préparatifs du second procès de l'opposition sont en cours. Au procès, ton nom revient plusieurs fois ;

Arlova s'en rapporte à toi pour se disculper. Dans de telles circonstances, garder le silence équivaudrait à une confession de culpabilité. Tu le sais et cependant tu refuses de faire une déclaration publique avant que le parti t'envoie un ultimatum. Alors, seulement, lorsque ta tête est en jeu, tu condescends à faire une déclaration de loyauté, qui condamne automatiquement Arlova. Tu sais ce qui lui est arrivé... »

Roubachof se tut ; il s'aperçut que de nouveau sa dent lui faisait mal. Il savait bien ce qui était arrivé à Arlova. Et à Richard aussi ; et au petit Lœwy ; et ce qui lui arriverait à lui-même. Il regardait la tache claire du mur, seule trace qui restât des hommes aux têtes numérotées. Une fois, l'Histoire avait pris un chemin qui du moins promettait à l'humanité une forme de vie plus digne ; maintenant c'était fini. Alors, pourquoi toutes ces paroles et toutes ces cérémonies ? Sa grosse Arlova était quelque part dans le grand vide spatial, à contempler encore de ses yeux de génisse le camarade Roubachof, qui avait été son idole et qui l'avait envoyée à la mort. Sa dent lui faisait de plus en plus mal.

« Veux-tu que je te lise la déclaration publique que tu as faite cette fois-là ? demanda Ivanof.

— Non, merci, dit Roubachof, qui constata que sa voix était rauque.

— Tu t'en souviens, ta déclaration — que l'on pourrait également qualifier de confession — se terminait par une condamnation catégorique de l'opposition, et affirmait ton adhésion sans conditions tant à la politique du Parti qu'à la personne du N° 1.

— Assez, dit Roubachof d'une voix blanche. Tu sais comment se fabrique cette sorte de déclaration. Si tu ne le sais pas, tant mieux pour toi. Pour l'amour de Dieu, trêve de comédie.

— Nous terminons, dit Ivanof. Nous n'en sommes qu'à deux ans aujourd'hui. Pendant ces deux ans, tu as été chef de l'Office de l'Aluminium. Il y a un an, à l'occasion du troisième procès de l'opposition, les principaux accusés ont mentionné ton nom plusieurs fois dans des contextes relativement obscurs. Cela n'a rien révélé de tangible, mais les soupçons ont grandi au sein du Parti. Tu fais une nouvelle déclaration publique, dans laquelle tu proclames à nouveau ton dévouement à la politique de la Direction suprême, et tu condamnes en termes encore plus nets le caractère criminel de l'opposition... Il y a de cela six mois. Et aujourd'hui, tu reconnais que, depuis des années déjà, tu estimes que la politique du Comité central est erronée et nocive... »

Il fit une pause et se cala bien à son aise dans son fauteuil.

« Tes premières déclarations de loyauté, reprit-il, n'étaient donc que des stratagèmes pour atteindre un but donné. Je te prie de remarquer que je ne te fais pas la morale. Nous avons tous deux été élevés dans la même tradition et nous avons en ces matières les mêmes conceptions. Tu étais convaincu que nous étions dans l'erreur et toi dans le vrai. Dire cela ouvertement à ce moment-là, c'était te faire expulser du Parti ; tu n'aurais donc pas dû continuer de travailler pour le succès de tes idées. Il te fallait jeter du lest afin d'être à même de poursuivre une politique qui, selon toi, était la seule bonne. A ta place, j'aurais naturellement agi de la même manière. Jusqu'ici tout va bien.

— Et après ? » demanda Roubachof.

Ivanof avait retrouvé son sourire aimable.

« Voici, dit-il, ce que je ne comprends pas. Tu reconnais ouvertement aujourd'hui avoir eu pendant des années la conviction que nous gâchions la Révolution ; et, du même coup, tu nies avoir appartenu à l'opposition et avoir comploté contre nous. Est-ce que tu t'imagines vraiment que je vais croire que tu nous as regardés en te tournant les pouces — alors que, selon tes convictions, nous menions le pays et le Parti à leur ruine ? »

Roubachof haussa les épaules :

« Peut-être que j'étais trop vieux et au bout de mon rouleau... Mais tu peux croire ce que tu veux », ajouta-t-il.

Ivanof alluma une cigarette. Sa voix se fit douce et pénétrante :

« Veux-tu réellement me faire croire que tu as sacrifié Arlova et renié ceux-là — il leva le menton dans la direction de la tache claire — uniquement pour sauver ta peau ? »

Roubachof se tut. Un temps assez long s'écoula. La tête d'Ivanof se pencha encore plus près de lui par-dessus la table.

« Je ne te comprends pas, dit-il. Il y a une demi-heure tu me faisais un discours rempli des plus violentes attaques contre notre politique ; le moindre de ces propos aurait suffi à t'expédier. Et maintenant tu nies une déduction logique, simple comme bonjour, à savoir que tu étais membre d'un groupe d'opposition, ce dont, d'ailleurs, nous avons des preuves abondantes.

— Tiens ! dit Roubachof. Si vous avez tant de preuves, quel besoin avez-vous de mes confessions ? Et des preuves de quoi, s'il te plaît ?

— Entre autres, dit Ivanof lentement, des preuves d'un projet d'attentat contre le N° 1. »

Il y eut un nouveau silence. Roubachof remit son pince-nez.

« Laisse-moi à mon tour te poser une question, dit-il. Crois-tu réellement à cette idiotie, ou bien fais-tu semblant ? »

Les coins des yeux d'Ivanof s'éclairèrent de son sourire presque tendre.

« Je te l'ai dit. Nous avons des preuves. Soyons précis : des aveux. Soyons encore plus précis : les aveux de celui qui devait sur ton instigation commettre l'attentat.

— Félicitations, dit Roubachof. Il s'appelle ? »

Ivanof souriait toujours.

« Question indiscrète.

— Puis-je lire cette confession ? Ou peut-il y avoir confrontation ? »

Ivanof sourit. Il lui envoya en plein visage la fumée de sa cigarette dans un geste d'amicale raillerie. Roubachof trouva cela désagréable, mais ne bougea pas la tête.

« Te souviens-tu du véronal ? dit lentement Ivanof. je crois te l'avoir déjà demandé. A présent, les rôles sont intervertis : aujourd'hui, c'est toi qui es sur le point de te jeter dans le gouffre. Mais je ne t'y aiderai pas. Tu m'as convaincu alors que le suicide était du romantisme petit-bourgeois. Je veillerai à ce que tu ne parviennes pas à te suicider. Alors, nous serons quittes. »

Roubachof se taisait, et se demandait si Ivanof mentait ou s'il était sincère. Au même moment, il éprouvait une étrange envie, presque un besoin physique, de toucher de ses doigts la tache claire du mur. « Des obsessions, se dit-il. Je marche sur les carreaux noirs, je murmure des phrases ineptes, je frotte mon lorgnon sur ma manche — tiens, voilà que je m'y prends encore... »

« Je suis curieux de savoir, dit-il tout haut, quel système tu as en tête pour opérer mon salut. La façon dont tu as, jusqu'ici, conduit mon interrogatoire me paraît avoir précisément le but contraire. »

Le sourire d'Ivanof s'épanouit joyeusement.

« Idiot que tu es ! s'écria-t-il, et, tendant le bras par-dessus la table, il empoigna Roubachof par le bouton de sa veste. J'étais bien forcé de te laisser éclater une bonne fois, sinon tu l'aurais fait hors de propos. Tu ne t'es même pas aperçu que je n'ai pas de sténographe ? »

Il tira une cigarette de l'étui et la fourra dans la bouche de Roubachof sans lâcher son bouton.

« Tu te comportes comme un enfant. Un enfant romanesque, ajouta-t-il. Maintenant, nous allons confectionner une jolie petite confession et cela suffira pour aujourd'hui. »

Roubachof put enfin se dégager de l'emprise d'Ivanof. Il le regarda à travers son binocle.

« Et que contiendra-t-elle, cette confession ? » demanda-t-il.

Ivanof n'arrêtait pas de rayonner.

« Il y sera écrit, dit-il, que tu reconnais avoir, depuis telle ou telle année, appartenu à tel ou tel groupe de l'opposition ; mais que tu nies catégoriquement avoir organisé ou préparé un assassinat ; et qu'au contraire tu t'es retiré du groupe lorsque tu as appris les plans criminels et terroristes de l'opposition. »

Pour la première fois depuis le début de leur discussion, Roubachof sourit à son tour.

« Si tel est le but de tout cet entretien, dit-il, nous pouvons en rester là.

— Laisse-moi finir ce que j'ai à te dire, reprit Ivanof sans manifester d'impatience. Bien sûr, je savais que tu ne marcherais pas tout de suite. Examinons d'abord l'aspect moral ou sentimental de la chose. Tu ne vends personne en avouant. Ils ont tous été arrêtés longtemps avant toi, et la moitié d'entre eux sont déjà liquidés ; tu le sais bien. Des autres, nous obtiendrons tous les aveux et toutes les confessions que nous voudrons... Je pense que tu me comprends et que ma franchise te convainc ?

— En d'autres termes, tu ne crois pas toi-même à l'histoire du complot contre le N° 1, dit Roubachof. Alors, pourquoi ne pas me confronter avec ce mystérieux X qui aurait fait ces prétendus aveux ?

— Réfléchis-y un peu, dit Ivanof. Mets-toi à ma place — après tout, nos situations pourraient fort bien être interverties — et réponds toi-même à ta question. »

Roubachof réfléchit.

« Tu as reçu des instructions formelles en haut lieu sur la façon de conduire mon affaire », dit-il.

Ivanof sourit.

« C'est dire les choses un peu trop crûment. En réalité, on n'a pas encore décidé si ton cas doit être classé catégorie A ou catégorie P. Tu sais de quoi il s'agit ? »

Roubachof hocha la tête. Il était au courant.

« Tu commences à comprendre, dit Ivanof. A, cela veut dire : affaire administrative ; et P, procès public. La grande majorité des affaires politiques sont jugées administrativement — c'est-à-dire celles qui ne feraient aucun bien si on les jugeait en public... Si tu entres dans la catégorie A, tu seras enlevé à mon autorité. La procédure de la Commission administrative est secrète, et, comme tu le sais, quelque peu sommaire. Aucune chance de confrontations et de chinoiseries de ce genre. Pense à... »

Ivanof cita trois ou quatre noms, et jeta un regard furtif à la tache claire sur le mur. Lorsqu'il se retourna vers Roubachof, celui-ci remarqua pour la première fois sur son visage un air tourmenté, une fixité dans le regard, comme s'il ne le prenait pas lui, Roubachof, pour point de mire, mais un objet situé à quelque distance derrière lui.

Ivanof répéta encore, plus bas, les noms de leurs anciens amis.

« Je les connaissais aussi bien que toi, poursuivit-il. Mais tu dois reconnaître que nous sommes tout aussi convaincus qu'eux et toi représenteriez la fin de la Révolution, que vous êtes convaincus du contraire. C'est là l'essentiel. Les méthodes s'ensuivent par voie de déduction logique. Nous n'avons pas le temps de nous perdre en subtilités juridiques. Le faisais-tu, de ton temps ? »

Roubachof ne dit rien.

« Tout dépend, reprit Ivanof, si tu seras classé dans la catégorie P, et si l'affaire restera entre mes mains. Tu sais de quel point de vue ces affaires qui sont jugées en public sont choisies. Il me faut prouver une certaine bonne volonté de ta part. Pour cela, j'ai besoin de ta déposition avec des aveux partiels. Si tu fais le héros, si tu persistes à vouloir donner l'impression que l'on ne peut rien faire de toi, tu seras expédié sur la foi des aveux de X. Si, d'autre part, tu fais des aveux partiels, cela fournit la base d'un examen plus approfondi. Sur cette base, il me sera possible d'obtenir la confrontation ; nous réfuterons le pire de l'accusation et nous plaiderons coupable dans certaines limites soigneusement circonscrites. Même ainsi, nous ne pourrons pas nous en tirer à moins de vingt ans ; cela représente, en fait, deux ou trois ans, puis une amnistie ; et dans cinq ans, te voilà de retour parmi nous. A présent, fais-moi le plaisir d'y réfléchir posément avant de me répondre.

— C'est tout réfléchi, dit Roubachof. Je repousse ta proposition. Logiquement, il se peut que tu aies raison. Mais j'en ai assez de cette espèce de logique. Je suis fatigué et je ne veux plus jouer ce jeu. Tu auras la gentillesse de me faire reconduire dans ma cellule.

— Comme tu voudras, dit Ivanof. Je ne m'attendais pas à ce que tu acceptes tout de suite. Une conversation de ce genre a généralement un effet à retardement. Tu as quinze jours. Demande à me revoir quand tu auras retourné cela dans ta tête, ou bien envoie-moi ta déposition écrite. Car je ne doute pas que tu en feras une. »

Roubachof se leva ; Ivanof se leva également ; il avait de nouveau une demi-tête de plus que Roubachof. Il appuya sur un bouton près de son bureau. Tandis qu'ils attendaient que le gardien revienne chercher Roubachof, Ivanof dit :

« Tu as écrit, il y a quelques mois, dans ton dernier article, que la décennie qui vient va décider de la destinée du monde dans notre ère. Tu ne veux pas être ici pour voir cela ? »

Il jeta un sourire à Roubachof. Dans le corridor, des pas se rapprochaient ; la porte s'ouvrit. Deux gardiens entrèrent et saluèrent. Sans un mot, Roubachof se plaça entre eux deux ; ils se mirent en route pour sa cellule. Plus de bruits dans les corridors ; de quelques cellules, provenaient des ronflements assourdis, on aurait dit des gémissements. Dans tout le bâtiment brûlait la lumière électrique jaunâtre et falote.

DEUXIÈME AUDIENCE

Lorsque son existence est menacée, l'Eglise est dispensée des commandements de la morale. L'unité comme but sanctifie tous les moyens, l'astuce, la traîtrise, la violence, la simonie, l'emprisonnement, et la mort. Car tout ordre existe pour les fins de la communauté, et l'individu doit être sacrifié au bien général.

DIETRICH VON NIEHEIM,
ÉVÊQUE DE VERDEN.
(*De Schismate Libri III*, A.D., 1411.)

I

EXTRAIT DU JOURNAL DE N. S. ROUBACHOF, CINQUIÈME JOUR DE PRISON.

« ... *L'ultime vérité fait toujours figure d'erreur en avant-dernière analyse. Celui qui aura raison en fin de compte paraît souvent avoir tort dans sa pensée et dans ses actes.*

« *Mais qui est celui qui aura raison en fin de compte ? Cela ne se saura que plus tard. Entre-temps, il faut bien agir à crédit et vendre son âme au diable dans l'espoir d'obtenir l'absolution de l'Histoire.*

« *On dit que le N° 1 garde en permanence à son chevet le* Prince *de Machiavel. Il a raison : on n'a rien dit depuis de vraiment important sur les règles de l'éthique politique. Nous avons été les premiers à remplacer l'éthique libérale du* XIX*e siècle, basée sur le* fair play, *par l'éthique révolutionnaire du* XX*e siècle. En cela aussi nous avions raison : une révolution menée d'après les règles du jeu de tennis est une absurdité. La politique peut être relativement honnête aux moments où l'Histoire suit un cours paresseux ; à ses tournants critiques, la seule règle possible est le vieil adage selon lequel la fin justifie les moyens. Nous avons introduit dans ce siècle le néo-machiavélisme ; les autres, les dictatures contre-révolutionnaires, nous ont lourdement imités.*

Nous étions néo-machiavéliens au nom de la raison universelle — c'était notre grandeur ; les autres le sont au nom d'un romantisme nationaliste, c'est leur anachronisme. C'est pourquoi, en fin de compte, *l'Histoire nous donnera l'absolution à nous, mais pas à eux...*

« Mais pour le moment, nous pensons et nous agissons à crédit. Ayant jeté par-dessus bord toutes les conventions et la morale du jeu de tennis, notre seul principe directeur est celui de la conséquence logique. Nous sommes assujettis à la terrible obligation de suivre notre pensée jusqu'à ses ultimes conséquences, et d'y conformer nos actes. Nous naviguons sans lest ; aussi le moindre coup de barre est-il une affaire de vie et de mort.

« Il y a quelque temps, B., le plus éminent de nos agronomes, a été fusillé avec trente de ses collaborateurs, parce qu'il soutenait que les nitrates sont un engrais supérieur à la potasse. Le N° 1 est pour la potasse. Il fallait donc liquider comme saboteurs[1] *B. et ses trente collègues. Pour une agriculture basée sur une centralisation étatiste, le choix entre les nitrates et la potasse est d'une immense importance : l'issue de la prochaine guerre peut en dépendre. Si le N° 1 avait raison, l'Histoire lui donnera l'absolution, et l'exécution de trente et un hommes ne sera qu'une bagatelle. S'il avait tort...*

« Cela seul compte : savoir qui a objectivement raison. Les moralistes de l'école du jeu de tennis s'excitent sur un tout autre problème : celui de savoir si B. était subjectivement de bonne foi lorsqu'il recommandait l'azote. S'il était de bonne foi, alors, il fallait l'acquitter et lui permettre de faire de la propagande en faveur des nitrates, même si cela devait ruiner le pays...

« Cela est, bien sûr, d'une parfaite absurdité. Pour nous, la question de la bonne foi subjective est dépourvue d'intérêt. Celui qui a tort doit expier ; celui qui a

1. En français dans le texte.

raison recevra l'absolution. C'est la loi du crédit historique ; c'était notre loi.

« L'Histoire nous a appris que souvent les mensonges la servent mieux que la vérité ; car l'homme est paresseux, et il faut lui faire traverser le désert pendant quarante ans, avant chaque étape de son développement. Et pour le forcer à franchir le désert, force menaces et force promesses sont nécessaires ; il a besoin de terreurs imaginaires et d'imaginaires consolations, sans quoi il va s'asseoir et se reposer prématurément et va s'amuser à adorer des veaux d'or.

« Nous avons appris l'Histoire plus à fond que les autres. Nous différons de tous les autres par la pureté de notre logique. Nous savons que la vertu ne compte pas devant l'Histoire, et que les crimes restent impunis ; mais que chaque erreur a ses conséquences et se venge jusqu'à la septième génération. Aussi avons-nous concentré nos efforts sur les mesures visant à prévenir l'erreur et à en déduire jusqu'aux germes. Jamais dans l'Histoire une telle possibilité d'action sur l'avenir de l'humanité n'avait été concentrée en si peu de mains. Chaque idée fausse que nous traduisons en acte est un crime contre les générations futures. Nous sommes donc tenus de punir les idées fausses comme d'autres punissent les crimes : par la mort. On nous a pris pour des fous parce que nous suivions chaque pensée jusqu'à son ultime conséquence et que nous y conformions nos actes. On nous a comparés à l'Inquisition parce que, tels les Inquisiteurs, nous n'avons jamais cessé d'avoir conscience de tout le poids de notre responsabilité envers un avenir qui dépasse l'individuel. Nous ressemblions aux grands Inquisiteurs parce que nous persécutions les germes du mal non seulement dans les actes des hommes mais aussi dans leurs pensées. Nous n'admettions l'existence d'aucun secteur privé, pas même dans le cerveau d'un individu. Nous vivions dans l'obligation de pousser l'analyse logique jusqu'à ses dernières extrémités. Notre pensée était chargée à si haute

tension que le moindre contact provoquait un court-circuit mortel. Nous étions donc prédestinés à nous détruire les uns les autres.

« J'étais un de ces esprits. J'ai pensé et agi comme je le devais ; j'ai détruit des êtres que j'aimais, et j'ai donné le pouvoir à d'autres qui me déplaisaient. L'Histoire m'a placé là où j'étais ; j'ai épuisé le crédit qu'elle m'avait accordé ; si j'avais raison, je n'ai pas à me repentir ; si j'avais tort, je paierai.

« Mais comment peut-on dans le présent décider de ce qui passera pour la vérité dans l'avenir ? Nous faisons œuvre de prophètes sans en avoir le don. Nous avons remplacé la vision par la déduction logique ; mais bien que tous partis du même point, nous avons abouti à des résultats divergents. Une preuve en réfutait une autre, et, en fin de compte, nous avons dû recourir à la foi — une foi axiomatique dans l'exactitude de nos propres raisonnements. C'est là le point décisif. Nous avons jeté tout notre lest par-dessus bord ; une seule ancre nous retient : la foi en soi-même. La géométrie est la plus pure réalisation de la raison humaine ; mais nul ne peut prouver les axiomes d'Euclide. Celui qui n'y croit pas voit s'écrouler tout l'édifice.

« Le N° 1 a foi en lui-même, lui qui est tenace, lent, morose et inébranlable. Il a attaché son ancre au câble le plus solide de tous. Le mien s'est usé pendant ces dernières années...

« Le fait est que je ne crois plus à mon infaillibilité. C'est pourquoi je suis perdu. »

II

Le lendemain du premier interrogatoire de Roubachof, le juge d'instruction Ivanof et son collègue Gletkin étaient assis à la cantine après le dîner. Ivanof était là ; il avait calé sa jambe artificielle sur une chaise et défait le col de sa tunique. Il remplit les verres de cette piquette que l'on vendait à la cantine, et s'émerveilla en silence à la vue de Gletkin, assis droit sur sa chaise dans son uniforme, empesé à chacun de ses mouvements. Il n'avait même pas enlevé son ceinturon et son revolver ; et pourtant, il devait lui aussi être fatigué. Gletkin vida son verre ; la cicatrice qui attirait les regards sur son crâne rasé avait légèrement rougi. A part eux deux, il n'y avait dans la cantine que trois officiers assis à une table à quelque distance ; deux d'entre eux jouaient aux échecs, le troisième les regardait.

« Que va-t-on faire de Roubachof ? demanda Gletkin.

— Il va plutôt mal, répondit Ivanof, mais il est aussi logicien que jamais. Donc, il capitulera.

— Je ne le pense pas, dit Gletkin.

— Si, dit Ivanof. Quand il aura suivi toutes ses idées jusqu'à leur aboutissement logique, il capitulera. Il faut donc avant tout le laisser tranquille et ne pas le déranger. Je lui ai accordé du papier, un crayon et des cigarettes — pour accélérer la marche de la pensée.

— J'estime que c'est une erreur, dit Gletkin.

— Il te déplaît, dit Ivanof. Tu as eu une scène avec lui il y a quelques jours ? »

Gletkin se souvint de la scène où Roubachof assis sur sa couchette enfilait son soulier sur sa chaussette en loques.

« Ça ne compte pas, dit-il. Ce n'est pas une affaire de sentiment. C'est la méthode que je trouve mauvaise. Cela ne le fera jamais céder.

— Roubachof capitulera, dit Ivanof, ce ne sera pas par lâcheté, mais par logique. Rien ne sert d'essayer la manière forte avec lui. Il est fabriqué d'un métal qui ne fait que durcir plus on frappe dessus.

— Balivernes, dit Gletkin. Il n'existe pas d'être

humain capable de résister à une pression physique illimitée. Je n'en ai jamais rencontré. L'expérience montre que la résistance du système nerveux humain a des limites naturelles.

— Je n'aimerais pas tomber entre tes pattes, dit Ivanof avec un sourire où se mêlait un soupçon d'inquiétude. En tout cas, tu es la vivante réfutation de ta propre théorie. »

Son regard souriant s'arrêta un instant sur la cicatrice de Gletkin. L'histoire de cette cicatrice était célèbre. Pendant la Guerre civile, Gletkin était tombé entre les mains de l'ennemi ; pour lui arracher certains renseignements, on avait attaché à son crâne rasé une mèche de chandelle allumée. Quelques heures plus tard, les siens reprenaient la position et le trouvaient sans connaissance. La mèche avait brûlé jusqu'au bout. Gletkin n'avait pas parlé.

Il regarda Ivanof de ses yeux impassibles.

« Balivernes aussi, dit-il. Si je n'ai pas cédé, c'est parce que je me suis évanoui. Si j'avais gardé ma connaissance un moment de plus, je parlais. C'est une affaire de tempérament physique. »

Il vida son verre d'un geste mesuré ; ses manchettes crissèrent lorsqu'il posa le verre sur la table.

« Quand j'ai repris connaissance, j'étais d'abord persuadé que j'*avais* parlé. Mais les deux sous-officiers libérés en même temps que moi ont affirmé le contraire. Alors, j'ai été décoré. C'est une affaire de tempérament physique ; tout le reste, c'est de la légende. »

Ivanof vida son verre. Il avait déjà bu pas mal de piquette. Il haussa les épaules.

« Depuis quand soutiens-tu cette remarquable théorie physiologique ? Après tout, pendant les premières années, ces méthodes-là n'existaient pas. Nous étions encore remplis d'illusions. Abolition de la théorie du châtiment et de la loi du talion ; des sanatoria avec jardins d'agrément pour les éléments asociaux. Des foutaises.

— Je ne suis pas d'accord, dit Gletkin. Tu es un cynique. Dans cent ans, nous aurons tout cela. Mais, d'abord, il nous faut passer le cap. Plus vite ça ira, mieux ça vaudra. La seule illusion était de croire que le temps était déjà venu. Quand on m'a envoyé ici, au début, j'ai partagé cette illusion. Nous voulions commencer tout de suite avec les jardins d'agrément. C'était une erreur. Dans cent ans, nous serons à même de faire appel à la raison et aux instincts sociaux du criminel. Aujourd'hui, nous devons encore travailler sur son tempérament physique, et au besoin l'écraser, physiquement et moralement. »

Ivanof se demandait si Gletkin était ivre. Mais il vit à ses yeux calmes et impassibles qu'il ne l'était pas. Ivanof lui souriait d'un air vague.

« En somme, c'est moi le cynique et toi le moraliste. »

Gletkin ne dit rien. Il se tenait raide sur sa chaise, dans son uniforme empesé ; son ceinturon sentait le cuir neuf.

« Il y a plusieurs années, dit Gletkin au bout d'un moment, on m'amena un petit paysan à interroger. C'était en province, dans le temps où nous croyions encore à la théorie du jardin d'agrément, comme tu dis. Les interrogatoires se faisaient de façon très comme il faut. Mon paysan avait enterré sa récolte ; c'était au commencement de la collectivisation de la terre. Je m'en suis tenu strictement aux formes protocolaires. Je lui ai expliqué amicalement que nous avions besoin du blé pour nourrir la population croissante des villes et pour l'exportation, afin de mettre sur pied notre industrie ; il serait bien gentil de me dire où il avait caché sa récolte. Le paysan, s'attendant à une rossée, rentrait la tête dans ses épaules quand on l'avait amené dans mon bureau. Je connaissais ces bougres : je suis de la campagne.

Quand, au lieu de le rosser, je me suis mis à raisonner avec lui, à lui parler d'égal à égal et à l'appeler « citoyen », il m'a pris pour un idiot. Je l'ai vu dans son regard. Je lui ai parlé une demi-heure. Il n'a jamais ouvert la bouche et il se grattait tour à tour le nez et les oreilles. Je continuais de parler, tout en m'apercevant qu'il prenait tout cela pour une superbe rigolade et ne m'écoutait pas. Les arguments ne lui entraient tout bonnement pas dans les oreilles. Elles étaient obturées par le cérumen de siècles innombrables de paralysie mentale patriarcale. Je m'en suis tenu rigoureusement au règlement ; je n'ai même jamais songé qu'il y avait d'autres méthodes...

« Dans ce temps-là, j'avais chaque jour vingt ou trente de ces cas-là. Mes collègues également. La Révolution courait le risque de sombrer sur les petits paysans replets. Les ouvriers étaient sous-alimentés ; des régions entières étaient ravagées par le typhus dû à la famine ; nous manquions de crédits pour développer notre industrie de guerre, et nous nous attendions à être attaqués d'un mois à l'autre. Deux cents millions d'or étaient cachés dans les bas de laine de ces gars-là et la moitié des récoltes était ensevelie. Et en les interrogeant, nous les appelions « citoyens » ; eux, ils nous regardaient en clignotant de leurs petits yeux sournois ; ils voyaient dans tout cela une magnifique plaisanterie et ils se grattaient le nez.

« Le troisième interrogatoire de mon type eut lieu à deux heures du matin ; j'avais travaillé dix-huit heures sans arrêt. On l'avait réveillé : il était abruti de sommeil et avait peur ; il s'est trahi. Depuis lors, j'ai interrogé mes gens surtout la nuit... Une fois, une femme se plaignit d'avoir été gardée debout toute la nuit devant mon bureau à attendre son tour. Ses jambes tremblaient, elle était .épuisée ; elle s'est endormie en plein interrogatoire. Je la réveille ; elle continue de parler, d'une voix endormie et en marmottant, sans bien se rendre compte de ce qu'elle disait, et elle se rendort. Je la réveille encore une fois ; elle a tout avoué, et elle a signé sa déposition sans la lire, pour que je la laisse dormir. Son mari avait caché deux mitrailleuses dans sa grange et persuadé les fermiers de son village de brûler leur blé parce que l'Antéchrist lui était apparu en songe. Si sa femme était restée debout à m'attendre toute la nuit, c'était dû à la négligence de mon sergent ; depuis lors, j'ai encouragé les négligences de ce genre ; les entêtés devaient rester debout au même endroit jusqu'à quarante-huit heures. Après cela, le cérumen fondait dans leurs oreilles, et on pouvait causer... »

Les deux joueurs d'échecs à l'autre coin de la salle renversèrent leurs pièces et recommencèrent une partie. Le troisième était déjà parti. Ivanof observait Gletkin : sa voix restait toujours égale et impassible.

« Mes collègues ont fait les mêmes expériences. C'était la seule façon d'obtenir des résultats. On respectait le règlement ; jamais un prisonnier n'a été touché. Mais il se trouvait qu'ils devaient assister — pour ainsi dire accidentellement — à l'exécution d'autres prisonniers. L'effet de pareilles scènes est en partie psychique, en partie physique. Autre exemple : pour des raisons hygiéniques, il y a dans les prisons des douches et des bains. Si en hiver le chauffage et l'eau chaude ne fonctionnaient pas toujours, cela tenait à des difficultés techniques ; et la durée du bain dépendait des surveillants. Ou bien, des fois, le chauffage et la machinerie d'eau chaude ne fonctionnaient que trop bien ; cela dépendait aussi des surveillants. C'étaient tous de vieux camarades ; pas besoin de leur donner des instructions détaillées ; ils comprenaient de quoi il s'agissait.

— Je crois que ça suffit, dit Ivanof.

— Tu m'as demandé comment j'ai découvert ma théorie et je te l'explique, dit Gletkin. Ce qui compte, c'est de garder présente à l'esprit la nécessité logique de tout cela ; sinon on devient cynique, comme toi. Il est tard, il faut que je m'en aille. »

Ivanof vida son verre et déplaça sa jambe artificielle sur la chaise où elle reposait ; ses rhumatismes lui faisaient mal dans le moignon. Il s'en voulait d'avoir engagé cette conversation.

Gletkin paya la note. Quand le garçon fut parti, il demanda :

« Que va-t-on faire de Roubachof ?

— Je t'ai dit mon opinion, dit Ivanof. Il faut le laisser tranquille. »

Gletkin se leva. Ses bottes grincèrent. Il était debout près de la chaise sur laquelle était allongée la jambe d'Ivanof.

« Je reconnais ses mérites passés, dit-il. Mais, aujourd'hui, il est devenu aussi nuisible que mon gros paysan ; seulement plus dangereux. »

Ivanof leva les yeux vers le regard impassible de Gletkin.

« Je lui ai donné une quinzaine pour réfléchir, dit-il. Pendant ce temps-là, je veux qu'on le laisse tranquille. »

Ivanof avait parlé de son ton officiel. Gletkin était son subordonné. Il salua et quitta la cantine en faisant grincer ses bottes.

Ivanof demeura assis. Il but encore un verre, alluma une cigarette et en souffla la fumée devant lui. Au bout d'un moment, il se leva et se dirigea en boitant vers les deux officiers pour les regarder jouer.

III

Depuis la première audience, Roubachof avait vu son niveau de vie s'améliorer comme par miracle. Dès le lendemain, le vieux porte-clefs lui avait apporté du papier, un crayon, du savon et une serviette. Il avait en même temps donné à Roubachof des bons de la prison d'une valeur équivalente à l'argent qu'il avait sur lui lors de son arrestation, et il lui avait expliqué qu'il avait maintenant le droit de commander du tabac et des suppléments de vivres à la cantine.

Roubachof se commanda des cigarettes et de quoi manger. Le vieux était tout aussi bourru et monosyllabique, mais il arrivait promptement avec les commandes. Roubachof songea un instant à réclamer un docteur de l'extérieur, mais il oublia de le faire. Sa dent ne lui faisait pas mal pour le moment, et après s'être débarbouillé et avoir mangé il se sentit beaucoup mieux.

La neige avait été déblayée dans la cour, et des groupes de prisonniers y tournaient en rond pour leur exercice quotidien. Cette promenade avait été interrompue à cause de la neige ; seuls Bec-de-lièvre et son compagnon avaient été autorisés à prendre dix minutes d'exercice, peut-être à la suite de recommandations spéciales du docteur ; chaque fois qu'ils entraient dans la cour ou en sortaient, Bec-de-lièvre avait levé les yeux vers la fenêtre de Roubachof. Son geste était si précis que toute possibilité de doute était exclue.

Lorsque Roubachof ne travaillait pas à prendre des notes ou ne se promenait pas de long en large dans sa cellule, il se tenait devant la fenêtre, le front contre le carreau, et observait les prisonniers à la promenade. Elle se faisait par groupes de douze, qui tournaient en rond dans la cour, deux par deux, à dix pas de distance les uns des autres. Au milieu de la cour, se tenaient quatre personnages en uniforme qui s'assuraient que les prisonniers ne se parlaient pas ; ils formaient l'axe de ce manège qui tournait avec lenteur et régularité pendant exactement vingt minutes. Puis les prisonniers étaient reconduits à l'intérieur par la porte de droite, tandis que simultanément un nouveau groupe entrait dans la cour par la porte de gauche, et commençait le même circuit monotone jusqu'à la relève suivante.

Pendant les premiers jours, Roubachof avait cherché des visages de connaissance, mais il n'en avait pas trouvé. Cela le soulagea : pour le moment, il voulait éviter tout ce qui pouvait lui rappeler le monde extérieur, tout ce qui pourrait le distraire de sa tâche. Cette tâche consistait à aller au bout de ses pensées, à se mettre en règle avec le passé et l'avenir, avec les vivants et les morts. Il lui restait dix jours du délai fixé par Ivanof.

Il ne pouvait concentrer ses pensées qu'en les notant ; mais il se fatiguait d'écrire, si bien qu'il ne pouvait guère s'y forcer que pendant une heure ou deux par jour. Le reste du temps son cerveau travaillait tout seul.

Roubachof avait toujours pensé qu'il se connaissait assez bien. Dépourvu de préjugés moraux, il n'avait pas d'illusions sur le phénomène appelé « première personne du singulier ». Il avait admis, sans émotion particulière, le fait que ce phénomène était doué de certains mouvements impulsifs que les humains éprouvent généralement quelque répugnance à avouer. A présent, lorsqu'il collait son front contre la vitre ou qu'il s'arrêtait soudain sur le troisième carreau noir, il faisait des découvertes inattendues. Il s'apercevait que le processus incorrectement désigné du nom de « monologue » est réellement un dialogue d'une espèce spéciale ; un dialogue dans lequel l'un des partenaires reste silencieux tandis que l'autre, contrairement à toutes les règles de la grammaire, lui dit « je » au lieu de « tu », afin de s'insinuer dans sa confiance et de sonder ses intentions ; mais le partenaire muet garde tout bonnement le silence, se dérobe à l'observation et refuse même de se laisser localiser dans le temps et dans l'espace.

Mais maintenant, il semblait à Roubachof que le partenaire habituellement muet parlait de temps en temps, sans qu'on lui adressât la parole et sans prétexte apparent ; sa voix paraissait totalement étrangère à Roubachof qui l'écoutait avec un sincère émerveillement et qui s'apercevait que c'étaient ses lèvres à lui qui remuaient. Il n'y avait là rien de mystique ni de mystérieux ; il s'agissait de faits tout concrets ; et ses observations persuadèrent peu à peu Roubachof qu'il y avait dans cette première personne du singulier un élément bel et bien tangible qui avait gardé le silence pendant toutes les années écoulées et qui se mettait maintenant à parler.

Cette découverte préoccupait Roubachof bien plus que les détails de son entretien avec Ivanof. Il estimait que c'était chose faite, qu'il n'accepterait pas les propositions d'Ivanof, qu'il se refuserait à continuer la partie. Donc ses jours étaient comptés ; cette conviction servait de base à ses réflexions.

Il ne pensait pas le moins du monde à cette absurde histoire de complot contre la vie du N° 1 ; il s'intéressait bien davantage à la personnalité d'Ivanof. Ivanof avait dit que leurs rôles auraient tout aussi bien pu être intervertis. En quoi il avait certainement raison. Ivanof et lui étaient des frères jumeaux par leur développement ; ils ne sortaient pas du même œuf, mais ils avaient été nourris par le même cordon ombilical, celui de leurs communes convictions ; le milieu intense du Parti avait gravé et moulé leur caractère à tous deux pendant les années décisives de leur développement. Ils avaient la même morale, la même philosophie, ils pensaient dans les mêmes termes. Ils auraient tout aussi bien pu changer de rôle. Alors, c'est Roubachof qui aurait été assis derrière la table et Ivanof devant ; et de cette position, Roubachof aurait probablement avancé les mêmes arguments qu'Ivanof. Les règles du jeu étaient fixes. Elles ne toléraient que des variations de détail.

Ce vieux penchant qui le poussait à penser avec l'esprit des autres s'était à nouveau emparé de lui ; il était assis à la place d'Ivanof et se voyait avec les yeux d'Ivanof, en posture d'accusé, comme jadis il avait vu Richard et le petit Lœwy. Il voyait ce Roubachof dégénéré, l'ombre du compagnon d'autrefois, et il comprenait le mélange de tendresse et de mépris avec lequel Ivanof l'avait traité. Pendant leur discussion, il s'était plusieurs fois demandé si Ivanof était sincère ou hypocrite ; s'il lui tendait des pièges ou s'il voulait vraiment lui montrer une façon de s'en tirer. Maintenant qu'il se mettait à la place d'Ivanof, il se rendait compte qu'Ivanof était sincère — tout autant, ou tout aussi peu, que lui-même l'avait été envers Richard et le petit Lœwy.

Ces réflexions prenaient aussi la forme d'un monologue, mais selon une ligne familière ; le partenaire muet, cette entité qu'il venait de découvrir, n'y prenait aucune part. Bien qu'il fût censé être la personne à qui l'on parlait dans tous les monologues, il gardait le silence, et son existence se bornait à n'être qu'une abstraction grammaticale nommée « première personne du singulier ». Des questions directes et des méditations logiques ne l'amenaient pas à parler ; ses propos survenaient sans cause visible et, chose étrange, étaient toujours accompagnés d'une forte crise de dents. Son ambiance mentale semblait composée d'éléments divers et sans rapports entre eux, comme les mains jointes de la *Pietà*, les chats du petit Lœwy, une mélodie, la cadence d'un vers comme : *O Mort, vieux capitaine...* ou quelque phrase prononcée un jour par Arlova. Ses moyens d'expression étaient également fragmentaires : par exemple, la nécessité de frotter son pince-nez sur sa manche, le besoin de toucher la tache claire au mur du bureau d'Ivanof, les mouvements irrésistibles des lèvres murmurant des phrases dénuées de sens comme « Je paierai », et cet état d'hébétude provoqué par les rêveries sur des épisodes passés de sa vie.

Au cours de ses promenades dans sa cellule, Roubachof essaya d'étudier au fond cette entité qu'il venait à peine de découvrir ; hésitant avec la pudeur coutumière au Parti en cette matière à marcher sur la première personne du singulier, il l'avait baptisée la « fiction grammaticale ». Il ne lui restait probablement plus que quelques semaines à vivre, et il se sentait irrésistiblement poussé à tirer la chose au clair, à aller jusqu'au bout de sa pensée. Mais le royaume de la « fiction grammaticale » semblait commencer précisément là où finissait la « pensée suivie jusqu'au bout ». Un aspect essentiel de son être consistait évidemment à rester hors de portée de la pensée logique, et à vous prendre soudain au dépourvu, comme dans une embuscade, et à vous attaquer avec des rêveries et des rages de dents. Ainsi Roubachof passa toute sa septième journée de prison, la troisième après son interrogatoire, à revivre une période passée de son existence — celle de ses relations avec Arlova, la jeune fusillée.

A quel moment, malgré ses résolutions, s'était-il laissé glisser dans la rêverie ? Il était aussi impossible de le déterminer par la suite que de dire à quel moment on s'est endormi. Dans la matinée du septième jour, il avait travaillé à ses notes, puis vraisemblablement, il s'était levé pour se dégourdir un peu les jambes. Ce fut seulement lorsqu'il entendit le bruit de la clef dans la serrure qu'il s'aperçut qu'il était déjà midi, et qu'il avait fait les cent pas dans sa cellule pendant des heures entières. Il avait même jeté la couverture sur ses épaules parce que, sans doute aussi, pendant plusieurs heures, il avait été secoué périodiquement par une sorte de fièvre intermittente et avait senti battre dans ses tempes le nerf de sa dent. Il vida distraitement la jatte que les valets avaient remplie avec leurs louches, et il continua de marcher. Le geôlier, qui l'observait de temps à autre par le judas, vit qu'il s'était enfoncé la tête dans les épaules comme un homme qui a le frisson, et que ses lèvres remuaient.

Roubachof respirait à nouveau l'air de son ancien bureau de la Délégation commerciale, rempli du parfum singulièrement familier du grand corps harmonieux et paresseux d'Arlova ; il revoyait sur sa blouse blanche la courbe de sa nuque penchée sur son carnet tandis qu'il dictait, et ses yeux ronds qui le suivaient tandis qu'il se promenait dans le bureau pendant les intervalles entre les phrases. Elle portait toujours des blouses blanches comme en portaient chez lui les sœurs de Roubachof, des blouses brodées de petites fleurs à l'encolure montante, et toujours les mêmes boucles d'oreilles de pacotille, qui s'écartaient de ses joues quand elle se penchait sur son carnet. Avec ses manières lentes et passives, elle semblait faite pour ce travail, et elle avait un effet très calmant sur les nerfs de Roubachof quand il était surmené. Il avait rejoint son poste comme chef de la Délégation commerciale en B. immédiatement après l'affaire du petit Lœwy, et il avait foncé sur le travail ; il était reconnaissant au Comité central de lui fournir cette activité bureaucratique. Il était extrêmement rare que des leaders de l'Internationale fussent transférés au service diplomatique. Sans doute le N° 1 avait-il pour lui des intentions spéciales, car d'ordinaire les deux hiérarchies étaient tenues strictement séparées, n'étaient pas autorisées à entrer en contact, et suivaient même parfois des politiques opposées. Seule, la perspective supérieure des sphères environnant le N° 1 permettait de voir se résoudre les contradictions apparentes et s'éclairer les motifs.

Il fallut quelque temps à Roubachof pour s'accoutumer à son nouveau mode de vie ; cela l'amusait d'avoir maintenant un passeport diplomatique, un vrai passeport établi à son vrai nom ; cela l'amusait de devoir assister à des réceptions en habit de cérémonie ; de voir des agents de police se mettre devant lui au garde-à-vous, et de penser que les messieurs, discrètement vêtus et coiffés de melons noirs, qui le suivaient parfois, le faisaient uniquement par tendre souci pour sa sécurité.

Il se sentit d'abord légèrement dépaysé dans l'atmosphère des bureaux de la Délégation commerciale, attachée à la légation. Il comprenait bien que dans le monde bourgeois il fallait représenter et jouer leur jeu à eux, mais il estimait qu'ici on le jouait presque trop bien, si bien qu'il était presque impossible de distinguer l'apparence de la réalité. Lorsque le Premier Secrétaire de la légation attira l'attention de Roubachof sur certaines modifications qu'il était nécessaire d'apporter à son costume et à sa façon de vivre — le Premier Secrétaire, avant la Révolution, avait fabriqué de la fausse monnaie au service du Parti — il ne l'avait pas fait en camarade et avec humour, mais avec des égards et un tact si étudiés que la scène en était devenue embarrassante et avait agacé Roubachof.

Son personnel se composait de douze collaborateurs dont chacun avait son rang nettement défini ; il y avait des Assistants de Première et de Deuxième Classe, des Comptables de Première et de Deuxième Classe ; de même pour les Secrétaires et les Secrétaires Adjoints. Roubachof avait le sentiment que tous le considéraient comme un mélange de héros national et de chef de bande. Ils le traitaient avec un respect exagéré et une indulgence hautaine et tolérante. Lorsque le Secrétaire de la légation devait lui faire un rapport sur un document, il faisait effort pour s'exprimer en ces termes simples que l'on emploierait pour parler à un sauvage ou à un enfant. La secrétaire particulière de Roubachof, Arlova, était celle qui l'énervait le moins ; mais il ne comprenait pas pourquoi, avec ses charmantes blouses et ses jupes toutes simples, elle mettait des souliers vernis aux talons ridiculement hauts.

Un mois environ s'écoula avant qu'il prononçât la première remarque personnelle. Il était fatigué de dicter en marchant de long en large, et tout à coup il s'aperçut du silence qui régnait dans son bureau.

« Pourquoi ne dites-vous jamais rien, camarade Arlova ? demanda-t-il, et il s'assit dans le confortable fauteuil placé derrière sa table de travail.

— Si vous voulez, répondit-elle de sa voix endormie, je répéterai toujours le dernier mot de la phrase. »

Chaque jour elle s'asseyait devant la table, avec sa blouse brodée, sa gorge lourde et bien faite penchée sur son carnet, la tête baissée et ses boucles d'oreilles parallèles à ses joues. Le seul élément discordant était les souliers vernis aux talons pointus, mais jamais elle ne se croisait les jambes, comme le faisaient la plupart des femmes que connaissait Roubachof. Comme il se promenait toujours de long en large en dictant, il la voyait ordinairement de derrière ou de trois quarts, et ce qu'il se rappelait le plus clairement, c'était la courbe de sa nuque penchée. Cette nuque n'était ni duveteuse ni rasée ; la peau était blanche et tendue au-dessus des vertèbres ; au-dessous, il y avait les fleurs brodées sur l'encolure de sa blouse blanche.

Dans sa jeunesse, Roubachof n'avait pas eu grand-chose à faire avec les femmes ; presque toujours c'étaient des camarades, et presque toujours cela avait commencé par une discussion prolongée si tard dans la nuit que celui ou celle qui était chez l'autre avait manqué le dernier tram.

Une quinzaine s'écoula encore après l'échec de cette tentative de conversation. Tout d'abord, Arlova avait répété de sa voix engourdie le dernier mot de la phrase dictée ; puis elle avait cessé de le faire, et lorsque Roubachof s'arrêtait, le bureau était de nouveau silencieux et saturé de son parfum ami. Un après-midi, il en fut lui-même surpris, Roubachof s'arrêta derrière sa chaise, posa les deux mains doucement sur ses épaules, et lui demanda si elle voulait sortir avec lui le soir. Elle ne sursauta pas et ses épaules restèrent immobiles sous ses mains ; elle hocha la tête en silence et ne se détourna même pas. Roubachof n'était pas coutumier des plaisanteries légères, mais pendant la nuit, il ne put s'empêcher de lui dire en souriant : « On dirait que tu écris encore sous ma dictée. » Les belles formes arrondies de ses seins généreux semblaient aussi familières dans l'obscurité de la chambre que si elle avait été là depuis toujours ; mais maintenant, les boucles d'oreilles étaient posées à plat sur l'oreiller. Ses yeux n'avaient pas changé d'expression, lorsqu'elle prononça cette phrase qui, pas plus que les mains jointes de la *Pietà* et l'odeur de varech dans le petit port, ne pouvait plus sortir de la mémoire de Roubachof :

« Vous ferez toujours de moi ce que vous voudrez.

— Et pourquoi donc ? » demanda Roubachof, surpris et un tant soit peu alarmé.

Elle ne répondit pas. Peut-être dormait-elle déjà. Endormie, sa respiration restait silencieuse comme lorsqu'elle veillait. Roubachof ne s'était jamais aperçu qu'elle respirât. Il ne lui avait jamais vu fermer les yeux. Cela donnait un air étrange à son visage, qui était bien plus expressif avec les yeux fermés qu'ouverts. Etranges aussi les ombres noires de ses aisselles ; son menton, d'ordinaire baissé vers sa poitrine, montait droit comme celui d'une morte. Mais le parfum léger et ami de son corps lui était familier, même quand elle dormait.

Le lendemain et tous les jours suivants, elle était là assise en blouse blanche, penchée sur son bureau ;

la nuit d'après et toutes les nuits, la pâle silhouette de son sein s'élevait contre le fond sombre du rideau de la chambre à coucher. Nuit et jour, Roubachof vivait dans l'ambiance de son grand corps langoureux. Au travail, elle n'avait pas changé de manières, sa voix et l'expression de ses yeux restaient les mêmes ; jamais elles ne continrent l'ombre d'une allusion. De temps en temps, lorsque Roubachof était las de dicter, il s'arrêtait derrière elle et posait les mains sur ses épaules ; il ne disait rien, et sous la blouse ses épaules tièdes ne bougeaient pas ; alors il trouvait l'expression cherchée et, reprenant sa promenade à travers la salle, il continuait sa dictée.

Il lui arrivait d'ajouter à ce qu'il dictait des commentaires sarcastiques ; alors elle s'arrêtait d'écrire et attendait, le crayon à la main, jusqu'à ce qu'il ait fini ; mais jamais elle ne riait de ses sarcasmes et Roubachof ne découvrit jamais ce qu'elle en pensait. Une fois seulement, après une plaisanterie particulièrement dangereuse, Roubachof ayant fait allusion à certaines habitudes personnelles du N° 1, elle dit tout à coup de sa voix langoureuse : « Vous ne devriez pas dire de pareilles choses devant les autres ; vous devriez de toute façon être plus prudent... » Mais de temps en temps, surtout lorsque arrivaient des instructions et des circulaires « d'en haut », il éprouvait le besoin de donner libre cours à ses mots d'esprit hérétiques.

C'était au moment où se préparait le second grand procès de l'opposition. L'air de la légation s'était étrangement raréfié. Photographies et portraits disparaissaient des murs du soir au matin ; ils y étaient depuis des années, personne ne les regardait, mais à présent les taches claires sautaient aux yeux. Le personnel bornait ses conversations aux affaires du service ; on se parlait avec une politesse prudente et pleine de réserve. Aux repas, à la cantine de la légation, où les conversations étaient inévitables, on s'en tenait aux clichés officiels, qui, dans cette atmosphère familière, semblaient gauches et grotesques ; on aurait dit qu'après s'être demandé le sel et la moutarde, ils se hélaient mutuellement avec les slogans du dernier manifeste du Comité central. Il arrivait souvent que quelqu'un protestât contre une fausse interprétation de ce qu'il venait de dire, et prît ses voisins à témoin, avec des exclamations précipitées : « Je n'ai pas dit cela », ou : « Ce n'est pas ce que je voulais dire. » Tout cela donnait à Roubachof l'impression d'un théâtre de marionnettes bizarre et cérémonieux dans lequel les pantins, montés sur fil de fer, récitaient chacun sa tirade. Seule Arlova, avec son allure silencieuse et endormie, semblait rester elle-même.

Non seulement les portraits sur les murs, mais aussi les rayons de la bibliothèque furent décimés. La disparition de certains livres se faisait discrètement, généralement le lendemain de l'arrivée d'un nouveau message d'en haut. Roubachof l'accompagnait tout en dictant de ses commentaires sarcastiques ; Arlova l'écoutait sans mot dire. La plupart des ouvrages sur le commerce extérieur disparurent des rayons — leur auteur, commissaire du peuple aux Finances, venait d'être arrêté ; il en fut de même de la plupart des ouvrages sur l'histoire de la Révolution ; de la plupart des ouvrages de jurisprudence et de philosophie par des auteurs contemporains ; de toutes les brochures traitant des problèmes du malthusianisme ; des manuels sur la structure de l'Armée du Peuple ; des traités sur le syndicalisme et le droit de grève dans l'Etat populaire ; de presque toutes les études vieilles de plus de deux ans sur les problèmes politiques et constitutionnels ; et enfin même les volumes de l'*Encyclopédie* publiée par l'Académie : une nouvelle édition revue et corrigée en était promise.

De nouveaux livres faisaient leur apparition ; les

classiques des sciences sociales arrivèrent annotés et commentés de frais ; les vieux livres d'histoire étaient remplacés par de nouveaux livres d'histoire, les anciens mémoires des chefs révolutionnaires décédés étaient remplacés par de nouveaux mémoires du même défunt auteur. Roubachof fit remarquer à Arlova qu'il ne restait plus qu'à publier une nouvelle édition revue et corrigée de la collection complète de tous les journaux.

Entre-temps, l'ordre était venu « d'en haut », quelques semaines auparavant, de nommer un bibliothécaire qui assumerait la responsabilité politique du contenu de la bibliothèque de la légation. Arlova avait été nommée à ce poste. Tout d'abord, Roubachof avait parlé de « jardin d'enfants » en grommelant. Il avait pensé qu'il ne s'agissait que d'une ineptie. Mais un soir, à la réunion hebdomadaire de la cellule du Parti à la légation, Arlova s'était trouvée durement attaquée de plusieurs côtés. Trois ou quatre orateurs, parmi lesquels le Premier Secrétaire, avaient pris la parole pour se plaindre de ce que certains des discours les plus importants du N° 1 ne figuraient pas à la bibliothèque, alors que celle-ci était encore pleine d'ouvrages de l'opposition ; les livres de politiciens démasqués depuis comme des espions, des traîtres et des agents de l'étranger occupaient tout récemment encore des positions sur les rayons bien en évidence ; si bien que l'on pouvait à peine se défendre du soupçon qu'il s'agissait d'une démonstration voulue. Les orateurs parlèrent sans animosité et avec une précision caustique ; ils se servirent d'expressions soigneusement choisies. On eût dit qu'ils se donnaient la réplique pour des tirades préparées à l'avance. Tous les discours conclurent de la même façon : le principal devoir du Parti était la vigilance de la dénonciation sans pitié des abus, et quiconque ne faisait pas son devoir se faisait le complice des vils *saboteurs* [1]. Arlova, sommée de faire une déclaration, dit avec sa sérénité habituelle que, loin d'avoir aucune mauvaise intention, elle avait suivi toutes les instructions qui lui avaient été données ; mais tout en parlant de sa voix profonde et légèrement voilée, elle laissa son regard s'arrêter longuement sur Roubachof, chose qu'elle ne faisait jamais d'ordinaire en présence de tiers. La réunion se clôtura sur une résolution qui donnait à Arlova un « sérieux avertissement ».

Roubachof, trop au fait des méthodes récemment introduites dans le Parti, commençait à s'inquiéter. Il devinait qu'une menace pesait sur Arlova et se sentait impuissant, puisqu'il n'y avait rien de tangible à combattre.

L'air de la légation se raréfia encore, Roubachof cessa les commentaires personnels qu'il faisait en dictant, et cela lui fit éprouver un singulier sentiment de culpabilité. En apparence, rien n'était changé dans ses relations avec Arlova, mais ce curieux sentiment coupable, dû uniquement au fait qu'il ne se sentait plus à même de faire des remarques spirituelles tout en dictant, l'empêchait de s'arrêter derrière sa chaise et de lui mettre les mains sur les épaules comme autrefois. Au bout d'une semaine, un soir, Arlova ne vint pas dans sa chambre ; elle ne vint pas non plus les soirs suivants. Trois jours s'écoulèrent avant que Roubachof pût se résoudre à lui en demander la raison. Elle lui répondit de sa voix langoureuse en prétextant une migraine, et Roubachof ne la questionna pas davantage. Depuis lors, elle ne revint plus qu'une seule fois.

C'était trois semaines après la réunion de la cellule où avait été prononcé le « sérieux avertissement », et quinze jours après sa dernière visite. Elle se com-

1. En français dans le texte.

porta presque comme de coutume, mais toute la soirée Roubachof eut le sentiment qu'elle attendait qu'il prononçât des paroles décisives. Il se contenta pourtant de dire qu'il était heureux qu'elle soit revenue, et qu'il était surmené et fatigué — ce qui était vrai. Pendant la nuit, il constata à plusieurs reprises qu'elle était éveillée et qu'elle fixait quelque chose des yeux dans l'obscurité. Il ne pouvait pas se débarrasser du sentiment coupable qui le tourmentait ; et il avait de nouveau mal aux dents. Ce fut sa dernière visite.

Le lendemain, avant qu'Arlova soit entrée dans son cabinet, le secrétaire dit à Roubachof, d'un ton qui était censé être confidentiel, mais en formulant chaque phrase avec le plus grand soin, que le frère et la belle-sœur d'Arlova avaient été arrêtés « là-bas » huit jours auparavant. Le frère d'Arlova avait épousé une étrangère ; tous deux étaient accusés de relations séditieuses avec son pays natal, au service de l'opposition.

Quelques minutes plus tard, Arlova vint à son travail. Elle s'assit comme toujours, sur sa chaise devant le bureau, avec sa blouse brodée, légèrement penchée en avant. Roubachof se promenait de long en large derrière elle, et tout le temps il avait devant les yeux sa nuque penchée, la peau légèrement tendue sur les vertèbres cervicales. Il ne pouvait pas détourner les yeux de cette petite étendue de peau, et il éprouvait une gêne qui allait jusqu'au malaise physique. Il ne pouvait se défaire de l'idée que « là-bas » les condamnés étaient tués d'une balle dans la nuque.

A la prochaine réunion de la cellule du Parti, sur une motion du Premier Secrétaire, Arlova fut cassée de son poste de bibliothécaire sous prétexte de déloyauté politique. Il n'y eut aucun commentaire et aucune discussion. Roubachof, qui souffrait d'une rage de dents presque insupportable, s'était fait excuser. Quelques jours après, Arlova et un autre fonctionnaire de la légation étaient rappelés. Leurs noms ne furent jamais prononcés par leurs anciens collègues ; mais pendant les mois où il demeura à la légation avant d'être lui-même rappelé, le parfum ami du grand corps langoureux d'Arlova continua de flotter aux murs de son bureau sans jamais les quitter.

IV

BEDOUT, LES DAMNÉS DE LA TERRE.

Depuis le matin du dixième jour après l'arrestation de Roubachof, son nouveau voisin de gauche, qui occupait la cellule N° 406, tapotait le même vers à intervalles réguliers, toujours avec la même faute : « BEDOUT » au lieu de « DEBOUT ». Plusieurs fois, Roubachof avait essayé d'entrer en conversation avec lui. Tant que Roubachof tapait, son nouveau voisin l'écoutait en silence ; mais la seule réponse qu'il reçut jamais était une suite de lettres incohérentes, et, pour terminer, toujours le même vers estropié :

BEDOUT, LES DAMNÉS DE LA TERRE.

Le nouveau avait été amené la veille. Roubachof s'était réveillé, mais n'avait entendu que des sons étouffés et le bruit de la serrure du N° 406 que l'on refermait. Le matin, dès la première sonnerie de clairon, le N° 406 avait immédiatement commencé de taper : BEDOUT, LES DAMNÉS DE LA TERRE. Il tapait vite et d'une main preste, avec une technique de virtuose, si bien que sa faute d'orthographe et l'inintelligibilité de ses autres messages devaient provenir de causes non pas techniques mais mentales. Sans doute, le nouveau avait-il la tête dérangée.

Après le petit-déjeuner, le jeune officier du N° 402 avait signifié qu'il voulait causer. Entre Roubachof et le N° 402 s'était formée une sorte d'amitié. L'officier au monocle et à la moustache retroussée devait vivre dans un état d'ennui chronique, car il était toujours reconnaissant à Roubachof des moindres miettes de conversation. Cinq ou six fois par jour, il suppliait humblement Roubachof :

« PARLEZ-MOI DONC... »

Il était rare que Roubachof fût d'humeur à converser ; et il ne savait pas très bien de quoi parler au N° 402. Généralement, celui-ci tapait des anecdotes classiques de mess d'officiers. Une fois arrivé au trait final de l'histoire, il y avait un silence embarrassé. C'étaient de vieilles anecdotes d'une patriarcale obscénité ; on se doutait comment, les ayant tapotées jusqu'au bout, le N° 402 attendait des rires éclatants et regardait désespérément le mur silencieux et badigeonné. Par sympathie et politesse, Roubachof tapait de temps en temps avec son pince-nez un HA-HA ! sonore en guise de fou rire. Alors, on ne pouvait plus retenir le N° 402 ; il imitait une explosion de joie en tambourinant sur le mur de ses poings et de ses chaussures : HA-HA ! HA-HA ! et en s'arrêtant de temps en temps pour bien s'assurer que Roubachof riait aussi. Si Roubachof gardait le silence, il prenait un ton de reproche :

VOUS N'AVEZ PAS RI...

Si, pour qu'il lui laisse la paix, Roubachof lui donnait un ou deux HA-HA ! le N° 402 l'informait peu après :

NOUS AVONS BIEN RIGOLÉ.

Parfois, il injuriait Roubachof. De temps en temps, s'il n'avait pas de réponse, il tapait toute une chanson de troupe aux interminables couplets. Il arrivait parfois à Roubachof, marchant de long en large, plongé dans une rêverie ou une méditation, de se mettre à fredonner le refrain d'une vieille marche militaire, dont son oreille avait inconsciemment saisi les symboles acoustiques.

Et cependant, le N° 402 avait son utilité. Il était là depuis plus de deux ans déjà ; il connaissait le terrain, communiquait avec plusieurs voisins et savait tous les papotages ; il paraissait au courant de tout ce qui se passait dans le bâtiment.

Le lendemain de l'arrivée du N° 406, lorsque l'officier entama leur conversation habituelle, Roubachof lui demanda s'il savait qui était son nouveau voisin. Ce à quoi le N° 402 répondit :

RIP VAN WINKLE.

Le N° 402 aimait à parler par énigmes, afin d'animer la conversation. Roubachof se creusa les méninges. Il se souvint de l'histoire de l'homme qui avait dormi vingt-cinq ans et découvert à son réveil un monde méconnaissable.

« A-T-IL PERDU LA MÉMOIRE ? » demanda Roubachof.

Le N° 402, content de l'effet qu'il avait produit, dit à Roubachof ce qu'il savait. Le N° 406 avait jadis été professeur de sociologie dans un petit Etat du Sud-Est de l'Europe. A la fin de la dernière guerre, il avait participé à la révolution qui avait éclaté dans son pays. Une « Commune » fut constituée ; elle mena pendant plusieurs semaines une existence romanesque, et sombra dans le sang comme à l'ordinaire. Les meneurs de la révolution étaient des amateurs, mais la répression qui suivit fut menée avec une perfection toute professionnelle ; le N° 406, à qui la Commune avait donné le titre ronflant de « Secrétaire d'Etat à la Diffusion des Lumières dans le Peuple », fut condamné à être pendu jusqu'à ce que mort s'ensuive. Il attendit un an son exécution, puis la sentence fut commuée en prison à perpétuité. Il fit vingt ans de prison. Vingt ans de prison, la plupart du temps au secret, sans communication avec le monde extérieur, et sans journaux. Il était virtuellement oublié ; l'administration de la justice dans ce pays du Sud-Est avait encore un caractère plutôt patriarcal. Une amnistie venait de le libérer tout à coup depuis un mois, et Rip Van Winkle, après plus de vingt ans de sommeil dans l'obscurité, se retrouvait sur terre.

Il prit le premier train pour ce pays, la terre de ses rêves. Quinze jours après son arrivée, il était arrêté. Peut-être qu'après vingt ans au secret il était devenu trop bavard ? Peut-être avait-il raconté comment, pendant les journées et les nuits passées dans sa cellule, il s'était imaginé la vie dans ce pays ? Peut-être avait-il demandé l'adresse de vieux amis, héros de la Révolution, sans savoir qu'ils n'étaient que des traîtres et des espions ? Peut-être avait-il déposé une couronne sur une tombe — pas à la bonne — ou avait-il exprimé le désir de rendre visite à son illustre voisin, le camarade Roubachof ?

Maintenant, il pouvait méditer sur ce qui valait mieux, de deux décennies de rêves sur une paillasse dans une cellule obscure, ou de deux semaines de réalité à la lumière du jour. Peut-être avait-il perdu la raison ? Telle était l'histoire de Rip Van Winkle.

Peu après que le N° 402 eut terminé de taper son long rapport, Rip Van Winkle recommença ; cinq ou six fois, il répéta son vers mutilé, BEDOUT, LES DAMNÉS DE LA TERRE, puis il se tut.

Roubachof était couché sur son lit, les yeux fermés. La « fiction grammaticale » se faisait à nouveau sentir ; elle ne s'exprimait pas en paroles, seulement en un vague malaise qui signifiait :

« Cela aussi, tu dois le payer ; de cela aussi tu es responsable ; car tu as agi, tandis qu'il rêvait. »

Le même après-midi, Roubachof fut conduit chez le coiffeur pour se faire raser.

Cette fois-ci le cortège ne se composait que du vieux geôlier et d'un garde en uniforme ; le vieux traînait ses savates à deux pas en avant, le soldat marchait à deux pas derrière Roubachof. Ils passèrent devant le N° 406 ; mais il n'y avait toujours pas de carte avec son nom sur la porte. A la salle de coiffure se trouvait un seul des deux prisonniers qui faisaient fonction de barbiers ; on voulait évidemment s'assurer que Roubachof ne prenait pas contact avec trop de gens.

Il s'assit dans le fauteuil. Une propreté relative régnait ; il y avait même un miroir. Il enleva son binocle et se regarda le visage dans la glace ; il ne constata aucun changement, si ce n'était la barbe sur ses joues.

Le barbier travaillait en silence, avec des gestes rapides et appliqués. La porte restait ouverte ; le geôlier était parti ; le garde en uniforme s'appuyait au chambranle et regardait travailler le coiffeur. La mousse tiède sur son visage donnait à Roubachof un sentiment de bien-être ; il se sentait presque tenté de désirer les petits plaisirs de l'existence. Il aurait aimé bavarder avec le coiffeur ; mais il savait que c'était interdit, il ne voulait pas causer des ennuis au coiffeur, dont il aimait le visage épanoui. D'après sa mine, Roubachof l'aurait plutôt pris pour un serrurier ou un mécanicien. Après l'avoir savonné, et lui avoir donné le premier coup de rasoir, le coiffeur lui demanda si la lame ne lui faisait pas mal ; il l'appela « Citoyen Roubachof ».

C'était la première phrase prononcée depuis que Roubachof était entré dans la salle, et, malgré le ton dégagé du barbier, elle prenait une signification spéciale. Puis ce fut de nouveau le silence ; le garde debout dans l'embrasure alluma une cigarette ; le barbier tailla le bouc de Roubachof et lui coupa les cheveux avec ses mouvements rapides et précis. Pendant qu'il se penchait sur Roubachof, ce dernier rencontra un instant son regard ; au même moment, le coiffeur enfonça deux doigts sous le col de Roubachof, comme pour atteindre plus aisément les cheveux sur son cou ; comme il retirait ses doigts, Roubachof sentit sous son col une petite boule de papier qui le chatouillait. Quelques minutes plus tard, sa toilette était terminée et Roubachof était ramené dans sa cellule. Il s'assit sur le lit, l'œil fixé sur le judas pour s'assurer qu'on ne l'observait pas, retira le morceau de papier, l'aplanit et lut. Il ne contenait que trois mots, apparemment gribouillés en toute hâte :

« Mourez en silence. »

Roubachof jeta le morceau de papier dans le seau et se remit à marcher. C'était le premier message qui lui soit parvenu de l'extérieur. Dans le pays ennemi, on lui avait souvent fait passer des messages en fraude dans sa prison ; ils le sommaient d'élever la voix pour protester, de faire retomber les accusations sur ses accusateurs. Y avait-il aussi des moments dans l'histoire où le révolutionnaire devait garder le silence ? Y avait-il dans l'histoire des tournants où tout ce qu'on lui demandait, où la seule chose qui soit juste, était de mourir en silence ?

Les méditations de Roubachof furent interrompues par le N° 402, qui s'était mis à taper dès son retour ; il ne se tenait plus de curiosité et voulait savoir où l'on avait mené Roubachof.

ME FAIRE RASER, expliqua Roubachof.

JE REDOUTAIS DÉJÀ LE PIRE, tapa le N° 402 avec chaleur.

APRÈS VOUS, répliqua Roubachof.

Comme toujours, le N° 402 constituait un auditoire reconnaissant de peu.

HA-HA ! fit-il. VOUS ÊTES UN DIABLE D'HOMME... Chose assez étrange, ce compliment désuet remplit Roubachof d'une espèce de satisfaction. Il enviait le N° 402, dont la caste avait ses rigides règles d'honneur prescrivant comment on devait vivre et mourir. C'était quelque chose à quoi l'on pouvait se raccrocher. Pour les hommes de l'espèce de Roubachof il n'y avait pas de manuel ; il fallait tout trouver de soi-même.

Même pour mourir il n'y avait pas d'étiquette. Qu'est-ce qui était le plus honorable : mourir en silence — ou s'humilier publiquement, afin de pouvoir en venir à ses fins ? Il avait sacrifié Arlova parce que sa vie à lui était plus précieuse à la Révolution. C'était l'argument décisif dont ses amis s'étaient servis pour le convaincre ; le devoir de se garder en réserve pour plus tard était plus important que les commandements de la morale des petits-bourgeois. Pour ceux qui avaient changé la face de l'histoire, il n'y avait pas d'autre devoir que de rester et de se tenir prêts. « Vous ferez de moi ce que vous voudrez », avait dit Arlova. Et c'est ce qu'il avait fait. Pourquoi aurait-il plus d'égards pour lui-même ? « La décennie qui vient décidera de la destinée de notre ère. » Ivanof l'avait cité. Pouvait-il prendre la fuite par simple dégoût individuel, par fatigue et par vanité ? Et après tout, si le N° 1 avait raison ? S'il était en train de jeter ici, dans la crasse, le sang et le mensonge, les grandioses fondations de l'avenir ? L'histoire n'avait-elle pas toujours été un maçon inhumain et sans scrupules, faisant son mortier d'un mélange de mensonges, de sang et de boue ?

Mourir en silence — s'évanouir dans la nuit — cela était facile à dire...

Roubachof s'arrêta soudain sur le troisième carreau noir en commençant à la fenêtre ; il s'était surpris à répéter tout haut plusieurs fois les mots « mourir en silence » sur un ton d'ironique désapprobation, comme pour en souligner toute l'absurdité...

Et ce fut seulement alors qu'il s'aperçut que sa décision de rejeter l'offre d'Ivanof était loin d'être aussi inébranlable qu'il l'avait cru. A présent, il lui semblait même douteux qu'il eût jamais sérieusement eu l'intention de repousser cette offre et de quitter la scène sans mot dire.

V

Le niveau de vie de Roubachof continua de s'améliorer. Le matin du onzième jour, il fut pour la première fois conduit dans la cour pour prendre de l'exercice.

Le vieux geôlier vint le chercher peu après le premier déjeuner, accompagné du même garde qui l'avait escorté lors de son expédition chez le coiffeur. Le geôlier informa Roubachof qu'à partir d'aujourd'hui il avait droit à vingt minutes d'exercice quotidien dans la cour. Roubachof était attaché à la « première tournée », qui commençait après le déjeuner. Puis le gardien lui débita d'un trait le règlement : interdiction de parler pendant la promenade avec son voisin ou tout autre prisonnier ; interdiction de se faire des signes, de se passer des messages écrits ou de sortir du rang ; toute infraction au règlement serait punie de la privation immédiate du privilège qu'était l'exercice ; les cas graves d'indiscipline pouvaient être punis de quatre semaines de cachot noir. Puis le geôlier fit claquer du dehors la porte de la cellule et tous trois se mirent en route. Après qu'ils eurent fait quelques pas, le geôlier s'arrêta pour ouvrir la porte du N° 406.

Roubachof, qui était resté auprès du garde en uniforme à quelque distance de la porte, vit à l'intérieur de la cellule les jambes de Rip Van Winkle, qui était couché sur son lit. Il portait des bottines noires à boutons et des pantalons à carreaux, effrangés au bas, mais faisant encore l'effet d'avoir été laborieusement brossés. Le geôlier une fois de plus débita son règlement ; les jambes aux pantalons à carreaux glissèrent à bas du lit en tremblant un peu, et un petit vieillard clignotant parut à la porte. Son visage était couvert d'une barbe grise de huit jours ; avec son pantalon imposant, il portait un gilet noir avec une chaîne de montre en métal et un veston de drap noir. Il se tenait debout à sa porte, examinant Roubachof avec une grave curiosité ; puis il lui fit un petit salut amical de la tête ; et tous quatre se remirent en marche. Roubachof avait pensé se trouver devant un homme au cerveau dérangé ; il changea d'avis. Malgré un tremblement nerveux du sourcil, sans doute causé par des années d'emprisonnement dans une cellule obscure, les yeux de Rip Van Winkle étaient clairs et exprimaient une bienveillance enfantine. Il marchait avec une certaine difficulté, mais d'un pas court et décidé, et jetait de temps en temps à Roubachof un regard amical. En descendant l'escalier, le petit vieillard trébucha tout à coup et serait tombé si le garde ne lui avait pas retenu le bras à temps. Rip Van Winkle murmura quelques mots, trop bas pour que Roubachof les entendît, mais qui exprimaient évidemment ses remerciements en termes polis ; le garde sourit d'un air stupide. Puis, par une grille ouverte, ils pénétrèrent dans la cour où les autres prisonniers étaient déjà rangés deux par deux. Au milieu de la cour, où se tenaient les gardes, deux brefs coups de sifflet retentirent, et la promenade commença.

Le ciel était clair, d'un bleu curieusement pâle, et l'air était rempli de la saveur mordante et cristalline de la neige. Roubachof avait oublié d'apporter sa couverture, et il frissonna. Rip Wan Winkle avait jeté sur ses épaules une couverture grise élimée que le geôlier lui avait tendue en arrivant dans la cour. Il marchait en silence au côté de Roubachof, à petits pas fermes ; il clignait des yeux pour regarder le ciel bleu clair au-dessus de leurs têtes ; la couverture grise lui allait aux genoux, et l'enveloppait comme une cloche. Roubachof calcula quelle était la fenêtre de sa cellule ; elle était sale et sombre, comme les autres ; on ne pouvait rien voir de ce qui était derrière. Il fixa les yeux pendant quelque temps sur la fenêtre du N° 402, mais là également on ne voyait que la vitre aveugle derrière ses barreaux. Le N° 402 n'avait pas la permission de prendre de l'exercice ; on ne le menait pas non plus au coiffeur ni à l'interrogatoire ; Roubachof n'avait jamais entendu qu'on le fît sortir de sa cellule.

Ils marchaient en silence, faisant lentement le tour de la cour. Entre les poils gris de sa barbe, les lèvres de Rip Van Winkle remuaient sensiblement ; il se murmurait quelque chose à lui-même. Roubachof ne comprit pas tout d'abord ce que c'était ; puis il s'aperçut que le vieillard fredonnait « Bedout, les damnés de la terre ». Fou, il ne l'était pas, mais sept mille jours et sept mille nuits de prison l'avaient évidemment rendu un peu bizarre. Roubachof l'observait de côté et essayait de s'imaginer quel effet cela pouvait produire d'être isolé du monde pendant deux décennies. Il y a vingt ans, les automobiles étaient rares et avaient des formes cocasses ; il n'y avait pas de radio, et les noms des hommes politiques d'aujourd'hui étaient des inconnus. Personne ne prévoyait les nouveaux mouvements des masses, les grands glissements de terrain de la politique, ni les chemins tortueux que suivrait l'Etat Révolutionnaire en ses ahurissantes étapes ; dans ce temps-là, on croyait voir s'ouvrir les portes de l'Utopie et l'on s'imaginait que l'humanité était déjà sur le seuil de l'âge d'or...

Roubachof constata que nul effort d'imagination ne pouvait lui représenter l'état d'esprit de son voisin en dépit de toute son expérience de l'art de « penser avec l'esprit d'autrui ». Il y parvenait sans grande peine en ce qui concerne Ivanof, ou le N° 1, ou même l'officier au monocle ; mais quant à Rip Van Winkle, il s'avouait battu. Il le regarda de côté ; le vieillard venait de tourner la tête vers lui ; il lui souriait ; tenant la couverture autour de ses épaules des deux mains, il marchait à côté de lui à petits pas, fredonnant presque imperceptiblement « Bedout, les damnés de la terre ».

Après qu'on les eut ramenés dans le bâtiment, à la porte de sa cellule, le vieillard se retourna de nouveau et salua Roubachof de la tête ; ses yeux clignotèrent avec un soudain changement d'expression, un air de terreur et de désespoir ; Roubachof crut qu'il allait lui jeter un cri d'appel, mais le geôlier avait déjà fait claquer la porte du N° 406. Lorsque Roubachof fut enfermé dans sa cellule, il alla tout droit au mur ; mais Rip Van Winkle se taisait et ne répondit pas à ses tapotements.

Le N° 402, au contraire, qui les avait regardés de sa fenêtre, voulait qu'il lui raconte leur promenade dans ses moindres détails. Roubachof dut lui dire comment sentait l'air, s'il faisait froid ou simplement frais, s'il avait rencontré d'autres prisonniers dans le couloir, et s'il avait après tout pu échanger quelques paroles avec Rip Van Winkle. Roubachof répondit patiemment à toutes ses questions ; en comparaison du N° 402, qui n'avait jamais l'autorisation de sortir, il se sentait privilégié ; il avait pitié de lui et éprouvait presque un sentiment de culpabilité.

Le lendemain et le surlendemain, on vint chercher Roubachof pour sa promenade à la même heure après le déjeuner. Rip Van Winkle était toujours son compagnon de ronde. Ils allaient lentement en rond côte à côte, chacun avec sa couverture sur les épaules, tous deux silencieux : Roubachof, plongé dans sa méditation, regardait de temps à autre attentivement à travers son pince-nez les autres prisonniers ou les fenêtres de la prison ; le vieillard, avec sa barbe en broussailles de plus en plus longue, et son doux sourire d'enfant, fredonnait son éternelle chanson.

Jusqu'à leur troisième promenade côte à côte, ils n'avaient pas échangé une parole, bien que Roubachof se fût aperçu que les gardiens n'essayaient pas sérieusement d'appliquer la règle du silence, et que les autres couples de la ronde bavardaient presque sans arrêt ; ils le faisaient en regardant tout droit devant eux d'un air guindé et en parlant presque sans remuer les lèvres.

Le troisième jour, Roubachof avait apporté son carnet et son crayon ; le carnet dépassait de la poche gauche de son veston. Au bout de dix minutes, le vieillard le remarqua ; ses yeux brillèrent. Il jeta à la dérobée un regard aux geôliers debout au centre du cercle, qui s'entretenaient avec animation et ne semblaient pas s'intéresser aux prisonniers, puis il retira vivement le carnet et le crayon de la poche de Roubachof et se mit à griffonner quelque chose, en se cachant sous sa couverture en cloche. Il eut bientôt fini, déchira la page, et la mit dans la main de Roubachof ; mais il conserva le crayon et le carnet et continua d'écrire. Roubachof s'assura que les gardes ne les voyaient pas et regarda la page. Rien n'y était écrit, c'était un dessin : une carte du pays où ils se trouvaient, dessinée avec une précision surprenante. On y voyait les villes principales, les montagnes et les fleuves, et un drapeau planté au beau milieu était décoré du symbole de la Révolution.

Quand ils eurent fait encore un demi-tour, le N° 406 déchira une seconde page et la mit dans la main de Roubachof. On y voyait encore le même dessin, exactement la même carte de la Patrie de la Révolution. Le N° 406 le regarda et attendit avec un sourire pour voir quel effet il allait faire. Roubachof éprouva un certain embarras sous ce regard et murmura quelques paroles de remerciement. Le vieillard cligna de l'œil.

« Je peux même la faire les yeux fermés », dit-il.

Roubachof hocha la tête.

« Vous ne me croyez pas, dit le vieillard en souriant, mais il y a vingt ans que je m'exerce. »

Il jeta un rapide coup d'œil aux gardes, ferma les yeux et, sans ralentir le pas, se mit à dessiner sur une page blanche, sous la cloche de sa couverture. Ses yeux étaient complètement fermés et il levait le menton du geste raide d'un aveugle. Roubachof regarda les gardes avec anxiété ; il craignait que le vieillard ne trébuchât ou ne sortît du rang. Mais en un demi-tour, le dessin était fini, un peu plus hésitant que les autres, mais presque aussi exact ; seulement le symbole du drapeau au milieu de la carte avait pris des dimensions disproportionnées.

« Vous me croyez maintenant ? » chuchota le N° 406 avec un sourire radieux.

Roubachof fit signe que oui. Alors, le visage du vieillard s'assombrit ; Roubachof reconnut l'expression de terreur qui s'emparait de lui chaque fois qu'on le renfermait dans sa cellule.

« Je n'y peux rien, dit-il à voix basse. On m'a mis dans le mauvais train.

— Comment ça ? » demanda Roubachof.

Rip Van Winkle lui sourit de son air doux et triste.

« A mon départ, ils m'ont emmené à la mauvaise gare, dit-il, et ils ont cru que je ne m'en étais pas aperçu. Ne dites à personne que je le sais », murmura-t-il, désignant les gardes d'un clignement d'œil.

Roubachof fit un signe de tête. Peu de temps après, retentit le coup de sifflet qui annonçait la fin de la promenade.

En passant la grille, ils eurent encore un moment où personne ne les observait. Les yeux du N° 406 étaient redevenus clairs et bienveillants :

« Peut-être que la même chose vous est arrivée ? » demanda-t-il à Roubachof d'un air compatissant.

Roubachof hocha la tête.

« Il ne faut pas désespérer. Un jour, nous y arriverons tout de même », dit Rip Van Winkle, le doigt tendu vers la carte toute chiffonnée dans la main de Roubachof

Puis il remit le carnet et le crayon dans la poche de Roubachof. Dans l'escalier, il fredonnait de nouveau son éternelle chanson.

VI

La veille du jour où expirait le délai fixé par Ivanof, pendant que l'on servait le souper, Roubachof eut le sentiment de quelque chose d'inusité qui flottait dans l'air. Il ne s'expliquait pas pourquoi ; le repas fut distribué selon le rituel ordinaire, les notes mélancoliques du clairon retentirent ponctuellement à l'heure prescrite ; et pourtant Roubachof croyait reconnaître une certaine tension dans l'atmosphère. Peut-être un des valets l'avait-il regardé de façon un tout petit peu plus expressive que d'habitude ; peut-être la voix du vieux geôlier avait-elle eu une curieuse intonation ? Roubachof ne savait pas ce que c'était, mais il ne parvenait pas à travailler ; il sentait la tension dans ses nerfs, comme les rhumatisants sentent un orage.

Après la seconde sonnerie de clairon, il regarda dans le couloir ; les lampes électriques, marchant à voltage réduit, éclairaient peu et leur lumière incertaine se répandait sur le carrelage ; le silence du corridor semblait plus définitif et plus désespéré que jamais. Roubachof se coucha sur son lit, se releva, se força à écrire quelques lignes, éteignit un mégot, et ralluma une cigarette. Il regarda dans la cour ; le dégel avait commencé, la neige était sale et molle, le ciel était couvert : sur le parapet d'en face, la sentinelle, fusil à l'épaule, faisait les cent pas. Roubachof retourna regarder par le judas dans le corridor : silence, désolation et lumière électrique.

Contrairement à ses habitudes, et malgré l'heure tardive, il engagea la conversation avec le N° 402.

« DORMEZ-VOUS ? » demanda-t-il.

Il n'y eut d'abord pas de réponse et Roubachof attendit tout déçu. Puis, cela vint — plus calme et plus lent que d'ordinaire :

« NON, VOUS LE SENTEZ AUSSI ?

— QU'Y A-T-IL À SENTIR ? » demanda Roubachof. Il respirait péniblement, couché sur son lit, et tapant avec son pince-nez.

Le N° 402 hésita encore un moment. Puis il tapa si doucement que l'on aurait dit qu'il parlait à voix basse :

« VOUS FERIEZ MIEUX DE DORMIR... »

Roubachof resta immobile sur sa couchette et il eut honte que le N° 402 lui parlât sur ce ton paternel. Il était étendu sur le dos et regardait son pince-nez, qu'il tenait contre le mur, la main à demi levée. Le silence extérieur était si épais qu'il l'entendait bourdonner à ses oreilles. Tout à coup, le mur se remit à bruire :

« DRÔLE — QUE VOUS L'AYEZ SENTI TOUT DE SUITE...

— SENTI QUOI ? EXPLIQUEZ ! » tapa Roubachof, se dressant sur sa couchette.

Le N° 402 parut réfléchir. Après une brève hésitation, il tapa :

CE SOIR SE RÈGLENT DES DIFFÉRENDS POLITIQUES...

Roubachof comprit. Il resta assis contre le mur, dans l'obscurité, attendant qu'on lui en apprît davantage. Mais le N° 402 ne dit plus rien. Au bout d'un moment, Roubachof tapa :

« DES EXÉCUTIONS ?

— OUI », répondit le 402, laconique.

« COMMENT SAVEZ-VOUS ? » demanda Roubachof.

« PAR BEC-DE-LIÈVRE.

— À QUELLE HEURE ?

— SAIS PAS. »

Puis, après un temps d'arrêt :

« BIENTÔT.

— CONNAISSEZ-VOUS LES NOMS ? demanda Roubachof.

NON », répondit le N° 402.

Après une nouvelle pause, il ajouta :

« DE VOTRE GENRE. DIVERGENCES POLITIQUES. »

Roubachof s'étendit et attendit. Au bout d'un moment, il remit son pince-nez, puis resta immobile, un bras passé sous le cou. Dehors, on n'entendait rien. Tous les mouvements étaient étouffés, figés dans l'obscurité de la prison.

Roubachof n'avait jamais assisté à une exécution. Il avait bien failli assister à la sienne ; mais c'était pendant le Guerre civile. Il ne se représentait pas bien à quoi cela pouvait ressembler dans des circonstances normales, quand cela faisait partie d'un emploi du temps ordinaire. Il savait vaguement que les exécutions avaient lieu la nuit dans les caves, et que le délinquant était tué d'une balle dans la nuque ; mais il ne connaissait pas les détails. Dans le Parti, la mort n'était pas un mystère, elle n'avait rien de romantique. C'était une conséquence logique, un facteur avec lequel on comptait et qui revêtait un caractère plutôt abstrait. D'ailleurs, on parlait rarement de la mort, et l'on n'employait presque jamais le mot d'« exécution » ; l'expression habituelle était «.liquidation physique ». Ces mots n'évoquaient qu'une seule idée concrète : la cessation de toute activité politique. L'acte de mourir n'était en soi qu'un détail technique, sans aucune prétention à intéresser qui que ce soit : la mort en tant que facteur dans une équation logique avait perdu toute caractéristique corporelle intime.

Roubachof regardait dans l'obscurité à travers son pince-nez. Cela avait-il déjà commencé ? Ou bien était-ce encore à faire ? Il avait ôté ses souliers et ses chaussettes ; à l'autre bout de la couverture, ses pieds nus se soulevaient, pâles dans l'obscurité. Le silence se fit encore plus anormal. Ce n'était pas l'habituelle et réconfortante absence de bruit ; c'était un silence qui avait avalé tous les sons et les étouffait, un silence vibrant comme une peau de tambour tendue. Roubachof regardait ses pieds nus et remuait lentement ses orteils. Ils avaient un air grotesque et surnaturel, comme si ses pieds blancs vivaient d'une vie à eux. Il prenait conscience avec une intensité inaccoutumée de l'existence de son corps, il sentait le tiède contact de la couverture sur ses jambes et la pression de sa main sous son cou. Où se faisait la « liquidation physique » ? Il avait vaguement idée que cela devait se faire en bas, sous l'escalier en colimaçon, après la salle du coiffeur. Il respirait l'odeur de cuir du ceinturon de Gletkin et entendait crisser son uniforme. Que disait-il à sa victime ? « Tournez votre visage contre le mur » ? Ajoutait-il « s'il vous plaît » ? Ou bien disait-il : « Ne craignez rien. Cela ne vous fera pas mal... » ? Peut-être tirait-il sans prévenir, par-derrière, tout en marchant ? — mais la victime serait toujours à se retourner. Peut-être cachait-il le revolver dans sa manche, comme le dentiste cache sa pince ? Peut-être y avait-il encore d'autres personnages ? De quoi avaient-ils l'air ? Le mort tombait-il en avant ou en arrière ? Appelait-il ? Peut-être fallait-il tirer une seconde balle pour l'achever ?

Roubachof fumait et regardait ses orteils. Tout

était si calme qu'il entendait grésiller le papier de sa cigarette. Il tira une forte bouffée. Balivernes, se dit-il. Du roman pour midinettes. En réalité, il n'avait jamais cru à la réalité technique de la « liquidation physique ». La mort était une abstraction, surtout la sienne propre. Sans doute était-ce fini maintenant, et ce qui est du passé n'a pas de réalité. Il faisait noir et tout était tranquille, et le N° 402 avait cessé de taper.

Il se prit à souhaiter que quelqu'un se mette à hurler au-dehors pour déchirer ce silence monstrueux. Il renifla et s'aperçut que depuis quelque temps déjà il avait le parfum d'Arlova dans les narines. Même les cigarettes avaient son odeur ; elle mettait les siennes dans un étui en cuir dans son sac à main, et toutes les cigarettes qui en sortaient avaient le parfum de sa poudre... Le silence continuait. Seule, la couchette grinçait légèrement quand il remuait.

Roubachof songeait justement à se lever et à allumer encore une cigarette quand les tapotements au mur recommencèrent.

ILS VIENNENT, disaient les petits bruits.

Roubachof tendit l'oreille. Il entendit seulement son pouls qui lui martelait les tempes. Il attendit. Le silence s'épaissit. Il ôta son pince-nez et tapa :

JE N'ENTENDS RIEN...

Pendant assez longtemps, le N° 402 ne répondit pas. Tout à coup, il tapa, fort et net :

N° 380. FAITES PASSER.

Vite Roubachof se mit sur son séant. Il avait compris : la nouvelle avait été transmise à travers onze cellules, par les voisins du N° 380. Les occupants des cellules allant du 380 au 402 formaient un relais acoustique à travers la nuit et le silence. Ils étaient sans défense, enfermés dans leurs quatre murs ; c'était la forme que prenait leur solidarité. Roubachof sauta à bas de sa couchette, courut nu-pieds au mur d'en face, se plaça à côté du seau et tapa pour le N° 406 :

ATTENTION. LE N° 380 VA ÊTRE FUSILLÉ. FAITES PASSER.

Il écouta. Le seau empestait ; ses émanations avaient remplacé le parfum d'Arlova. Pas de réponse. Roubachof courut en toute hâte vers la couchette. Cette fois-ci il tapa non plus avec son lorgnon mais avec le poing :

QUI EST LE 380 ?

Toujours pas de réponse. Roubachof devina que le N° 402, tout comme lui, faisait la navette d'un mur à l'autre de sa cellule. Dans les onze cellules à sa gauche, les prisonniers couraient sans bruit, pieds nus, d'un mur à l'autre. Voici que le N° 402 était revenu à sa paroi ; il annonça :

ILS LUI LISENT LA SENTENCE. FAITES PASSER.

Roubachof répéta sa question précédente :

QUI EST-CE ?

Mais le N° 402 était reparti. Rien ne servait de passer le message à Rip Van Winkle, mais Roubachof courut au côté du seau et tapa la nouvelle ; il était poussé par un obscur sentiment du devoir, par l'idée qu'il ne fallait pas que la chaîne se rompe. Le voisinage du seau lui donnait envie de vomir. Il courut à son lit et attendit. Toujours pas le moindre bruit au-dehors. Seul le mur continuait de bruire :

IL APPELLE AU SECOURS.

IL APPELLE AU SECOURS ; Roubachof transmit cela au N° 406. Il tendit l'oreille. On n'entendait rien. Roubachof eut peur de vomir la prochaine fois qu'il s'approcherait du seau.

ILS L'AMÈNENT. IL CRIE ET SE DÉBAT. FAITES PASSER, tapa le N° 402.

COMMENT S'APPELLE-T-IL ? Roubachof tapa rapidement, avant que le 402 ait tout à fait fini sa phrase. Cette fois, il eut une réponse :

BOGROF. OPPOSITION. FAITES PASSER.

Les jambes de Roubachof se firent tout à coup pesantes. Il traversa la cellule, s'appuya au mur et tapa pour le N° 406 :

MICHEL BOGROF, ANCIEN MARIN DU CUIRASSÉ « POTEMKINE », COMMANDANT DE LA FLOTTE ORIENTALE, DÉCORÉ DU PREMIER ORDRE RÉVOLUTIONNAIRE, VA ÊTRE EXÉCUTÉ.

Il essuya la sueur qui lui baignait le front, vomit dans le seau et termina sa phrase :

FAITES PASSER.

Il ne parvenait pas à évoquer l'image visuelle de Bogrof, mais il voyait sa gigantesque silhouette, ses bras ballants et maladroits, les taches de rousseur de son visage plat et large au nez légèrement retroussé. Ils avaient vécu en exil dans la même chambre après 1905 ; Roubachof lui avait appris à lire, à écrire, et lui avait enseigné les bases de la pensée historique ; depuis lors, où qu'il se trouvât, il recevait deux fois par an une lettre manuscrite, invariablement terminée par ces mots : « Ton camarade, fidèle jusqu'à la tombe, Bogrof. »

ILS VIENNENT, tapa précipitamment le N° 402, si fort que Roubachof, toujours debout auprès de son seau, la tête appuyée au mur, l'entendit de l'autre côté de la cellule.

DEBOUT AU JUDAS. TAMBOURINEZ. FAITES PASSER.

Roubachof se raidit. Il transmit le message au N° 406 :

DEBOUT AU JUDAS. TAMBOURINEZ. FAITES PASSER.

Il courut dans l'obscurité jusqu'à la porte et attendit. Tout était silence comme auparavant.

Quelques secondes après, ce fut de nouveau des battements sur le mur :

VOICI.

Le long du couloir, un roulement caverneux et

grave se rapprochait. Ce n'était ni un tapotement ni un martèlement : les hommes enfermés dans les cellules 380 à 402, formant la chaîne acoustique et debout derrière leurs portes comme une garde d'honneur dans les ténèbres, imitaient à s'y méprendre le roulement étouffé et solennel des tambours, apporté d'assez loin par le vent. Roubachof, les yeux collés au judas, fit chorus en frappant des deux mains en cadence sur la porte de ciment. Il fut surpris d'entendre cette vague de sons voilés se continuer à sa droite par le N° 406 et au-delà ; Rip Van Winkle devait avoir compris, après tout ; lui aussi tambourinait. Au même instant, Roubachof entendit à sa gauche, encore à quelque distance des limites de son champ visuel, des portes de fer qui roulaient sur leurs glissières. A sa gauche, le roulement de tambour se fit un peu plus fort ; Roubachof comprit que la porte de fer qui séparait les prisonniers au secret des cellules ordinaires venait de s'ouvrir. Les clefs s'entrechoquèrent, et maintenant la porte de fer était refermée ; il entendit des pas qui s'approchaient, accompagnés de bruit de glissade sur le carreau. Le roulement à sa gauche s'enfla comme une vague en un crescendo soutenu mais voilé. Le champ visuel de Roubachof, limité par les cellules N° 401 et 407, restait vide. Les bruits d'objet qu'on traîne et qui glisse sur le carrelage se rapprochaient rapidement, et à présent il discernait aussi des gémissements et des pleurnichements, on aurait dit ceux d'un enfant. Les pas allaient plus vite, le roulement se fit un peu moins fort à gauche, à sa droite il s'enfla.

Roubachof tambourinait. Il avait perdu tout sentiment du temps et de l'espace, il n'entendait que le battement caverneux du tam-tam dans la jungle ; on aurait dit des singes debout derrière les barreaux de leurs cages, se frappant la poitrine et tambourinant ; il collait l'œil au judas, se soulevant et retombant en cadence sur ses orteils tout en roulant du tambour. Tout comme avant, il voyait seulement la lumière jaune et falote de la lampe électrique dans le corridor ; il n'y avait rien à voir que les portes de fer des N° 401 à 407, mais le roulement de tambour se faisait plus bruyant et les grincements et les pleurnichements se rapprochaient. Tout à coup, des silhouettes obscures entrèrent dans son champ visuel : les voici. Roubachof s'arrêta de tambouriner et regarda. Presque aussitôt, ils n'étaient plus là.

Ce qu'il avait vu pendant ces quelques secondes resta gravé au fer rouge dans la mémoire de Roubachof. Deux formes mal éclairées avaient passé, toutes deux en uniforme, grandes et indistinctes, en traînant une troisième qu'elles tenaient entre elles sous les aisselles. La silhouette du milieu retombait mollement et pourtant avec une rigidité de poupée entre leurs bras, étendue tout de son long, le visage tourné vers le sol, le ventre bombant vers le sol. Les jambes traînaient derrière, les souliers glissant sur leurs pointes et produisant ce bruit criard que Roubachof avait entendu dans le lointain. Sur le visage tourné vers le carrelage retombaient des mèches de cheveux blanchâtres. La bouche était grande ouverte. La face était couverte de gouttelettes de sueur, et un filet de salive sortait de la bouche et coulait le long du menton. Quand ils l'eurent traîné hors du champ visuel de Roubachof, vers la droite et au fond du corridor, les gémissements et les pleurnichements se perdirent peu à peu dans le lointain ; ils ne parvenaient plus à Roubachof que comme un écho éloigné fait de trois voyelles plaintives : « ou-a-o. » Mais avant qu'ils aient pris le tournant au bout du corridor, près du coiffeur, Bogrof vociféra bruyamment à deux reprises, et, cette fois, Roubachof n'entendit pas seulement les voyelles, mais le mot tout entier ; c'était son nom, il l'entendit distinctement : Rouba-chof.

Puis, comme en réponse à un signal, le silence se fit. Les lampes électriques brûlaient comme à l'ordinaire, le couloir était vide comme à l'ordinaire. Mais le N° 406 tapotait à la paroi :

BEDOUT, LES DAMNÉS DE LA TERRE.

Roubachof se retrouva étendu sur sa couchette sans savoir comment il y était venu. Le roulement de tambour résonnait encore dans ses oreilles, mais le silence était maintenant un vrai silence, vidé et détendu. Sans doute le N° 402 dormait-il. Bogrof ou ce qui restait de lui était probablement mort à présent.

« Roubachof, Roubachof... » Ce dernier appel était marqué d'une brûlure indélébile dans sa mémoire acoustique. L'image optique était moins nette. Il lui était encore difficile d'identifier avec Bogrof cette silhouette de poupée en cire au visage mouillé, aux jambes raides et traînantes, que l'on avait promenée au travers de son champ visuel pendant quelques secondes. Ce ne fut qu'alors qu'il songea aux cheveux blancs. Qu'avaient-ils fait à Bogrof ? Qu'avaient-ils fait à ce robuste marin, pour arracher de sa gorge ce pleurnichement d'enfant ? Arlova avait-elle pleurniché comme cela lorsqu'on l'avait traînée le long du couloir ?

Roubachof s'assit sur le lit et appuya le front contre la paroi derrière laquelle dormait le N° 402 ; il eut peur de vomir encore. Jusqu'à présent, il n'avait jamais imaginé la mort d'Arlova avec autant de détails. Cela avait toujours été pour lui un événement abstrait ; cette mort avait laissé en lui un sentiment prononcé de gêne, mais jamais il n'avait douté que sa conduite ne fût justifiée en bonne logique. A présent, dans l'accès de nausée qui lui retournait l'estomac et séchait la sueur qui baignait son front, son ancien mode de pensée lui semblait toucher à la folie. Le pleurnichement de Bogrof bouleversait l'équation logique. Jusqu'alors Arlova avait été un facteur de cette équation, un petit facteur comparé à ce qui était en jeu. Mais l'équation ne tenait plus debout. La vision des jambes d'Arlova avec ses talons hauts traînant le long du corridor renversait l'équilibre mathématique. Le facteur sans importance était devenu l'infini, l'absolu ; la plainte de Bogrof, le son inhumain de la voix qui l'appelait par son nom, le tambourinement caverneux sur les portes, tout cela lui remplissait les oreilles, étouffait la petite voix de la raison, l'ensevelissait comme la marée ensevelit les glouglous d'un homme qui se noie.

Epuisé, Roubachof s'endormit assis, la tête appuyée au mur, son pince-nez devant ses yeux clos.

VII

Il geignait en dormant. Le rêve de sa première arrestation était revenu ; sa main, pendant mollement au bord du lit, cherchait nerveusement la manche de sa robe de chambre ; il attendait le coup qui allait enfin l'atteindre, mais ce coup ne venait pas.

Il se réveilla, parce que la lampe électrique s'était allumée tout à coup dans sa cellule. Quelqu'un était debout près de son lit à le regarder. Roubachof n'avait pas pu dormir plus d'un quart d'heure, mais après ce rêve il lui fallait toujours plusieurs minutes pour se remettre. Il clignotait dans la lumière éclatante, son esprit élaborait péniblement les hypothèses habituelles, comme s'il accomplissait un rite inconscient. Il était dans une cellule, mais pas dans le pays ennemi — cela n'était qu'un rêve. Il était donc libre — mais la chromo du N° 1 accrochée au-dessus de son lit n'était pas là, et là-bas il y avait le seau. D'ailleurs, Ivanof était debout à son chevet et lui soufflait au visage la fumée de sa cigarette. Cela aussi, était-ce un rêve ? Non, Ivanof était réel, le seau était réel. Il était dans son pays, mais c'était devenu un pays ennemi ; et Ivanof, jadis son ami, était lui aussi devenu son ennemi ; et les pleurnichements d'Arlova n'étaient pas un rêve non plus. Mais non, ce n'était pas Arlova, mais Bogrof, que l'on avait traîné comme une poupée de cire ; le camarade Bogrof, fidèle jusqu'à la tombe ; et il l'avait appelé par son nom ; cela n'était pas un rêve. Arlova, par contre, avait dit : « Vous ferez de moi tout ce que vous voudrez... »

« Es-tu malade ? » demanda Ivanof.

Aveuglé par la lumière, Roubachof le regarda en clignotant.

« Donne-moi ma robe de chambre », dit-il.

Ivanof l'observait. La joue droite de Roubachof était enflée.

« Veux-tu de l'eau-de-vie ? » demanda Ivanof.

Sans attendre la réponse, il s'en alla clopinant vers le judas et donna un ordre dans le couloir. Roubachof le suivit des yeux, toujours clignotant. Il restait hébété. Il était éveillé, mais voyait, entendait et pensait comme au travers d'un brouillard.

« Ils t'ont arrêté aussi ? demanda-t-il.

— Non, dit Ivanof calmement. Je suis simplement venu te faire une visite. Je crois que tu as la fièvre.

— Donne moi une cigarette », dit Roubachof. Il aspira profondément la fumée une ou deux fois, et son regard s'éclaircit. Il se recoucha tout en fumant et regarda le plafond. La porte de la cellule s'ouvrit ; le geôlier apporta une bouteille d'eau-de-vie et un verre. Cette fois, ce n'était pas le vieillard, mais un jeune homme maigre en uniforme, avec des lunettes à monture d'acier. Il salua Ivanof, lui tendit la bouteille et le verre et referma la porte du dehors. On entendit ses pas s'éloigner dans le corridor.

Ivanof s'assit sur le bord de la couchette de Roubachof, et remplit le verre. « Bois », dit-il. Roubachof vida le verre. La buée qui lui emplissait la tête se dissipa, les événements et les personnes — son premier et son second emprisonnement, Arlova, Bogrof, Ivanof — se mirent en ordre dans le temps et l'espace.

« Tu es souffrant ? demanda Ivanof.

— Non, dit Roubachof. La seule chose qu'il ne comprît pas était la raison de la présence d'Ivanof dans sa cellule.

— Tu as la joue bien enflée. Et tu me parais aussi avoir de la fièvre. »

Roubachof se leva de la couchette, regarda dans le couloir par le judas, ne vit personne, et se mit à marcher de long en large dans la cellule. Après deux ou trois allées et venues, il se sentit la tête entièrement lucide et il s'arrêta devant Ivanof, qui, assis au bout du lit, faisait patiemment des ronds avec la fumée de sa cigarette.

« Que fais-tu ici ? demanda-t-il.

— Je veux te parler, dit Ivanof. Recouche-toi et bois encore un coup. »

Roubachof le regarda à travers son pince-nez.

« Jusqu'à présent, dit-il, j'étais tenté de croire que tu étais de bonne foi. Je vois maintenant que tu es une crapule. Sors d'ici. »

Ivanof ne bougea pas.

« Tu auras la bonté de me donner tes raisons pour t'exprimer ainsi », dit-il.

Roubachof s'appuya le dos à la paroi du N° 406 et regarda Ivanof. Ivanof fumait avec sérénité.

« Premièrement, dit Roubachof, tu étais au courant de mon amitié avec Bogrof. Aussi prends-tu soin de faire en sorte que Bogrof — ou ce qui restait de lui — soit traîné devant ma cellule pendant son dernier voyage, pour me rafraîchir la mémoire. Pour s'assurer que j'assisterai bien à cette scène, on annonce discrètement à l'avance l'exécution de Bogrof, pensant bien que cette nouvelle me sera transmise par mes voisins, ce qui est en fait arrivé. Autre finesse du metteur en scène : immédiatement avant de l'emmener, on apprend à Bogrof que je suis ici, dans l'espoir que ce dernier coup va tirer de lui des manifestations bruyantes ; et cela aussi se produit. Le tout est calculé pour me plonger dans l'abattement. A ce moment, critique entre tous, le camarade Ivanof paraît en sauveur, une bouteille d'eau-de-vie sous le bras. Il s'ensuit une touchante scène de réconciliation, nous tombons dans les bras l'un de l'autre, nous échangeons d'émouvants souvenirs de guerre, et incidemment je signe une déclaration contenant mes aveux. Là-dessus, le prisonnier sombre dans un doux sommeil ; le camarade Ivanof sort à pas de loup, les aveux dans sa poche, et quelques jours plus tard se voit promu à un meilleur poste... Maintenant, tu vas me faire le plaisir de sortir. »

Ivanof ne bougea pas. Il souffla sa fumée en l'air, sourit et fit voir ses dents d'or.

« Tu m'attribues vraiment des méthodes aussi primitives ? demanda-t-il. Ou, pour être plus précis, me prends-tu vraiment pour un aussi piètre psychologue ? »

Roubachof haussa les épaules.

« Tes manigances me répugnent, dit-il. Je ne peux pas te mettre à la porte. S'il te reste un vestige de respect humain, tu vas me laisser tranquille maintenant. Tu ne peux pas t'imaginer combien vous me dégoûtez, tous tant que vous êtes. »

Ivanof prit le verre sur le carrelage, le remplit et le vida d'un trait.

« Je propose l'accord suivant, dit-il. Tu vas me laisser parler pendant cinq minutes sans m'interrompre, et tu écouteras ce que je vais dire avec toute ta lucidité. Si, après cela, tu tiens encore à ce que je m'en aille, je m'en irai.

— J'écoute », dit Roubachof. Il resta appuyé au mur en face d'Ivanof et regarda sa montre.

« En premier lieu, dit Ivanof, et pour dissiper tous les doutes ou les illusions qui pourraient subsister : Bogrof a bien été fusillé. Deuxièmement, il était en prison depuis plusieurs mois, et en fin de compte il a été torturé plusieurs jours de suite. Si tu fais allusion à cela pendant les débats publics ou si seulement tu le communiques à tes voisins, je suis perdu. Quant aux raisons d'infliger de pareils traitements à Bogrof, nous en reparlerons. Troisièmement, c'est de propos délibéré qu'il a été conduit devant ta cellule, et de propos délibéré qu'on lui a appris ta présence ici. Quatrièmement, cette sale manigance, comme tu dis, n'est pas de mon fait, mais vient de mon collègue Gletkin, contrevenant à mes instructions formelles. »

Il s'arrêta. Roubachof restait appuyé au mur, et ne disait rien.

« Jamais je n'aurais commis pareille erreur, reprit Ivanof. Non pas que je ménage tes sentiments, mais parce que cela est contraire à ma tactique et à ce que je sais de ta psychologie. Tu as récemment fait preuve de tendances à des scrupules humanitaires et à d'autres sentimentalités de cet ordre. D'ailleurs, l'histoire d'Arlova t'est restée sur l'estomac. La scène avec Bogrof ne peut qu'intensifier ta dépression et tes velléités moralisatrices — c'était à prévoir ; il n'y avait qu'un gâcheur sans psychologie comme Gletkin qui puisse commettre pareille erreur. Voilà dix jours que Gletkin me rebat les oreilles à me dire qu'il faut user avec toi de « la manière forte ». Primo, tu lui as déplu en lui montrant les trous de tes chaussettes ; secundo, il est habitué à avoir affaire à des paysans... Voilà qui t'explique l'affaire Bogrof. L'eau-de-vie, bien sûr, je l'ai commandée parce que tu n'étais pas en possession de toutes tes facultés quand je suis entré. Je n'ai aucun intérêt à te soûler. Je n'ai pas intérêt à t'exposer à des chocs nerveux. Tout cela ne fait que t'enfoncer davantage dans ton exaltation morale. J'ai besoin que tu sois calme et logique. Je n'ai intérêt qu'à une chose, te voir tranquillement analyser ton cas et aboutir à des conclusions logiques. Car c'est seulement lorsque tu auras repensé toute cette affaire jusqu'à ses conclusions logiques, ce n'est qu'à ce moment-là que tu capituleras... »

Roubachof haussa les épaules ; mais avant qu'il ait pu dire un mot, Ivanof l'interrompit :

« Je sais bien, tu es persuadé que tu ne capituleras pas. Dis-moi seulement ceci : *si* tu étais convaincu de la nécessité logique et de la justesse objective de ta capitulation — alors, céderais-tu ? »

Roubachof ne répondit pas tout de suite. Il sentait obscurément que la conversation avait pris un tour qu'il n'aurait jamais dû tolérer. Les cinq minutes s'étaient écoulées, et il n'avait pas mis Ivanof à la porte. Cela seul, lui semblait-il, était une trahison envers Bogrof — et envers Arlova ; et aussi envers Richard et le petit Lœwy.

« Va-t'en, dit-il à Ivanof. C'est inutile. »

Il s'aperçut alors seulement qu'il marchait de long en large dans la cellule depuis quelque temps devant Ivanof.

Ivanof était assis sur la couchette.

« A ta façon de parler, dit-il, je constate que tu reconnais ton erreur au sujet de mon rôle dans l'affaire Bogrof. Alors pourquoi me chasser ? Pourquoi ne réponds-tu pas à la question que je t'ai posée ?... »

Il se pencha légèrement en avant et dévisagea Roubachof d'un air moqueur ; puis il énonça lentement, en appuyant sur chaque mot :

« *Parce que tu as peur de moi*. Parce que ma façon de penser et mon argumentation sont les tiennes, et que tu as peur de l'écho qui résonne dans ta tête.

Dans un instant, tu vas t'écrier : « Arrière de moi, Satan !... »

Roubachof ne répondit pas. Il allait de long en large près de la fenêtre, devant Ivanof. Il se sentait impuissant, incapable de discuter clairement. Son sentiment de culpabilité, qu'Ivanof appelait « exaltation morale », ne pouvait pas s'exprimer en formules logiques — il faisait partie du royaume de la « fiction grammaticale ». Et cependant chacune des phrases prononcées par Ivanof éveillait bien un écho en lui. Il se disait qu'il n'aurait jamais dû se laisser entraîner dans cette discussion. Il lui semblait se trouver sur un plan incliné savonneux, où l'on se sentait glisser irrésistiblement.

« *Apage Satanas !* répéta Ivanof en se versant encore un verre d'eau-de-vie. Dans le temps, la tentation était de nature charnelle. Maintenant, elle prend la forme de la raison pure. Les valeurs changent. Je voudrais écrire une tragédie de la Passion dans laquelle Dieu et le Diable se disputeraient l'âme de saint Roubachof. Après une existence pécheresse, il s'est tourné vers Dieu — le Dieu au double menton du libéralisme industriel et des charitables soupes populaires de l'Armée du Salut. Satan, au contraire, est maigre et ascétique ; c'est un fanatique de la logique. Il lit Machiavel, Ignace de Loyola, Marx et Hegel ; son impitoyable froideur envers le genre humain découle d'une sorte de pitié mathématique. Il est condamné à faire toujours ce qui lui répugne le plus : à devenir un boucher pour abolir la boucherie, à sacrifier des agneaux afin que l'on ne sacrifie plus jamais d'agneaux, à fouetter le peuple au knout afin de lui apprendre à ne plus se laisser fustiger, à se défaire de tout scrupule au nom de scrupules supérieurs, et à s'attirer la haine de l'humanité par amour pour elle — un amour abstrait et géométrique. *Apage Satanas !* Le camarade Roubachof préfère le martyre. Les commentateurs de la presse libérale, qui l'ont détesté de son vivant, le canoniseront après sa mort. Il s'est découvert une conscience, et une conscience vous rend aussi inapte à la révolution qu'un double menton. La conscience vous grignote la cervelle comme un cancer, jusqu'à ce qu'elle vous ait dévoré toute la matière grise. Satan est battu et se retire — mais ne vous imaginez pas qu'il grince des dents et crache le feu dans sa fureur. Il hausse les épaules ; il est maigre et ascétique ; il en a tant vu faiblir et sortir de ses rangs avec de sentencieux prétextes... »

Ivanof s'arrêta pour se verser un verre d'eau-de-vie. Roubachof allait et venait devant la fenêtre. Au bout d'un moment, il dit :

« Pourquoi avez-vous exécuté Bogrof ?

— Pourquoi ? A cause de la question des sous-marins, dit Ivanof. Il s'agissait du problème du tonnage — vieille querelle dont tu n'auras pas oublié les commencements.

« Bogrof était partisan de la construction de sous-marins de gros tonnage et à grand rayon d'action. Le Parti s'est prononcé pour les petits sous-marins à faible rayon d'action. Pour la même somme on peut construire trois fois plus de petits sous-marins que de grands. Les deux partis invoquaient des arguments techniques valides. Les experts déployaient force épures et formules algébriques ; mais le vrai problème était tout autre. Les gros sous-marins, cela revient à dire : politique d'agression en vue de la Révolution mondiale. Les petits sous-marins, c'est la défense côtière, c'est-à-dire une politique défensive ; c'est remettre à plus tard la Révolution mondiale. C'est le point de vue du N° 1 et du Parti.

« Bogrof avait de nombreux partisans à l'Amirauté et parmi les officiers de la vieille garde. L'éliminer ne suffisait pas ; il fallait aussi le discréditer. Nous avions conçu le projet d'un procès destiné à démasquer comme des *saboteurs*[1] et des traîtres les partisans des gros tonnages. Nous avions déjà amené plusieurs petits ingénieurs à se sentir disposés à avouer publiquement tout ce que nous voudrions. Mais Bogrof ne voulait pas jouer. Il a déclamé jusqu'au bout sur les gros tonnages et la Révolution mondiale. Il était de deux décennies en retard. Il ne voulait pas comprendre que la conjoncture est contre nous, que l'Europe traverse une période de réaction, que nous sommes dans le creux de la vague et que nous devons attendre d'être soulevés par la suivante. Dans un procès public, il n'aurait fait que provoquer de la confusion dans le peuple. La seule façon était de le liquider administrativement. N'aurais-tu pas fait comme nous dans la même situation ? »

Roubachof ne répondit pas. Il s'arrêta de marcher, et resta de nouveau appuyé contre la paroi du N° 406, à côté du seau dont montaient des bouffées nauséabondes. Il ôta son pince-nez et regarda Ivanof de ses yeux éraillés de bête aux abois.

« Tu ne l'as pas entendu gémir », dit-il.

Ivanof alluma une cigarette au mégot de la précédente ; lui aussi se trouvait gêné par la puanteur du seau.

« Non, dit-il, je ne l'ai pas entendu. Mais j'ai vu et entendu des choses analogues. Et après ? »

Roubachof se tut. A quoi bon essayer d'expliquer ? Comme un écho, la plainte et le roulement assourdi retentissaient de nouveau dans ses oreilles. Cela ne pouvait pas s'exprimer. Pas plus que la courbe des seins d'Arlova, avec leurs pointes chaudes et abruptes. Rien ne pouvait s'exprimer. Que disait le message du coiffeur ? « Mourez en silence. »

« Et après ? » répéta Ivanof.

1. En français dans le texte.

Il allongea la jambe et attendit. N'obtenant pas de réponse, il reprit la parole :

« Si j'avais pour toi la moindre trace de pitié, dit-il, je te laisserais tranquille à présent. Mais je n'ai pas la moindre trace de pitié. Je bois ; pendant quelque temps, comme tu le sais, je me suis drogué, mais ce vice qu'est la pitié, jusqu'ici je suis parvenu à l'éviter. La plus petite dose, et tu es fichu. Pleurer sur le genre humain et se lamenter — tu sais combien notre race y est pathologiquement encline. Nos plus grands poètes se sont anéantis avec ce poison-là. Jusqu'à quarante, cinquante ans, c'étaient des révolutionnaires — puis ils se sont laissé dévorer par la pitié et le monde a vu en eux des saints. Tu parais avoir la même ambition, et t'imaginer que c'est un phénomène individuel, qui te serait réservé, quelque chose sans précédent... »

Il parlait assez fort et exhala un nuage de fumée.

« Prends garde à ces transports, dit-il. Chaque bouteille de spiritueux contient une quantité mesurable de transports. Malheureusement, il n'y a jamais que fort peu de gens, surtout parmi nos compatriotes, pour se douter que les transports de l'humilité et de la douleur sont de la pacotille tout comme ceux que l'on se donne par des moyens chimiques. Quand je me suis réveillé de l'anesthésie, et que je me suis aperçu que mon corps finissait au genou gauche, j'ai aussi éprouvé une espèce de transport de malheur absolu. Te souviens-tu des sermons que tu m'as prêchés dans ce temps-là ? »

Il se versa encore un verre et le but d'un trait.

« Voici où je veux en venir, dit-il ; il n'est pas permis de considérer le monde comme une espèce de bordel à émotions métaphysiques. Cela est, pour nous autres, le premier commandement. Sympathie, conscience, dégoût, désespoir, repentir et expiation, tout cela n'est pour nous que répugnante débauche. S'asseoir et se laisser hypnotiser par son nombril, lever les yeux et tendre la nuque humblement au revolver de Gletkin — c'est une solution facile. La plus forte tentation pour des hommes comme nous, c'est de renoncer à la violence, de se repentir, de se mettre en paix avec soi-même. La plupart des grands révolutionnaires ont succombé à cette tentation, de Spartacus à Danton et à Dostoïevsky ; ils représentent la forme classique de la trahison d'une Idée. Les tentations de Dieu ont toujours été plus dangereuses pour l'humanité que celles de Satan. Tant que le chaos dominera le monde, Dieu sera un anachronisme ; et tout compromis avec notre conscience sera une perfidie. Quand la maudite voix intérieure te parle, bouche-toi les oreilles de tes deux mains... »

Il chercha la bouteille à tâtons derrière lui et se versa encore un verre. Roubachof remarqua que la bouteille était déjà à moitié vide. « Toi aussi, se dit-il, tu as besoin d'oublier. »

« Les plus grands criminels de l'histoire, reprit Ivanof, ne sont pas du genre Néron et Fouché, mais du genre Gandhi et Tolstoï. La voix intérieure de Gandhi a fait davantage pour empêcher la libération de l'Inde que les canons britanniques. Se vendre pour trente deniers est une honnête transaction ; mais se vendre à sa conscience, c'est abandonner l'humanité. L'histoire est *a priori* amorale ; elle n'a pas de conscience. Vouloir mener l'histoire selon les maximes du catéchisme, c'est laisser les choses en état. Tu le sais aussi bien que moi. Tu sais ce qui est en jeu dans cette partie, et voilà que tu me parles des gémissements de Bogrof... »

Il vida son verre et ajouta :

« Ou que ta conscience te picote à cause de ta grosse Arlova. »

Roubachof savait de longue date qu'Ivanof buvait sec ; cela ne modifiait en rien ses manières. Tout au plus appuyait-il sur les mots un peu plus que d'habitude. « Oui, tu as besoin d'oubli, se dit encore une fois Roubachof, et peut-être plus que moi. » Il s'assit sur l'étroit tabouret en face d'Ivanof et écoutait. Tout cela n'était pas nouveau pour lui ; il avait défendu le même point de vue pendant des années, dans les mêmes termes ou en termes analogues. Mais alors il n'avait connu que sous forme d'abstractions ces phénomènes intérieurs dont Ivanof parlait avec tant de mépris ; tandis qu'à présent il avait rencontré la « fiction grammaticale » comme une réalité physique existant dans son propre corps. Mais ces phénomènes irrationnels étaient-ils devenus plus acceptables simplement parce qu'il les avait maintenant éprouvés en personne ? Devenait-il moins nécessaire de lutter contre l'« ivresse mystique » simplement parce que vous en étiez ivre vous-mêmes ? Lorsqu'un an auparavant il avait envoyé Arlova à la mort, il n'avait pas eu assez d'imagination pour se représenter les détails d'une exécution. Allait-il maintenant se comporter différemment simplement parce qu'il en connaissait certains aspects ? Ou bien il avait eu raison, ou bien il avait eu tort, de sacrifier Richard, Arlova et le petit Lœwy. Mais le bégaiement de Richard, la courbe des seins d'Arlova ou le pleurnichement de Bogrof, qu'avaient-ils donc à faire avec la justice ou l'injustice objectives de la mesure prise ?

Roubachof se remit à marcher de long en large. Il lui semblait que tout ce qu'il avait éprouvé depuis son emprisonnement n'avait été qu'un prélude ; que ses méditations l'avaient amené à une impasse — au seuil de ce qu'Ivanof appelait le « bordel métaphysique » — et qu'il lui fallait recommencer au commencement. Mais combien de temps lui restait-il ? Il s'arrêta, prit le verre dans la main d'Ivanof et le vida. Ivanof le regardait.

« Je t'aime mieux comme ceci, dit-il avec un sourire fugitif. Les monologues en forme de dialogue sont une institution utile. J'espère avoir bien imité la voix du tentateur. Dommage que le parti adverse ne soit pas représenté. Mais c'est là un de ses artifices : il ne se laisse jamais entraîner dans une discussion rationnelle. Il vous prend toujours au dépourvu, lorsque vous êtes seul, sans défense, et avec une *mise en scène*[1] raffinée : dans des buissons ardents ou sur des cimes enveloppées de nuages. Il montre une préférence marquée pour une victime endormie. Les méthodes du grand moraliste sont passablement déloyales et théâtrales... »

Roubachof n'écoutait plus. Il allait et venait, se demandant si aujourd'hui, Arlova étant en vie, il la sacrifierait encore. Ce problème le captivait ; il semblait contenir la réponse à toutes les autres questions... Il s'arrêta devant Ivanof et lui demanda :

« Te souviens-tu de Raskolnikof ? »

Ivanof lui jeta un sourire ironique.

« Il fallait s'attendre à ce que tu en viennes là tôt ou tard. *Crime et châtiment*... Voilà que nous revenons à notre adolescence...

— Un moment, un moment, dit Roubachof, allant et venant d'un air agité. Tout cela n'était que paroles, mais maintenant nous approchons du cœur de la question. Si je me souviens bien, le problème est de savoir si l'étudiant Raskolnikof avait le droit de tuer la vieille usurière. Il est jeune et doué ; elle est vieille et absolument inutile au monde. Mais l'équation ne colle pas. D'abord, les circonstances le forcent à assassiner une deuxième personne ; telle est la conséquence imprévisible et illogique d'une action en apparence simple et logique. En second lieu, l'équation est en tout cas démolie, parce que Raskolnikof s'aperçoit que deux fois deux ne font pas quatre lorsque les unités mathématiques sont des êtres humains...

— Eh bien, dit Ivanof, si tu veux mon avis, il fau-

1. En français dans le texte.

drait brûler tous les exemplaires de ce maudit bouquin. Considère un instant où nous mènerait cette nébuleuse philosophie humanitaire, si nous devions la prendre au pied de la lettre, si nous devions nous en tenir au précepte qui veut que l'individu soit sacré, et que nous ne devions pas traiter des vies humaines selon les règles de l'arithmétique. Cela voudrait dire qu'un chef de bataillon ne peut pas sacrifier une patrouille pour sauver le régiment. Que nous ne pouvons pas sacrifier des imbéciles comme Bogrof, et que nous devons courir le risque de laisser bombarder nos villes côtières d'ici deux ans... »

Roubachof secoua la tête :

« Tous tes exemples sont tirés de la guerre — c'est-à-dire de circonstances anormales.

— Depuis l'invention de la machine à vapeur, repartit Ivanof, le monde est en permanence dans un état anormal ; les guerres et les révolutions ne sont que l'expression visible de cet état. Ton Raskolnikof est néanmoins un imbécile et un criminel ; non pas qu'il agisse de façon illogique en tuant la vieille femme, mais parce qu'il le fait dans son intérêt personnel. Le principe selon lequel la fin justifie les moyens est et demeure la seule règle de l'éthique politique ; tout le reste n'est que vagues bavardages et vous fond entre les doigts... Si Raskolnikof avait assassiné la vieille par ordre du Parti — par exemple, pour augmenter les fonds de grève ou pour monter une imprimerie illégale — alors l'équation collerait, et le roman, avec son problème trompeur, n'aurait jamais été écrit ; et ce serait tant mieux. »

Roubachof ne répondit pas. Il était toujours captivé par le problème de savoir si aujourd'hui, après son expérience des derniers mois et des derniers jours, il enverrait encore Arlova à la mort. Il ne le savait pas. En logique, Ivanof avait raison dans tout ce qu'il disait ; l'adversaire invisible gardait le silence, et n'indiquait son existence que par une sourde sensation de malaise. Et en cela aussi Ivanof avait raison, ce comportement de l'« adversaire invisible », qui jamais ne s'exposait à la discussion et n'attaquait les gens que dans leurs moments sans défense, jetait sur lui une lumière fort douteuse...

« Je n'approuve pas le mélange des idéologies, poursuivit Ivanof. Il n'y a que deux conceptions de la morale humaine, et elles sont à des pôles opposés. L'une d'elles est chrétienne et humanitaire, elle déclare l'individu sacré, et affirme que les règles de l'arithmétique ne doivent pas s'appliquer aux unités humaines — qui, dans notre équation, représentent soit zéro, soit l'infini. L'autre conception part du principe fondamental qu'une fin collective justifie tous les moyens, et non seulement permet mais exige que l'individu soit en toute façon subordonné et sacrifié à la communauté — laquelle peut disposer de lui soit comme d'un cobaye qui sert à une expérience, soit comme de l'agneau que l'on offre en sacrifice. La première conception pourrait se dénommer morale antivivisectionniste ; la seconde, morale vivisectionniste. Les fumistes et les dilettantes ont toujours essayé de mélanger les deux conceptions ; en pratique cela est impossible. Quiconque porte le fardeau du pouvoir et de la responsabilité s'aperçoit du premier coup qu'il lui faut choisir ; et il est fatalement conduit à choisir la seconde conception. Connais-tu, depuis l'établissement du Christianisme comme religion d'Etat, un seul exemple d'Etat qui ait réellement suivi une politique chrétienne ? Tu ne peux pas m'en désigner un seul. Aux moments difficiles — et la politique est une suite ininterrompue de moments difficiles — les gouvernants ont toujours pu invoquer des « circonstances exceptionnelles », qui exigeaient des mesures exceptionnelles. Depuis qu'il existe des nations et des classes, elles vivent l'une contre l'autre dans un état permanent de légitime défense qui les force à remettre à d'autres temps l'application pratique de l'humanitarisme... »

Roubachof regarda par la fenêtre. La neige fondue avait gelé et étincelait, formant une surface irrégulière de cristaux d'un blanc jaunâtre. Sur le mur la sentinelle faisait les cent pas, l'arme à l'épaule. Le ciel était limpide mais sans lune ; au-dessus de la tourelle brillait la Voie lactée.

Roubachof haussa les épaules.

« Admettons, dit-il, que soient incompatibles l'humanitarisme et la politique, le respect de l'individu et le progrès social. Admettons que Gandhi soit une catastrophe pour l'Inde ; que la chasteté dans le choix des moyens conduise à l'impuissance politique. Dans la négative, nous sommes d'accord. Mais regarde où nous a conduits l'autre méthode...

— Où donc ? » demanda Ivanof.

Roubachof frotta son pince-nez sur sa manche, et regarda Ivanof d'un air myope.

« Quel gâchis, dit-il, quel vilain gâchis nous avons fait de notre âge d'or ! »

Ivanof sourit.

« Cela se peut, dit-il d'un air satisfait. Mais pense aux Gracques, et à Saint-Just, et à la Commune de Paris. Jusqu'à maintenant, toutes les révolutions ont été faites par des dilettantes moralisateurs. Ils ont toujours été de bonne foi et ils ont péri de leur dilettantisme. Nous sommes les premiers à être logiques avec nous-mêmes...

— Oui, dit Roubachof, si logiques, que dans l'intérêt d'une juste répartition de la terre nous avons de propos délibéré laissé mourir en une seule année environ cinq millions de paysans avec leurs familles. Nous avons poussé si loin la logique dans la libération des êtres humains des entraves de l'exploitation industrielle, que nous avons envoyé environ dix millions de personnes aux travaux forcés dans les régions arctiques et dans les forêts orientales, dans des conditions analogues à celles des galériens de l'Antiquité. Nous avons poussé si loin la logique, que pour régler une divergence d'opinions nous ne connaissons qu'un seul argument : la mort, qu'il s'agisse de sous-marins, d'engrais, ou de la politique du Parti en Indochine. Nos ingénieurs travaillent avec l'idée constamment présente à l'esprit que toute erreur de calcul peut les conduire en prison ou à l'échafaud ; les hauts fonctionnaires de l'administration ruinent et tuent leurs subordonnés, parce qu'ils savent qu'ils seront rendus responsables de la moindre inadvertance et seront eux-mêmes tués ; nos poètes règlent leurs discussions sur des questions de style en se dénonçant mutuellement à la Police secrète, parce que les expressionnistes considèrent que le style naturaliste est contre-révolutionnaire, et *vice versa*. Agissant logiquement dans l'intérêt des générations à venir, nous avons imposé de si terribles privations à la présente génération que la durée moyenne de son existence est raccourcie du quart. Afin de défendre l'existence du pays, nous devons prendre des mesures exceptionnelles et faire des lois de transition, en tout point contraires aux buts de la Révolution. Le niveau de vie du peuple est inférieur à ce qu'il était avant la Révolution ; les conditions de travail sont plus dures, la discipline est plus inhumaine, la corvée du travail aux pièces pire que dans des colonies où l'on emploie des coolies indigènes ; nous avons ramené à douze ans la limite d'âge pour la peine capitale ; nos lois sexuelles sont plus étroites d'esprit que celles de l'Angleterre, notre culte du Chef plus byzantin que dans les dictatures réactionnaires. Notre presse et nos écoles cultivent le chauvinisme, le militarisme, le dogmatisme, le conformisme et l'ignorance. Le pouvoir arbitraire du gouvernement est illimité, et reste sans exemple dans l'histoire ; les libertés de la presse, d'opinion et de mouvement ont totalement disparu, comme si la

Déclaration des Droits de l'Homme n'avait jamais existé. Nous avons édifié le plus gigantesque appareil policier, dans lequel les mouchards sont devenus une institution nationale, et nous l'avons doté du système le plus raffiné et le plus scientifique de tortures mentales et physiques. Nous menons à coups de fouet les masses gémissantes vers un bonheur futur et théorique que nous sommes les seuls à entrevoir. Car l'énergie de cette génération est épuisée ; elle s'est dissipée dans la Révolution ; car cette génération est saignée à blanc et il n'en reste rien qu'un apathique lambeau de chair sacrificatoire qui geint dans sa torpeur. Voilà les conséquences de notre logique. Tu as appelé cela la morale vivisectionniste. Il me semble à moi que les expérimentateurs ont écorché la victime et l'ont laissée debout, ses tissus, ses muscles et ses nerfs mis à nu...

— Eh bien, et après ? dit Ivanof de son air satisfait. Tu ne trouves pas cela merveilleux ? Est-ce qu'il est jamais arrivé quelque chose de plus merveilleux dans toute l'histoire ? Nous arrachons sa vieille peau à l'humanité pour lui en donner une neuve. Ce n'est pas là une occupation pour des gens qui ont les nerfs malades ; mais il fut un temps où cela te remplissait d'enthousiasme. Qu'est-ce qui t'a donc changé pour que tu sois maintenant aussi délicat qu'une vieille fille ? »

Roubachof voulut répondre : « Depuis lors j'ai entendu Bogrof m'appeler. » Mais il savait que cette réponse n'avait pas de sens. Il dit :

« Continuons ta métaphore : je vois bien le corps de cette génération écorché vif, mais je ne vois pas trace de peau neuve. Nous avons tous cru que l'on pouvait traiter l'histoire comme on fait des expériences en physique. La différence est qu'en physique on peut répéter mille fois l'expérience, mais qu'en histoire on ne la fait qu'une fois. Danton et Saint-Just ne s'envoient à l'échafaud qu'une seule fois ; et s'il se trouvait que les grands sous-marins étaient après tout ce qu'il nous fallait, le camarade Bogrof ne reviendra pas à la vie.

— Et que déduis-tu de là ? demanda Ivanof. Faut-il nous tourner les pouces parce que les conséquences d'une action ne sont jamais tout à fait prévisibles, et que par suite toute action est mauvaise ? Nous donnons notre tête en gage pour répondre de chacune de nos actions, on ne peut pas nous en demander davantage. Dans le camp adverse ils n'ont pas de tels scrupules. N'importe quel imbécile de général peut expérimenter avec des milliers de corps vivants ; et s'il commet une erreur, il sera tout au plus mis à la retraite. Les forces de réaction et de contre-révolution n'ont ni scrupules ni problèmes de morale. Imagine-toi un Sylla, un Galliffet, un Koltschak lisant *Crime et Châtiment*. Des oiseaux rares comme toi ne se trouvent que sur les arbres de la Révolution. Pour les autres, c'est plus facile... »

Il regarda sa montre. La fenêtre de la cellule était d'un gris sale ; le morceau de journal collé sur le carreau cassé se gonflait en bruissant dans le vent du matin. En face, sur la courtine, la sentinelle faisait toujours les cent pas.

« Pour un homme qui a ton passé, reprit Ivanof, ce soudain revirement contre l'expérimentation est plutôt naïf. Chaque année plusieurs millions d'humains sont tués sans aucune utilité par des épidémies et autres catastrophes naturelles. Et nous reculerions devant le sacrifice de quelques centaines de mille pour l'expérience la plus prometteuse de l'histoire ? Pour ne rien dire des légions de ceux qui meurent de sous-alimentation et de tuberculose dans les mines de houille et de mercure, les plantations de riz et de coton. Personne n'y songe ; personne ne demande pourquoi ; mais si, nous autres, nous fusillons quelques milliers de personnes objectivement nuisibles, les humanitaires du monde entier en ont l'écume à la bouche. Oui, nous avons liquidé la section parasitique de la paysannerie et nous l'avons laissée mourir de faim. C'était une opération chirurgicale que le faire une fois pour toutes ; dans le bon vieux temps d'avant la Révolution, il en mourait tout autant pendant une année de sécheresse — mais ils mouraient sans rime ni raison. Les victimes des inondations du fleuve Jaune en Chine se dénombrent parfois par centaines de mille. La nature est généreuse dans les expériences sans objet auxquelles elle se livre sur l'homme. Pourquoi l'humanité n'aurait-elle pas le droit d'expérimenter sur elle-même ? »

Il s'arrêta. Roubachof ne répondit pas. Il reprit :

« As-tu jamais lu les brochures d'une société anti-vivisectionniste ? Il y a de quoi vous convaincre et vous fendre le cœur ; quand on lit comment un pauvre roquet à qui on a enlevé le foie geint et lèche la main de son bourreau, on a envie de vomir, comme toi ce soir. Mais si ces gens-là avaient voix au chapitre, nous n'aurions pas de sérum contre le choléra, la typhoïde ou la diphtérie... »

Il vida la bouteille, bâilla, s'étira et se leva. Il alla en boitillant se mettre à côté de Roubachof devant la fenêtre et regarda au-dehors.

« Il commence à faire jour, dit-il. Ne fais pas l'imbécile, Roubachof. Tout ce que j'ai dit ce soir est élémentaire, et tu le sais aussi bien que moi. Tu étais dans un état nerveux d'abattement, mais maintenant c'est fini. »

Debout près de lui, à la fenêtre, il avait posé le bras sur l'épaule de Roubachof ; sa voix se faisait presque tendre.

« Maintenant va-t'en faire passer cela en dormant, vieux cheval de bataille que tu es ; c'est demain notre terme ; et nous aurons tous deux besoin d'avoir toute notre tête pour fabriquer ta déposition. Ne hausse pas les épaules ; tu es toi-même au moins à demi convaincu que tu signeras. Si tu le nies, ce n'est que lâcheté morale. La lâcheté morale a mené bien des gens au martyre. Roubachof regarda la lumière grisâtre du dehors. La sentinelle faisait demi-tour à droite. Au-dessus de la tourelle et de ses mitrailleuses le ciel était d'un gris pâle, avec une lueur rouge.

— Je vais encore y réfléchir », dit enfin Roubachof.

Lorsque la porte se fut refermée sur son visiteur, Roubachof savait qu'il avait déjà à moitié capitulé. Il se jeta sur la couchette, épuisé et pourtant curieusement soulagé. Il se sentait creux et vidé, et en même temps on aurait dit qu'un poids qui pesait sur lui avait été enlevé. L'appel pitoyable de Bogrof avait perdu dans sa mémoire un peu de sa précision acoustique. Qui pouvait dire que ce fût une trahison si, au lieu des morts, on restait fidèle aux vivants ?

VIII

Tandis que Roubachof dormait tranquillement et sans rêves — sa rage de dents s'était également calmée — Ivanof, en route pour sa chambre, rendit visite à Gletkin. Gletkin, en uniforme, était assis à son bureau et compulsait des dossiers. Depuis des années il avait l'habitude de travailler toute la nuit trois ou quatre fois par semaine. Quand Ivanof entra, Gletkin se mit au garde-à-vous.

« Ça marche, dit Ivanof. Demain, il signera. Mais j'ai eu un mal de chien à réparer ta bêtise. »

Gletkin ne répondit pas ; il restait debout tout raide devant son bureau. Ivanof, se souvenant de l'âpre scène qu'il avait eue avec Gletkin avant sa visite à la cellule de Roubachof, et sachant que Gletkin n'oubliait pas si facilement une rebuffade, haussa les épaules et lui souffla la fumée de sa cigarette au visage.

« Ne fais pas l'imbécile, dit-il. Vous souffrez encore tous de sentiments personnels. A sa place, tu serais encore plus entêté.

— J'ai de la moelle aux os, et lui pas, dit Gletkin.

— Tu es un idiot, dit Ivanof. A cause de cette réponse tu devrais être fusillé avant lui. »

Il s'en alla boitillant vers la porte qu'il fit claquer après lui.

Gletkin se rassit à sa table. Il ne croyait pas qu'Ivanof pût réussir, en même temps il redoutait son succès. La dernière phrase d'Ivanof avait semblé contenir une menace, et avec lui on ne savait jamais ce qui était plaisanterie et ce qui était sérieux. Peut-être ne le savait-il pas lui-même, comme tous ces cyniques d'intellectuels...

Gletkin haussa les épaules, rajusta son faux col et ses manchettes qui crissèrent, et continua de travailler à sa pile de documents.

TROISIÈME AUDIENCE

Il arrive que les mots doivent servir à déguiser les faits. Mais cela doit se faire de telle façon que personne ne s'en aperçoive ; ou, si cela venait à se remarquer, il faut avoir toutes prêtes des excuses que l'on peut sortir sur-le-champ.

MACHIAVEL
(Instructions à Raffaello Girolami.)

Que votre parole soit oui, oui, non, non : ce qu'on y ajoute vient du malin.
(Evangile selon saint Matthieu, V, 37.)

I

EXTRAIT DU JOURNAL DE N. S. ROUBACHOF, VINGTIÈME JOUR DE PRISON

« *... Vladimir Bogrof est tombé de la balançoire. Il y a cent cinquante ans, le jour de la prise de la Bastille, la balançoire européenne, longtemps inactive, s'est remise en mouvement. Elle avait quitté la tyrannie avec allégresse ; d'un élan qui semblait irrésistible, elle s'était élancée vers le ciel bleu de la liberté. Pendant cent ans elle avait monté de plus en plus haut dans les sphères du libéralisme et de la démocratie. Mais voilà que peu à peu elle ralentissait son allure ; la balançoire arrivait près du sommet et du moment critique de sa course ; puis, après une seconde d'immobilité, elle se mit à marcher en arrière, avec une vitesse sans cesse accélérée. Du même élan que pour monter, la balançoire ramenait ses passagers de la liberté à la tyrannie. Quiconque regardait en l'air au lieu de tenir ferme était pris de vertige et tombait.*

« *Quiconque veut éviter le vertige doit essayer de découvrir la loi qui régit le mouvement de la balançoire. Nous semblons nous trouver, dans l'histoire, en face d'un mouvement de pendule, d'un balancement de l'absolutisme à la démocratie, de la démocratie à la dictature absolutiste.*

« La quantité de liberté individuelle qu'un peuple peut conquérir et conserver dépend de son degré de maturité politique. Ledit mouvement de pendule paraît indiquer que la marche des masses vers la maturité ne suit pas une courbe régulièrement ascendante, comme fait la croissance d'un individu, mais qu'elle est gouvernée par des lois plus complexes.

« La maturité des masses consiste en leur capacité de reconnaître leurs propres intérêts. Mais cela présuppose une certaine compréhension du processus de production et de distribution des biens. La capacité d'un peuple de se gouverner démocratiquement est donc proportionnelle à son degré de compréhension de la structure et du fonctionnement de l'ensemble du corps social.

« Or, tout progrès technique crée de nouvelles complications dans la machine économique, fait apparaître de nouveaux facteurs et de nouveaux procédés, que les masses mettent un certain temps à pénétrer. Chaque bond en avant du progrès technique laisse le développement intellectuel relatif des masses d'un pas en arrière, et cause donc une chute du thermomètre de la maturité politique. Il faut parfois des dizaines d'années, parfois des générations, pour que le niveau de compréhension d'un peuple s'adapte graduellement au nouvel état des choses, jusqu'à ce que ce peuple ait recouvré la même capacité de gouvernement de soi-même qu'il possédait déjà à une étape inférieure de sa civilisation. Partant la maturité politique des masses ne saurait se mesurer par un chiffre absolu, mais seulement de façon relative, c'est-à-dire proportionnellement au niveau de la civilisation au moment donné.

« Lorsque le niveau de la conscience des masses rattrape l'état de choses objectif, il en résulte inévitablement pour la démocratie une victoire soit paisible, soit remportée par la force. Jusqu'à ce que le bond suivant de la civilisation technique — par exemple l'invention du métier à tisser mécanique — rejette les masses dans

un état d'immaturité relative, et rende possible ou même nécessaire l'établissement, sous une forme ou une autre, d'une autorité absolue.

« Ce phénomène pourrait se comparer à l'élévation d'un navire dans une écluse à plusieurs compartiments. Lorsqu'il pénètre dans le premier compartiment, le navire est à un niveau peu élevé par rapport à la capacité du compartiment ; il est peu à peu soulevé jusqu'à ce que l'eau atteigne son niveau maximum. Mais cette grandeur est illusoire, car le compartiment suivant de l'écluse est encore plus élevé, et le processus de nivellement par élévation est à recommencer. Les murs des compartiments de l'écluse représentent l'état objectif de la maîtrise des forces naturelles, de la civilisation technique ; le niveau de l'eau dans les compartiments représente la maturité politique des masses. Ce serait un non-sens que de mesurer ce niveau comme une altitude absolue au-dessus du niveau de la mer ; ce qui compte, c'est la hauteur relative du niveau dans le compartiment de l'écluse.

« L'invention de la machine à vapeur a ouvert une période de progrès objectif rapide, et, par conséquent, de rétrogression politique subjective d'une égale rapidité. L'ère industrielle est encore jeune dans l'histoire, l'écart reste considérable entre sa structure économique extrêmement complexe et la compréhension de cette structure par les masses. Il est donc explicable que la maturité politique relative des nations pendant la première moitié du XXe siècle soit moindre que deux cents ans avant Jésus-Christ ou qu'à la fin de l'époque féodale.

« L'erreur de la théorie socialiste a été de croire que le niveau de la conscience des masses montait constamment et régulièrement. De là son impuissance devant la dernière oscillation du pendule, la mutilation idéologique des peuples par eux-mêmes. Nous avons cru que l'adaptation de la conception que les masses se faisaient du monde à des circonstances nouvelles

était un processus simple, qui se mesurait en années ; or, selon toute l'expérience de l'histoire, il aurait été plus juste de le mesurer en siècles. Les peuples de l'Europe sont encore loin d'avoir mentalement digéré les conséquences de la machine à vapeur. Le système capitaliste s'écroulera avant que les masses l'aient compris.

« Quant à la Patrie de la Révolution, les masses y sont gouvernées par les mêmes lois psychologiques qu'ailleurs. Elles ont atteint le compartiment suivant de l'écluse, mais elles sont toujours au niveau inférieur de ce nouveau bassin. Le nouveau système économique qui a pris la place de l'ancien leur est encore plus incompréhensible. La montée laborieuse et pénible est à recommencer. Il faudra probablement plusieurs générations avant que le peuple parvienne à comprendre le nouvel état de choses qu'il a lui-même créé en faisant la Révolution.

« Mais jusqu'à ce moment, une forme démocratique de gouvernement est impossible, et la quantité de liberté individuelle qui peut être accordée est même inférieure à celle d'autres pays. Jusque-là, nos chefs sont obligés de gouverner comme dans le vide. Mesuré aux étalons libéraux classiques, cela n'est pas un spectacle agréable. Et cependant toute l'horreur, l'hypocrisie et la dégradation qui sautent aux yeux ne sont que l'expression visible et inévitable de la loi définie ci-dessus. Malheur à l'imbécile ou à l'esthète qui demande seulement à savoir comment et non pourquoi ! Mais malheur aussi à l'opposition dans une période de relative immaturité des masses comme celle que nous traversons !

« Dans les périodes de maturité, c'est le devoir et la fonction de l'opposition d'en appeler aux masses. En période d'immaturité mentale, seuls les démagogues invoquent le « jugement supérieur du peuple ». Dans de telles situations l'opposition a le choix entre deux

solutions : prendre le pouvoir par un coup d'Etat[1], *sans pouvoir compter sur l'appui des masses ; ou, dans un muet désespoir, se précipiter du haut de la balançoire — « mourir en silence ».*

« Il y a une troisième solution qui n'est pas moins logique, et qui dans notre pays a été érigée en système : la dénégation et la suppression de ses propres convictions lorsqu'il n'existe aucune chance de les faire aboutir. Comme le seul critère moral que nous reconnaissions est celui de l'utilité sociale, le désaveu public de ses convictions afin de rester dans les rangs du Parti est évidemment plus honorable que le don quichottisme que serait la prolongation d'une lutte sans espoir.

« Des questions d'orgueil personnel ; des préjugés comme il en existe ailleurs contre certaines formes d'humiliation de soi-même ; des sentiments personnels, fatigue, dégoût et honte — doivent être amputés sans merci et déracinés... »

II

Roubachof avait commencé d'écrire ses méditations sur la « balançoire » immédiatement après la première sonnerie de clairon le lendemain de l'exécution de Bogrof et de la visite d'Ivanof. Lorsqu'on lui apporta son petit-déjeuner, il but une gorgée de café et laissa refroidir le reste. Son écriture, qui depuis quelque temps avait pris une apparence molle et indécise, redevenait ferme et disciplinée, les lettres se faisaient plus petites, les grandes boucles dégagées faisaient place à des angles aigus. En se relisant, il remarqua le changement.

1. En français dans le texte.

A onze heures du matin on vint le chercher pour l'exercice comme à l'ordinaire, et il dut s'arrêter. Arrivé dans la cour, on lui donna comme voisin de ronde, non pas le vieux Rip Van Winkle, mais un maigre paysan aux chaussures de teille. Rip Van Winkle n'était pas dans la cour, et ce ne fut qu'alors que Roubachof se souvint n'avoir pas entendu au déjeuner l'habituel *Bedout, les damnés de la terre.* On avait apparemment emmené le vieillard, Dieu seul sait où ; pauvre phalène de l'an passé, toute déchiquetée, qui avait miraculeusement et inutilement vécu au-delà du terme fixé à son existence, pour reparaître hors de saison, voleter à la ronde aveuglément une fois ou deux, et tomber en poussière dans quelque recoin

Le paysan trotta d'abord en silence au côté de Roubachof en le regardant du coin de l'œil. Après le premier tour il se racla la gorge à plusieurs reprises, et après le second tour il dit :

« Je viens de la province de D. Votre Honneur y est-il jamais allé ? »

Roubachof répondit que non. Le D, était une lointaine province orientale, sur laquelle il n'avait que des idées assez vagues.

« C'est certainement un bon bout de chemin, dit le paysan. Il faut monter à dos de chameau pour y arriver. Votre Honneur est-il prisonnier politique ? »

Roubachof dit que oui. Les souliers de teille du paysan avaient perdu la moitié de leurs semelles ; il marchait les orteils nus dans la neige piétinée. Son cou était maigre, et il hochait constamment la tête en parlant, comme s'il répétait les « amen » dans une litanie.

« Moi aussi, je suis politique, dit-il ; c'est-à-dire que je suis un réactionnaire. Ils disent que tous les réactionnaires doivent être envoyés loin de chez eux pendant dix ans. Penses-tu qu'ils m'enverront au loin pendant dix ans, monsieur ? »

Il secoua la tête et loucha d'un air inquiet dans la direction des gardiens qui formaient un petit groupe au centre de la ronde, battant la semelle et ne prêtant aucune attention aux prisonniers.

« Qu'as-tu fait ? demanda Roubachof.

— J'ai été démasqué comme réactionnaire quand on est venu piquer les enfants, dit le paysan. Là-bas, chaque année le gouvernement nous envoie une commission. Il y a deux ans, il nous a envoyé des papiers à lire et un grand tas d'images de lui-même. L'an dernier il a envoyé une machine à battre et des brosses pour les dents. Cette année, il a envoyé de petits tuyaux en verre avec des aiguilles, pour piquer les enfants. Il y avait une femme en pantalon d'homme ; elle voulait piquer tous les enfants l'un après l'autre. Quand elle est venue à ma maison, moi et ma femme avons barricadé la porte et nous nous sommes démasqués comme réactionnaires. Puis tous ensemble nous avons brûlé les papiers et les images et nous avons démoli la machine à battre ; et alors un mois plus tard ils sont venus nous chercher. »

Roubachof murmura quelques mots et réfléchit à la suite de son essai sur le gouvernement des peuples par eux-mêmes. Il se souvint avoir jadis lu quelque chose sur les indigènes de la Nouvelle-Guinée, qui étaient intellectuellement au même niveau que ce paysan, et qui vivaient pourtant dans une complète harmonie sociale et possédaient des institutions démocratiques étonnamment développées. Ils avaient atteint le niveau supérieur d'un bassin inférieur de l'écluse.

Le paysan prit le silence de Roubachof pour un signe désapprobateur et se recroquevilla encore davantage sur lui-même. Ses orteils étaient gelés et tout bleus ; il soupirait de temps en temps ; résigné à son sort, il trottait au côté de Roubachof.

Dès que Roubachof fut rentré dans sa cellule, il

continua d'écrire. Il croyait avoir fait une découverte avec sa « loi de maturité relative » et il écrivait dans un état de joyeuse exaltation. Quand on apporta le repas de midi, il venait de terminer. Il mangea sa portion et s'étendit tout satisfait sur sa couchette.

Il dormit une heure, calmement et sans rêves, et se sentit rafraîchi au réveil. Le N° 402 tapait sur le mur depuis quelque temps ; il se sentait évidemment négligé. Il posait des questions sur le nouveau voisin de ronde de Roubachof, qu'il avait observé de sa fenêtre, mais Roubachof l'interrompit. Se souriant à lui-même, il tapa avec son pince-nez :

JE CAPITULE.

Il attendit, curieux de savoir quel effet il produirait.

Pendant longtemps rien ne vint ; le N° 402 était réduit au silence. Sa réponse vint une bonne minute plus tard.

J'AIMERAIS MIEUX ÊTRE PENDU...

Roubachof sourit. Il tapa :

CHACUN SA FAÇON.

Il s'était attendu à un éclat de colère de la part du N° 402. Mais les signaux semblaient étouffés, et comme résignés :

J'ÉTAIS ENCLIN À VOIR EN VOUS UNE EXCEPTION. NE VOUS RESTE-T-IL PAS UNE ÉTINCELLE D'HONNEUR ?

Roubachof était étendu sur le dos, le lorgnon à la main. Il se sentait calme et satisfait. Il tapa :

NOS IDÉES DE L'HONNEUR DIFFÉRENT.

Le N° 402 tapa rapidement et avec précision :

L'HONNEUR, C'EST VIVRE ET MOURIR POUR SES CONVICTIONS.

Roubachof répondit tout aussi rapidement :

L'HONNEUR, C'EST SE RENDRE UTILE SANS VANITÉ.

Le N° 402 répondit, cette fois plus fort et d'un ton plus âpre :

L'HONNEUR, C'EST LA DIGNITÉ — PAS L'UTILITÉ.

QU'EST-CE QUE LA DIGNITÉ ? demanda Roubachof, espaçant bien ses lettres et prenant son temps. Plus il tapait avec calme, plus les coups sur le mur devenaient furieux.

QUELQUE CHOSE QUE VOS PAREILS NE COMPRENDRONT JAMAIS, lui répondit le N° 402. Roubachof haussa les épaules.

NOUS AVONS REMPLACÉ LA DIGNITÉ PAR LA RAISON, répliqua-t-il.

Le N° 402 ne répondit plus.

Avant le souper, Roubachof relut ce qu'il avait écrit. Il y apporta une ou deux corrections, et recopia le tout sous forme d'une lettre adressée au procureur de la République.

Il souligna les derniers paragraphes, qui traitaient du choix possible à l'opposition, et termina le document par cette phrase :

« *Je soussigné, J.S.Roubachof, ancien membre du Comité Central du Parti, ancien Commissaire du Peuple, ancien Commandant de la Deuxième Division de l'Armée Révolutionnaire, décoré de l'Ordre Révolutionnaire pour Intrépidité devant les Ennemis du peuple, ai décidé, vu les raisons exposées ci-dessus, de renoncer absolument à mon attitude d'opposition et de dénoncer publiquement mes erreurs.* »

III

Roubachof attendait depuis trois jours d'être conduit devant Ivanof. Il avait crû que cela se produirait immédiatement après la remise au vieux geôlier du document annonçant sa capitulation ; c'était d'ailleurs ce jour-là que prenait fin le délai fixé par Ivanof. Mais il paraissait que l'on n'était plus aussi pressé à son sujet. Peut-être Ivanof étudiait-il sa « Théorie de la Maturité Relative » ; il était encore plus vraisemblable que le document avait déjà été soumis aux autorités supérieures compétentes.

Roubachof sourit à la pensée de la consternation que ce document devait avoir causée parmi les « théoriciens » du Comité central. Avant la Révolution, et même après, du vivant du vieux chef, il n'avait existé aucune distinction entre « théoriciens » et « politiciens ». La tactique à suivre dans n'importe quelle situation était directement déduite de la doctrine révolutionnaire. Au cours d'une libre discussion, les mesures stratégiques dans la Guerre civile, les réquisitions de récoltes, la division et la distribution de la terre, l'introduction de la nouvelle monnaie, la réorganisation des usines — en fait, toutes les mesures administratives — représentaient des actes de philosophie appliquée. Chacun des hommes aux têtes numérotées sur la vieille photographie qui naguère ornait le mur d'Ivanof en savait plus long sur la philosophie du droit, l'économie politique et la science du gouvernement que toutes les célébrités réunies de toutes les chaires universitaires de l'Europe. Les discussions des congrès pendant la Guerre civile s'étaient maintenues à un niveau que jamais dans l'histoire une assemblée politique n'avait encore atteint ; elles ressemblaient à des rapports de revues scientifiques — avec cette différence que de l'issue de la discussion dépendaient la vie et le bien-être de millions d'hommes et l'avenir de la Révolution.

Maintenant la vieille garde était épuisée : la logique de l'histoire voulait que plus le régime devenait stable, plus il devait se faire rigide, afin d'empêcher les immenses forces dynamiques libérées par la Révolution de se retourner sur elles-mêmes et de faire éclater en mille morceaux la Révolution. Le temps des congrès philosophiques était révolu ; au lieu des portraits d'antan, une petite tache claire brillait sur le papier peint d'Ivanof ; les principes d'une philosophie incendiaire avaient cédé la place à une période de stérile orthodoxie. La théorie révolutionnaire s'était figée en un culte dogmatique au catéchisme simplifié et facile à assimiler, avec le N° 1 comme grand prêtre disant la Messe philosophique. Ses discours et ses articles présentaient même dans leur style le caractère d'un catéchisme infaillible ; ils se subdivisaient en questions et réponses, avec une logique merveilleuse dans leur grossière simplification des problèmes et des faits. Le N° 1 appliquait d'instinct la « loi de maturité relative des masses »... Les dilettantes en tyrannie avaient forcé leurs sujets d'agir par ordre ; le N° 1 leur avait appris à penser par ordre.

Roubachof se divertissait à la pensée de ce que diraient de sa lettre les nouveaux « théoriciens » du Parti. Dans les circonstances actuelles, elle représentait la plus folle hérésie ; les pères de la doctrine, dont les paroles étaient taboues, y étaient critiqués ; on y appelait un chat un chat, et même la sacrosainte personnalité du N° 1 y était traitée objectivement dans son contexte historique. Ils devaient se tordre de douleur, ces malheureux théoriciens du jour, dont l'unique tâche était de faire passer les bonds inopinés et les soudains changements de direction du N° 1 pour les dernières révélations de la philosophie.

Le N° 1 se complaisait parfois à jouer des tours étranges à ses théoriciens. Un jour il avait demandé au comité d'experts qui rédigeaient la revue économique du Parti une analyse de la crise industrielle américaine. Il avait fallu plusieurs mois pour la terminer ; en fin de compte parut le numéro spécial dans lequel — sur la foi de la thèse exposée par le

N° 1 dans son dernier discours devant le Congrès — il était prouvé en trois cents pages environ, que le boom américain était une période de fausse prospérité, et qu'en réalité l'Amérique était dans le creux d'une dépression dont elle ne sortirait que par la révolution victorieuse. Le jour même où parut le numéro spécial, le N° 1 reçut un journaliste américain et stupéfia le monde en prononçant entre deux bouffées de sa pipe cette phrase laconique :

« La crise américaine est terminée et les affaires y sont redevenues normales. »

Les membres du comité d'experts, s'attendant à être renvoyés et peut-être arrêtés, composèrent cette même nuit des lettres dans lesquelles ils avouaient « les méfaits qu'ils avaient commis en avançant des théories contre-révolutionnaires et des analyses trompeuses » ; ils insistaient sur leurs remords et promettaient de faire amende honorable en public. Seul Isakovitch, contemporain de Roubachof, et le seul membre du comité de rédaction qui fît partie de la vieille garde, avait préféré se suicider. Les initiés affirmèrent ensuite que le N° 1 avait mis toute l'affaire en train dans le seul but de se débarrasser d'Isakovitch, qu'il soupçonnait de tendances oppositionnistes.

Le tout était une assez grotesque comédie, se disait Roubachof ; au fond tous ces tours de passe-passe avec la « philosophie révolutionnaire » n'étaient que des moyens de consolider la dictature ; bien qu'elle fût un phénomène fort déprimant, celle-ci semblait toutefois représenter une nécessité historique. Tant pis pour ceux qui prenaient la comédie au sérieux, qui ne voyaient que le devant de la scène et non les machines aux arrière-plans. Autrefois la politique révolutionnaire avait été déterminée librement dans les congrès ; maintenant elle était décidée dans la coulisse — cela aussi était une conséquence logique de la loi de maturité relative des masses.

Roubachof brûlait d'impatience de travailler à nouveau dans le calme d'une bibliothèque aux abat-jour verts, et d'y échafauder sa nouvelle théorie sur des bases historiques. Les périodes les plus productives pour la philosophie révolutionnaire avaient toujours été les périodes d'exil, de repos forcé entre les moments d'activité politique. Il faisait les cent pas dans sa cellule et laissait jouer son imagination avec l'idée de passer les deux prochaines années, pendant lesquelles il serait politiquement excommunié, dans une sorte d'exil intérieur ; son abjuration publique lui achèterait le répit nécessaire. Le style de sa capitulation n'importait guère ; ils auraient autant de *mea culpa* et de professions de foi dans l'infaillibilité du N° 1 qu'il pourrait en tenir sur le papier. C'était affaire de pure étiquette — un rituel byzantin provenant de la nécessité de faire pénétrer chaque phrase dans la masse par voie de vulgarisation et d'incessante répétition ; ce qui était présenté comme bon devait briller comme l'or, ce qui était présenté comme mauvais devait être noir comme l'ébène ; les déclarations politiques devaient être coloriées comme des bonshommes de pain d'épice à la foire.

C'étaient là des sujets auxquels le N° 402 ne comprenait rien, se dit Roubachof. Son étroite conception de l'honneur était d'un autre temps. Qu'était-ce que la dignité ? Une certaine forme de convention, encore tenue en lisière par les traditions et les règles des joutes de chevalerie. La nouvelle conception de l'honneur devait se formuler différemment : servir sans vanité et jusqu'à l'ultime conséquence...

« Mieux vaut mourir que se déshonorer », avait proclamé le N° 402, sans doute en se frisant la moustache. C'était là l'expression classique de la vanité personnelle. Le N° 402 tapait ses phrases avec son monocle ; lui, Roubachof, avec son binocle ; là était toute la différence. La seule chose qui lui importât maintenant était de travailler paisiblement dans une bibliothèque et d'y étayer ses idées nouvelles. Cela prendrait des années, et cela ferait un gros volume ; mais ce serait le premier ouvrage mettant le lecteur utilement sur la voie de la compréhension de l'histoire des institutions démocratiques et jetant un peu de lumière sur les oscillations pendulaires de la psychologie des masses, qui étaient actuellement très en évidence, et que n'expliquait nullement la théorie classique de la lutte des classes.

Roubachof arpentait sa cellule d'un pas rapide et se souriait à lui-même. Rien n'importait pourvu qu'on lui donnât le temps de développer sa nouvelle théorie. Ses dents ne lui faisaient plus mal ; il se sentait très éveillé, entreprenant, et dévoré d'impatience. Deux jours s'étaient écoulés depuis la conversation nocturne avec Ivanof et l'envoi de sa déclaration, et toujours rien n'arrivait. Les heures, qui avaient volé avec une telle rapidité pendant les deux premières semaines après son arrestation, s'éternisaient maintenant. Elles se décomposaient en minutes et en secondes. Il travaillait par à-coups, mais se trouvait chaque fois arrêté par le manque de documentation historique. Il attendait au judas, des quarts d'heure, entiers, dans l'espoir d'apercevoir le geôlier qui le mènerait chez Ivanof. Mais le couloir était désert, et la lumière électrique y brûlait comme à l'ordinaire.

Il lui arrivait d'espérer qu'Ivanof lui-même viendrait, que toutes les formalités de sa déposition seraient réglées dans sa cellule ; cela serait infiniment plus agréable. Cette fois-ci il n'élèverait même pas d'objections contre la bouteille d'eau-de-vie. Il imaginait dans le détail leur conversation ; comment ils établiraient à eux deux la pédante phraséologie des « aveux », et les mots d'esprit cyniques d'Ivanof tandis qu'ils se livraient à ce travail. En souriant, Roubachof marchait de long en large dans sa cellule, et regardait sa montre toutes les dix minutes. Ivanof n'avait-il pas promis l'autre nuit de l'envoyer chercher dès le lendemain ?

L'impatience de Roubachof se fit de plus en plus fiévreuse ; la troisième nuit après son entretien avec Ivanof il ne s'endormit pas. Etendu sur sa couchette dans la nuit noire, épiant les bruits indistincts et étouffés de la prison, il se tournait et se retournait ; pour la première fois depuis son arrestation, il souhaita la présence réconfortante d'un corps de femme. Il essaya de respirer régulièrement pour s'endormir, mais ne fit que s'énerver encore plus. Il résista longtemps au désir d'engager la conversation avec le N° 402, qui depuis sa question : « Qu'est-ce que la dignité ? » n'avait pas donné signe de vie.

Vers minuit, après être resté éveillé dans son lit pendant trois heures, les yeux fixés sur le journal collé à la vitre cassée, il n'y tint plus, et tapa au mur avec ses doigts. Fébrile, il attendit : le mur gardait le silence. Il tapa à nouveau, puis attendit, une brûlante vague d'humiliation lui montant au front. Le N° 402 ne répondait toujours pas. Et pourtant il était certainement éveillé de l'autre côté de la paroi, et tuait le temps à ruminer de vieilles aventures ; il avait avoué à Roubachof qu'il ne pouvait jamais s'endormir avant une ou deux heures du matin, et qu'il était revenu aux habitudes de son adolescence.

Roubachof était couché sur le dos, les yeux ouverts dans l'obscurité. Sa paillasse était plate et toute dure ; la couverture était trop chaude et le faisait transpirer, mais s'il la rejetait il se mettait à grelotter. Il fumait sa septième ou sa huitième cigarette à la chaîne ; les mégots étaient épars autour du lit sur le carrelage. Le moindre bruit s'était éteint ; le temps s'était immobilisé, s'était dissous en une obscurité amorphe. Roubachof ferma les yeux et se représenta Arlova couchée à son côté, la ligne familière de ses seins se détachant dans la pénombre. Il oubliait qu'elle avait été traînée comme Bogrof dans le corridor ; le silence se fit si intense qu'il lui bourdonnait dans les oreilles. Que faisaient les deux mille hommes emmurés dans les cellules de cette ruche ? Le silence s'enflait de leur respiration imperceptible, de leurs rêves invisibles, du halètement étouffé de leurs craintes et de leurs désirs. Si l'histoire était affaire de calcul, quel y était le poids du total de ces deux mille cauchemars, pour combien y comptait la pression de ce désir impuissant multiplié par deux mille ? A présent il sentait vraiment le parfum ami d'Arlova ; sous la couverture de laine son corps était baigné de sueur... La porte de la cellule s'ouvrit bruyamment ; la lumière du couloir lui perça les yeux.

Il vit entrer deux hommes en uniforme, tous deux inconnus de lui, avec des revolvers dans leurs ceinturons. L'un des deux s'approcha de la couchette ; il était grand, avec un visage brutal ; sa voix rauque parut très bruyante à Roubachof. Il ordonna à Roubachof de le suivre, sans expliquer où.

Roubachof fouilla sous la couverture à la recherche de son pince-nez, l'enfourcha et se leva. La fatigue lui donnait des membres de plomb alors qu'il marchait dans le couloir au côté du géant en uniforme, qui avait toute la tête de plus que lui. L'autre les suivait à trois pas de distance.

Roubachof regarda sa montre ; il était deux heures du matin : il avait dû dormir après tout. Ils se dirigèrent vers le coiffeur — la direction où l'on avait emmené Bogrof. Le second des gardes restait à trois pas derrière eux. Roubachof se sentit poussé à tourner la tête, comme si une démangeaison l'avait pris au bas de la nuque, mais il se retint. Après tout, ils ne peuvent pas me supprimer sans aucune cérémonie, se dit-il, pas entièrement convaincu. Sur le moment cela ne lui faisait pas grand-chose ; il souhaitait seulement qu'ils fissent vite. Il essaya de savoir s'il avait peur ou non, mais il n'eut conscience que de l'incommodité physique due à l'effort qu'il devait faire pour ne pas retourner la tête et regarder l'homme qui marchait derrière lui.

Quand ils eurent passé le tournant après le coiffeur, l'escalier en colimaçon s'offrit à leurs yeux. Roubachof observait le géant à son côté pour voir s'il ralentirait le pas. Il n'éprouvait toujours aucune crainte, seulement de la curiosité et un léger malaise ; mais quand ils eurent dépassé l'escalier, il fut surpris de constater que ses genoux tremblaient, et il dut se ressaisir. Au même moment il se surprit à frotter machinalement son pince-nez sur sa manche ; il l'avait apparemment ôté sans s'en apercevoir avant d'arriver devant le coiffeur. Quelle duperie, pensa-t-il. Par le haut, on peut s'en faire accroire, mais par le bas, à partir de l'estomac, on sait de quoi il retourne. S'ils me battent maintenant, je signerai tout ce qu'ils voudront ; mais demain je rétracterai tout...

A quelques pas de là, la « théorie de la maturité relative » lui revint à l'esprit, ainsi que le fait d'avoir déjà décidé de céder et de signer son acte de soumission. Un grand soulagement s'empara de lui ; mais au même moment il se demanda avec étonnement comment il se faisait qu'il eût si complètement oublié ses décisions des derniers jours. Le géant s'arrêta, ouvrit une porte et s'effaça. Roubachof vit devant lui un bureau semblable à celui d'Ivanof, mais éclairé d'une lumière éclatante et désagréable, qui lui crevait les yeux. En face de la porte, derrière la table, était assis Gletkin.

La porte se referma sur Roubachof, et Gletkin leva les yeux de dessus sa pile de documents. « Veuillez vous asseoir », dit-il de ce ton sec et incolore dont Roubachof se souvenait depuis leur première scène dans sa cellule. Il reconnut aussi la large cicatrice sur le crâne de Gletkin ; son visage était dans l'ombre, le seul éclairage de la pièce venant d'une grande torchère de métal placée derrière le fauteuil de Gletkin. La lumière blanche et crue versée à flots par l'ampoule d'une puissance exceptionnelle aveuglait Roubachof, si bien qu'il remarqua seulement après plusieurs secondes la présence d'une tierce personne — une secrétaire assise derrière un petit paravent à une petite table, le dos à la pièce.

Roubachof s'assit en face de Gletkin, devant la table, sur l'unique siège : c'était une petite chaise incommode.

« Je suis chargé de vous interroger en l'absence du commissaire Ivanof », dit Gletkin. La lumière de la lampe blessait les yeux de Roubachof ; mais s'il offrait son profil à Gletkin, l'effet de la lumière dans le coin de son œil était presque aussi désagréable. D'ailleurs il semblait absurde et embarrassant de parler en détournant la tête.

« Je préfère être interrogé par Ivanof, dit Roubachof.

— Le juge d'instruction est désigné par les autorités, dit Gletkin. Vous avez le droit de faire une déclaration ou de refuser. Dans votre cas un refus équivaudrait au retrait de la déclaration dans laquelle vous écriviez il y a deux jours que vous étiez disposé à avouer, et cela mettrait automatiquement fin à l'enquête. Dans cette éventualité j'ai l'ordre de renvoyer votre cas à l'autorité compétente, qui prononcerait votre sentence administrativement. »

Roubachof retourna cela rapidement dans sa tête. Quelque chose était certainement arrivé à Ivanof. Soudain envoyé en congé, ou révoqué, ou arrêté. Peut-être parce qu'on s'était souvenu de sa vieille amitié avec Roubachof ; peut-être à cause de sa supériorité intellectuelle, parce qu'il avait trop d'esprit, ou parce que sa loyauté envers le N° 1 était basée sur des considérations logiques, et non pas sur une foi aveugle. Il était trop intelligent ; il était de la vieille école : la nouvelle école, c'était Gletkin, avec ses méthodes...

La paix soit avec toi, Ivanof... Roubachof n'avait pas de temps pour la pitié ; il lui fallait penser vite, et la lumière le gênait. Il ôta son pince-nez et cligna des yeux ; il savait que sans ses verres il avait l'air nu et désemparé, et que les yeux impassibles de Gletkin observaient chacun de ses traits. S'il gardait le silence maintenant il était perdu ; plus moyen de reculer à présent. Gletkin était une répugnante créature, mais il représentait la nouvelle génération : la vieille devait composer avec elle ou se voir écrasée ; il n'y avait pas le choix. Tout d'un coup Roubachof se sentit vieux ; il n'avait jamais encore eu ce sentiment. Il n'avait jamais tenu compte du fait qu'il avait passé la cinquantaine. Il remit son pince-nez et s'efforça de soutenir le regard de Gletkin, mais la lumière éblouissante lui mit des larmes dans les yeux ; il ôta son lorgnon.

« Je suis prêt à faire une déclaration, dit-il en s'efforçant de maîtriser l'irritation qui transparaissait dans sa voix. Mais à condition que vous mettiez fin à vos artifices. Eteignez cette lumière aveuglante et gardez ces méthodes pour les escrocs et les contre-révolutionnaires.

— Vous n'êtes pas à même de poser vos conditions, dit Gletkin de sa voix posée. Je ne peux pas changer pour vos beaux yeux l'éclairage de mon bureau. Vous ne paraissez pas bien vous rendre compte de votre situation, et notamment de ce que vous êtes vous-même accusé de menées contre-révolutionnaires, chose que vous avez avouée à deux reprises dans des déclarations publiques au cours de ces dernières années. Vous vous trompez si vous vous imaginez que vous vous en tirerez à si bon compte cette fois-ci. »

« Cochon, se dit Roubachof. Sale cochon en uniforme. » Il devint pourpre. Il se sentit rougir et sut que Gletkin l'avait remarqué. Quel âge pouvait-il avoir, ce Gletkin ? Trente-six ou trente-sept ans, tout au plus ; il devait avoir pris part encore tout jeune à la Guerre civile, et avoir vu commencer la Révolution alors qu'il n'était encore qu'un garçonnet. C'était la génération qui avait commencé de penser après le déluge. Elle n'avait pas de traditions, pas de souvenirs pour la relier au vieux monde évanoui. C'était une génération née sans cordon ombilical... Et cependant elle avait le droit pour elle. Il fallait déchirer ce cordon ombilical, renier le dernier des liens qui vous attachaient aux vaines conceptions de l'honneur et à l'hypocrite dignité du vieux monde. L'honneur, c'était de servir sans vanité, sans se ménager, et jusqu'à l'ultime conséquence.

La colère de Roubachof s'apaisa peu à peu. Il garda son pince-nez à la main et tourna son visage vers Gletkin. Comme il devait rester les yeux fermés, il se sentait encore plus désemparé qu'avant, mais cela ne le gênait plus. Derrière ses paupières closes chatoyait une lumière vermeille. Il n'avait jamais éprouvé un sentiment de solitude aussi intense.

« Je ferai tout ce qui pourra servir le Parti », dit-il.

Sa voix n'était plus rauque. Sans ouvrir les yeux, il dit :

« Je vous prie d'énoncer l'accusation dans le détail. Jusqu'ici personne ne l'a encore fait. »

Il entendit, plutôt qu'il ne vit de ses yeux clignotants, un mouvement rapide traverser la roide silhouette de Gletkin. Ses manchettes empesées crissèrent sur les bras de son fauteuil, il respira un tantinet plus profondément, comme si pendant un instant tout son corps s'était détendu. Roubachof devina que Gletkin venait d'éprouver le triomphe de sa vie. Avoir abattu un Roubachof, c'était le commencement d'une grande carrière ; et une minute auparavant tout était encore en balance pour Gletkin —

avec le sort d'Ivanof devant ses yeux pour lui servir d'exemple.

Roubachof comprit soudain qu'il avait tout autant de pouvoir sur Gletkin que ce dernier en avait sur lui. « Je te tiens à la gorge, mon gars, se dit-il avec une grimace ironique. Nous nous tenons à la gorge, et si je saute de la balançoire, je t'entraîne avec moi. » Un instant Roubachof se divertit de cette idée, tandis que Gletkin, redevenu raide et méticuleux, fouillait dans ses documents ; puis il repoussa la tentation et ferma lentement ses yeux endoloris. Il fallait brûler en soi les dernières traces de vanité — et qu'est-ce que le suicide sinon une forme invertie de vanité ? Ce Gletkin, bien sûr, croyait que c'étaient ses artifices, et non pas les arguments d'Ivanof, qui l'avaient amené à capituler ; peut-être Gletkin était-il parvenu aussi à persuader de cela les autorités supérieures, et avait ainsi provoqué la chute d'Ivanof. « Canaille, se dit Roubachof, mais cette fois sans colère. Brute logique que tu es, revêtu de l'uniforme que nous avons créé — barbare du nouvel âge qui commence. Tu ne comprends pas de quoi il s'agit ; mais si tu comprenais, tu ne nous servirais de rien... » Il constata que la lumière de la lampe était devenue d'un degré plus crue — Roubachof savait qu'il existait des dispositifs pour augmenter ou diminuer pendant un interrogatoire la puissance de ces lampes à réflecteur. Il fut obligé de détourner tout à fait la tête et d'essuyer ses yeux pleins de larmes. « Brute que tu es, se dit-il encore. Et pourtant c'est précisément une génération de brutes comme toi qu'il nous faut maintenant... »

Gletkin avait commencé la lecture de l'accusation. Sa voix monotone était plus irritante que jamais ; Roubachof l'écoutait, la tête détournée et les yeux clos. Il était résolu à considérer ses « aveux » comme une formalité, comme une comédie absurde mais nécessaire, dont seuls les initiés pourraient comprendre la tortueuse signification ; mais le texte que lisait Gletkin dépassait en absurdité ses pires prévisions. Gletkin croyait-il vraiment que lui, Roubachof, avait conçu ces complots insensés ? Que pendant des années il n'avait pensé qu'à démolir l'édifice dont la vieille garde et lui avaient jeté les fondations ? Et eux tous, les hommes aux têtes numérotées, les héros de l'enfance de Gletkin — Gletkin croyait-il qu'ils étaient soudain tombés victimes d'une épidémie qui les rendait tous vénaux et corruptibles et ne leur laissait qu'un désir — défaire la Révolution ? Et cela avec des méthodes que ces grands tacticiens politiques semblaient avoir empruntées à un mauvais roman policier ?

Gletkin lisait d'une voix monotone, sans intonations — la voix terne et stérile des gens qui ont appris leur alphabet tardivement, à l'âge adulte. Il était en train de lire quelque chose sur les soi-disant négociations avec le représentant d'une Puissance étrangère, engagées, prétendait-on, par Roubachof pendant son séjour en B. — dans le but de restaurer par la force l'ancien régime. Le nom du diplomate étranger était cité, ainsi que le moment et le lieu de leur rencontre. Roubachof écoutait plus attentivement. Dans sa mémoire passa soudain une petite scène sans intérêt, qu'il avait oubliée sur le moment et à laquelle il n'avait jamais plus pensé. Il calcula rapidement la date approximative ; cela semblait coïncider. Etait-ce donc la corde avec laquelle on allait le pendre ? Roubachof sourit et passa son mouchoir sur ses yeux remplis de larmes.

Gletkin poursuivit sa lecture de son air guindé et avec une monotonie assommante. Croyait-il vraiment à ce qu'il lisait ? Ne se rendait-il pas compte de l'absurdité grotesque de ce texte ? Il en était maintenant à l'époque où Roubachof avait dirigé l'Office de l'aluminium. Il lisait des statistiques montrant l'effroyable désorganisation de cette industrie trop hâtivement développée ; le nombre des ouvriers victimes d'accidents, la série des avions écrasés au sol à cause de matières premières défectueuses. Tout cela était la conséquence de son diabolique sabotage à lui, Roubachof. Le mot « diabolique » revenait réellement dans le texte à plusieurs reprises, au milieu d'expressions techniques et de chiffres. Pendant quelques secondes Roubachof crut que Gletkin était devenu fou ; ce mélange de logique et d'absurdité tenait de la folie méthodique du schizophrène. Mais l'acte d'accusation n'avait pas été rédigé par Gletkin ; il ne faisait qu'en donner lecture : ou bien il y croyait réellement, ou bien il le jugeait tout au moins vraisemblable...

Roubachof tourna la tête vers la sténographe dans son coin obscur. Elle était petite et maigre et portait des lunettes. Elle taillait son crayon avec sérénité et pas une fois elle ne tourna la tête dans sa direction. Evidemment, elle aussi estimait convaincantes les monstruosités dont Gletkin donnait lecture. Elle était encore jeune, vingt-cinq ou vingt-six ans ; elle aussi avait grandi après le déluge. Que signifiait le nom de Roubachof pour cette nouvelle génération d'hommes de Néanderthal ? Il était assis là devant la lumière aveuglante du réflecteur, il ne pouvait tenir ouverts ses yeux larmoyants, et ils lui faisaient la lecture de leurs voix ternes et le regardaient de leurs yeux impassibles, avec indifférence, comme s'il était étendu sur le marbre d'un amphithéâtre d'anatomie.

Gletkin en était au dernier paragraphe de l'acte d'accusation. Il contenait le bouquet : le complot d'assassinat du N° 1. Le mystérieux X mentionné par Ivanof au cours de la première audience y reparaissait. Il s'agissait d'un des adjoints du gérant du restaurant où le N° 1 commandait à midi sa collation froide les jours où il était très occupé. Ce repas froid était un des aspects du mode de vie spartiate du N° 1 assidûment utilisés par la propagande ; et c'était précisément à l'aide de ce proverbial repas froid que X, à l'instigation de Roubachof, devait s'assurer de la fin prématurée du N° 1. Roubachof se sourit à lui-même, les yeux clos ; quand il les rouvrit, Gletkin avait cessé de lire et le regardait. Au bout de quelques secondes de silence, Gletkin dit, de son ton habituel, affirmatif plutôt qu'interrogateur :

« Vous avez entendu l'accusation et vous plaidez coupable. »

Roubachof essaya de le dévisager. Il ne le put pas, et dut refermer les yeux. Il avait eu au bout de la langue une réponse mordante ; il se retint et dit, si doucement que la maigre secrétaire dut tendre l'oreille pour l'entendre :

« Je plaide coupable de n'avoir pas compris la nécessité fatale qui détermine la politique du gouvernement, et d'avoir en conséquence entretenu des idées oppositionnistes. Je plaide coupable d'avoir suivi des impulsions sentimentales, et donc d'avoir été amené à me trouver en contradiction avec la nécessité historique. J'ai prêté l'oreille aux lamentations des sacrifiés, et suis ainsi devenu sourd aux arguments qui démontraient la nécessité de les sacrifier. Je plaide coupable d'avoir placé la question de la culpabilité et de l'innocence avant celle de l'utilité et de la nocivité. Finalement, je plaide coupable d'avoir mis l'idée de l'homme au-dessus de l'idée de l'humanité... »

Roubachof s'arrêta et essaya encore une fois d'ouvrir les yeux. Il jeta un regard clignotant vers le coin de la secrétaire, détournant la tête de la lumière. Elle venait de finir d'écrire ce qu'il avait dit ; il crut voir un sourire ironique sur son profil pointu.

« Je sais, poursuivit Roubachof, que mon aberration, si elle avait été suivie d'action, aurait représenté un danger mortel pour la Révolution. Toute opposition, aux tournants critiques de l'histoire, porte en elle le germe d'un schisme dans le Parti, et partant, le germe de la guerre civile. La faiblesse humanitaire et la démocratie libérale, lorsque les masses ne sont pas mûres, équivalent au suicide de la Révolution. Et pourtant mon attitude d'opposition était précisément basée sur la nostalgie de ces méthodes — si désirables en apparence, si mortelles en réalité. Sur la nostalgie d'une réforme libérale de la dictature ; d'une démocratie établie sur des bases plus larges ; de l'abolition de la Terreur ; et d'un assouplissement de l'organisation rigide du Parti. Je reconnais que ces revendications, dans la situation actuelle, sont objectivement nuisibles et présentent donc un caractère contre-révolutionnaire... »

Il fit une nouvelle pause, parce qu'il avait la gorge sèche et que sa voix s'enrouait. Il entendait dans le silence les grattements du crayon de la secrétaire : il leva un peu la tête, les yeux clos, et poursuivit :

« C'est dans ce sens, et dans ce sens seulement, que vous pouvez m'appeler un contre-révolutionnaire. Quant aux absurdes inculpations criminelles contenues dans l'accusation, elles n'ont rien à faire avec moi.

— Avez-vous terminé ? » demanda Gletkin.

Sa voix rendit un son si brutal que Roubachof le regarda, surpris. La silhouette brillamment éclairée de Gletkin se détachait derrière la table dans sa pose habituelle si correcte. Roubachof cherchait depuis longtemps une simple définition du personnage de Gletkin : « brutalité correcte » — voilà ce que c'était.

« Votre déclaration n'a rien de nouveau, poursuivit Gletkin de sa voix sèche et âpre. Dans chacune de vos précédentes confessions, la première il y a deux ans, la seconde il y a douze mois, vous avez déjà avoué publiquement que votre attitude avait été « objectivement contre-révolutionnaire et opposée aux intérêts du peuple ». Chaque fois vous avez humblement demandé le pardon du Parti, et fait vœu de loyauté envers la politique de ses chefs. Maintenant, vous vous imaginez jouer une troisième fois la même partie. La déclaration que vous venez de faire n'est que pure frime. Vous reconnaissez votre « attitude oppositionniste », mais vous niez avoir commis les actes qui en sont la conséquence logique. Je vous ai déjà dit que cette fois-ci vous ne vous en tirerez pas aussi facilement. »

Gletkin s'arrêta de parler aussi brusquement qu'il avait commencé. Dans le silence qui suivit ses paroles, Roubachof entendit le bourdonnement sourd du courant électrique dans la lampe. Au même moment la lumière devint encore un peu plus forte.

« Les déclarations que j'ai faites alors, dit Roubachof très bas, ont été faites pour des raisons de tactique. Vous savez certainement que toute l'opposition fut obligée de payer de pareilles déclarations le privilège de rester dans le Parti. Mais cette fois-ci mon intention est différente...

— C'est-à-dire que cette fois vous êtes sincère ? demanda Gletkin. Cette question sortit très vite, et sa voix correcte ne contenait aucune ironie.

— Oui, dit Roubachof calmement.

— Et avant, vous mentiez ?

— Comme vous voudrez, dit Roubachof.

— Pour sauver votre tête ?

— Pour poursuivre mon travail.

— Sans tête on ne travaille pas. Donc, pour sauver votre tête ?

— Comme vous voudrez. »

Dans les brefs intervalles entre les questions que lui lançait Gletkin et ses propres réponses, Roubachof n'entendait que le crayon de la secrétaire qui grattait le papier, et la lampe qui bourdonnait. La lampe déversait des cascades de lumière blanche, et il s'en dégageait une chaleur constante qui forçait Roubachof à éponger son front couvert de sueur. Il faisait des efforts pour tenir ouverts ses yeux brûlants, mais les intervalles pendant lesquels il les ouvrait se faisaient de plus en plus longs ; il était gagné par une envie de dormir croissante, et lorsque Gletkin, après sa dernière série de rapides questions, garda le silence pendant quelques instants, Roubachof, prenant à la chose une sorte d'intérêt lointain, sentit son menton qui s'affaissait sur sa poitrine. Lorsque la question suivante le fit sursauter, il eut l'impression d'avoir dormi pendant un temps indéterminé.

« Je répète, disait la voix de Gletkin. Vos précédentes déclarations de repentir avaient pour objet de tromper le Parti sur vos véritables opinions, et de sauver votre peau.

— J'ai déjà avoué cela, dit Roubachof.

— Et votre désaveu public de votre secrétaire Arlova avait le même but ? »

Muet, Roubachof hocha la tête. La pression sur ses orbites s'irradiait par tous ses nerfs du côté droit de son visage. Il s'aperçut que sa dent lui donnait de nouveau des élancements.

« Vous savez que la citoyenne Arlova vous a constamment cité comme son principal témoin à décharge ?

— On m'en a informé, dit Roubachof. Les élancements se firent plus violents dans sa gencive.

— Vous savez sans doute aussi que la déclaration faite par vous à ce moment-là, dont vous venez de dire qu'elle était mensongère, eut un effet décisif pour la sentence de mort d'Arlova ?

— On m'en a informé. »

Roubachof eut l'impression que tout le côté droit de son visage était crispé par une crampe. Sa tête se fit plus obtuse et plus lourde ; il avait de la difficulté à l'empêcher de s'affaisser sur sa poitrine. La voix de Gletkin s'enfonça en vrille dans son oreille :

« Il est donc possible que la citoyenne Arlova ait été innocente ?

— Cela est possible, dit Roubachof avec un dernier reste d'ironie qui lui laissa sur la langue un goût de sang et de fiel.

— ... Et qu'elle ait été exécutée en conséquence de la déclaration mensongère que vous fîtes dans le but de sauver votre peau ?

— C'est à peu près ça, dit Roubachof. Misérable, se dit-il dans un accès de fureur nonchalante et impuissante. Bien sûr que tout ce que tu dis est la vérité toute nue. On voudrait bien savoir lequel de nous deux est le plus grand scélérat. Mais il me tient à la gorge et je ne peux pas me défendre, parce qu'il n'est pas permis de se jeter à bas de la balançoire. Si au moins il voulait bien me laisser dormir. S'il continue de me tourmenter pendant longtemps, je retire tout ce que j'ai dit et je refuse de parler — et alors c'en est fait de moi, et de lui aussi.

— Et après tout cela, vous demandez qu'on vous traite avec des égards ? poursuivit la voix de Gletkin, avec la même brutale correction. Vous osez encore nier vos menées criminelles ? Après tout cela, vous exigez que nous ajoutions foi à ce que vous dites ? »

Roubachof abandonna tout effort pour tenir la tête haute. Evidemment Gletkin avait raison de ne pas le croire. Lui-même commençait d'ailleurs à se perdre dans le labyrinthe des mensonges calculés et des faux-semblants dialectiques, dans le crépuscule séparant la vérité de l'illusion. L'ultime vérité s'éloignait toujours d'un pas ; il ne restait de visible que le pénultième mensonge au moyen duquel on devait la servir. Et à quelles pathétiques contorsions, à quelle danse de Saint-Guy ne se trouvait-on pas astreint ! Comment convaincre Gletkin que cette fois il était bien sincère, qu'il était arrivé à sa dernière étape ? Toujours il fallait convaincre quelqu'un, parler, discuter — alors que tout ce que l'on souhaitait était de dormir et de s'éteindre...

« Je n'exige rien, dit Roubachof, et il tourna la tête douloureusement dans la direction d'où était venue la voix de Gletkin, sinon de prouver une fois de plus mon dévouement au Parti.

— Il n'y a qu'une preuve que vous puissiez en donner, prononça la voix de Gletkin, des aveux complets. Nous avons assez entendu parler de votre « attitude oppositionniste » et de vos nobles motifs. Ce qu'il nous faut, c'est la confession complète et publique de vos menées criminelles, qui étaient l'aboutissement nécessaire de cette attitude. La seule façon dont vous puissiez encore servir le Parti est d'être un avertissement et un exemple — en démontrant aux masses, en personne, les conséquences auxquelles conduit inévitablement l'opposition à la politique du Parti. »

Roubachof songea à la collation du N° 1. Ses nerfs faciaux en feu le lancinaient au maximum ; mais la douleur n'était plus aiguë et cuisante ; elle venait maintenant par pulsations sourdes et engourdies. Il pensa au repas froid du N° 1, et les muscles de son visage se tordirent en une grimace :

« Je ne peux pas avouer des crimes que je n'ai pas commis, dit-il carrément.

— Ça non, fit la voix de Gletkin. Non, vous ne pouvez certainement pas faire ça », et pour la première fois Roubachof crut reconnaître dans cette voix quelque chose qui ressemblait à un ton railleur.

A partir de ce moment les souvenirs de Roubachof sur l'interrogatoire se faisaient plutôt *nébuleux*[1]. Après la phrase « vous ne pouvez certainement pas faire ça », demeurée dans son oreille à cause de son intonation singulière, il y avait dans sa mémoire un trou d'une durée incertaine. Plus tard il lui sembla qu'il s'était endormi et il se souvenait même d'un rêve étrangement agréable. Il n'avait sans doute duré que quelques secondes ; c'était une suite inconsistante et sans fin de paysages lumineux, avec les peu-

1. En français dans le texte.

pliers amis qui bordaient l'avenue du domaine paternel, et une espèce particulière de nuage blanc qu'il avait observée jadis dans son enfance au-dessus de ces arbres.

Ensuite il se souvenait de la présence d'un nouveau personnage dans la pièce, et de la voix de Gletkin qui tonitruait au-dessus de lui — Gletkin avait dû se lever et se pencher par-dessus sa table :

« Je vous prie de faire bien attention... Reconnaissez-vous cet homme ? »

Roubachof hocha la tête en signe d'assentiment. Il avait tout de suite reconnu Bec-de-lièvre, bien qu'il ne portât pas l'imperméable dans lequel il avait coutume de s'envelopper les épaules en se recroquevillant de froid au cours de ses promenades dans là cour. Une suite familière de chiffres traversa la mémoire de Roubachof : 2-5 ; 1-1 ; 4-3 ; 1-5 ; 3-2 ; 4-2 ;... « Bec-de-lièvre vous envoie ses salutations ». A quel propos le N° 402 lui avait-il communiqué ce message ?

« Quand et où l'avez-vous connu ? »

Roubachof dut faire un certain effort pour parler ; l'amertume était restée sur sa langue desséchée :

« Je l'ai vu à maintes reprises de ma fenêtre, qui se promenait dans la cour.

— Et vous ne le connaissiez pas avant ? »

Bec-de-lièvre était debout près de la porte, à quelques pas de distance derrière la chaise de Roubachof ; la lumière du réflecteur donnait en plein sur lui. Son visage, jaune d'ordinaire, était d'un blanc crayeux, son nez était pointu ; sa lèvre fendue, avec son renflement charnu, tremblotait sur sa gencive nue. Ses mains pendaient mollement vers ses genoux ; Roubachof, qui tournait maintenant le dos à la lampe, le vit comme une apparition dans les feux de la rampe. Une nouvelle série de chiffres lui traversa la tête : — 4-5 ; 3-5 ; 4-3... — « a été torturé hier ». Presque au même instant, l'ombre d'un souvenir insaisissable lui passa dans l'esprit — le souvenir d'avoir jadis vu l'original vivant de cette épave humaine, longtemps avant d'entrer dans la cellule N° 404.

« Je ne sais pas au juste, répondit-il avec hésitation à la question de Gletkin. Maintenant que je le vois de plus près, il me semble l'avoir déjà vu quelque part. »

Avant même d'avoir terminé sa phrase, Roubachof sentit qu'il aurait mieux valu ne pas la prononcer. Il souhaita ardemment que Gletkin veuille bien lui laisser quelques minutes pour se ressaisir. La façon dont Gletkin lui décochait ses questions dans une suite rapide et sans arrêt évoquait dans son esprit l'image d'un oiseau de proie débitant sa victime à coups de bec.

« Où avez-vous vu cet homme pour la dernière fois ? La précision de votre mémoire était jadis proverbiale dans le Parti. »

Roubachof se taisait. Il se torturait la mémoire, mais il ne pouvait situer nulle part cette apparition dans la lumière éclatante, ces lèvres tremblantes. Bec-de-lièvre ne bougeait pas. Il passait sa langue sur le renflement cramoisi de sa lèvre supérieure ; son regard allait de Roubachof à Gletkin et revenait sur Roubachof.

La secrétaire n'écrivait plus ; on n'entendait que le bourdonnement égal de la lampe et les crissements des manchettes de Gletkin ; il s'était penché en avant et appuyait les coudes sur les bras de son fauteuil pour poser la question suivante :

« Vous refusez donc de répondre ?

— Je ne me souviens pas, dit Roubachof.

— Bien », dit Gletkin.

Il se pencha davantage, pesant sur Bec-de-lièvre de tout son poids :

« Voulez-vous rafraîchir la mémoire du citoyen Roubachof ? Où l'avez-vous vu la dernière fois ? »

Le visage de Bec-de-lièvre devint encore plus blême, si cela était possible. Ses yeux s'attardèrent pendant quelques secondes sur la secrétaire, dont il ne faisait apparemment que découvrir la présence, puis son regard se détourna aussitôt, comme s'il voulait fuir et chercher quelque refuge. Il passa de nouveau sa langue sur ses lèvres et dit très vite et tout d'une traite :

« J'ai été incité par le citoyen Roubachof à empoisonner le chef du Parti. »

Tout d'abord Roubachof fut seulement surpris par une voix profonde et mélodieuse que l'on ne s'attendait pas à entendre sortir de cette ruine. Sa voix semblait être la seule chose en lui qui soit restée intacte ; elle formait avec son apparence extérieure un contraste hallucinant. Roubachof mit quelques secondes à saisir le sens des paroles qu'il venait de prononcer. Depuis l'arrivée de Bec-de-lièvre il s'était attendu à quelque chose de ce genre et flairait le danger ; mais à présent il avait surtout conscience de tout ce que cette accusation avait de grotesque. Un moment plus tard il entendit Gletkin — cette fois-ci dans son dos, puisque Roubachof s'était tourné vers Bec-de-lièvre. Il y avait de l'irritation dans la voix de Gletkin :

« Je ne vous ai pas encore demandé cela. Je vous ai demandé où vous avez rencontré le citoyen Roubachof la dernière fois. »

« Maladroit, se dit Roubachof. Il n'aurait pas dû souligner que l'autre s'était trompé de réponse. Je ne m'en serais pas aperçu. » Il lui semblait maintenant avoir la tête tout à fait lucide, d'une vigilance fiévreuse. Il cherchait une comparaison. « Ce témoin est un piano automatique, se dit-il ; et maintenant il vient de se tromper d'air. » La réponse suivante de Bec-de-lièvre fut encore plus mélodieuse :

« J'ai rencontré le citoyen Roubachof après une réception à la Délégation Commerciale en B. C'est là qu'il m'a incité à mon complot terroriste contre la vie du chef du Parti. »

Tandis qu'il parlait, son regard hanté se posa sur Roubachof et s'y maintint. Roubachof mit son pince-nez et répondit à ce regard avec une vive curiosité. Mais dans les yeux du jeune homme il ne lut pas une excuse, mais plutôt une confiance fraternelle et le muet reproche d'un être tourmenté et impuissant. Ce fut Roubachof qui détourna le premier les yeux.

Derrière lui se fit entendre la voix de Gletkin, redevenue sûre d'elle-même et brutale :

« Vous souvenez-vous de la date de cette rencontre ?

— Je m'en souviens distinctement, dit Bec-de-lièvre de sa voix monstrueusement agréable. C'était après la réception donnée à l'occasion du vingtième anniversaire de la Révolution. »

Son regard sans défense restait posé sur les yeux de Roubachof, comme s'il y cherchait désespérément une dernière chance de sauvetage. Un souvenir, d'abord estompé puis plus net, se reforma dans l'esprit de Roubachof. Enfin il reconnaissait Bec-de-lièvre. Mais cette découverte ne lui causa qu'un douloureux étonnement. Il se tourna vers Gletkin et dit doucement en clignotant dans la clarté de la lampe :

« La date est exacte. Je n'ai pas reconnu tout d'abord le fils du professeur Kieffer, ne l'ayant vu qu'une seule fois — avant qu'il soit passé entre vos mains. Vous pouvez vous féliciter du résultat de votre travail.

— Vous avouez donc le connaître, et l'avoir rencontré le jour et à l'endroit susdits ?

— Je viens de vous le dire, répondit Roubachof avec lassitude. Sa fiévreuse vigilançe s'était dissipée, et le sourd martèlement reprenait dans sa tête. Si vous m'aviez dit tout de suite qu'il était le fils de mon malheureux ami Kieffer, je l'aurais identifié plus tôt.

— Son nom est pleinement décliné dans l'acte d'accusation, dit Gletkin.

— Gomme tout le monde, je ne connaissais le professeur Kieffer que sous son *nom de plume*[1].

— Détail sans importance, dit Gletkin. Il pencha de nouveau le buste vers Bec-de-lièvre, comme s'il voulait l'écraser de tout son poids à travers l'espace qui les séparait. Poursuivez votre déposition. Dites-nous comment cette réunion se produisit. »

« Encore une maladresse, se dit Roubachof, malgré son envie de dormir. Ce n'est certainement pas un détail sans importance. Si j'avais réellement incité cet homme à cette idiotie de complot, je me serais souvenu de lui à la première allusion, avec ou sans le nom. » Mais il était trop fatigué pour s'embarquer dans de longues explications ; et d'ailleurs, il lui aurait fallu se retourner vers la lampe. Comme cela, il pouvait au moins tourner le dos à Gletkin.

Tandis qu'ils discutaient de son identité, Bec-de-lièvre était resté debout, la tête baissée et sa lèvre supérieure tremblotant dans le feu éblouissant du projecteur. Roubachof songeait à son vieil ami et camarade Kieffer, le grand historien de la Révolution. Sur la fameuse photographie de la table du Congrès, où tous portaient la barbe et avaient de petits cercles autour de la tête comme des auréoles, il siégeait à gauche du vieux leader. Il avait collaboré avec lui dans ses travaux historiques ; il était aussi son partenaire aux échecs, et peut-être son seul ami intime. Après la mort du « vieux », Kieffer, qui l'avait mieux connu que tout autre, fut chargé de rédiger sa biographie. Il y avait travaillé plus de dix ans, mais elle ne devait jamais paraître. La version officielle des événements de la Révolution avait subi de curieux changements pendant ces dix années ; il fal-

1. En français dans le texte.

lait récrire les rôles qu'y avaient joués les principaux acteurs, y remanier l'échelle des valeurs ; mais le vieux Kieffer était un entêté et ne comprenait rien à la dictature du nouveau régime sous le N° 1...

« Mon père et moi, poursuivit Bec-de-lièvre de sa voix musicale, à notre retour du Congrès international d'Ethnologie, auquel je l'avais accompagné, nous fîmes un détour par la B., car mon père voulait rendre visite à son ami, le citoyen Roubachof... »

Roubachof l'écoutait avec un mélange de curiosité et de mélancolie. Jusqu'à présent ce qu'il racontait était exact ; le vieux Kieffer était venu le voir, poussé par le besoin de s'épancher et aussi de lui demander conseil. La soirée qu'ils avaient passée ensemble avait probablement été le dernier moment agréable de la vie du vieux Kieffer.

« Nous n'avions qu'une seule journée à y passer, poursuivit Bec-de-lièvre, sans détacher son regard du visage de Roubachof, comme s'il y cherchait force et encouragement. C'était précisément le jour anniversaire de la Révolution ; c'est pourquoi je me souviens si bien de la date. Tout le jour le citoyen Roubachof fut occupé par des réceptions officielles et il ne vit mon père que quelques minutes. Mais le soir, une fois la réception de la Légation terminée, il invita mon père dans son appartement particulier, et mon père me permit de l'accompagner. Le citoyen Roubachof était fatigué et avait mis sa robe de chambre, mais il nous reçut très chaleureusement. Il avait préparé sur une table du vin, du cognac et des gâteaux, et après avoir embrassé mon père il l'accueillit avec ces paroles : « La soirée d'adieux du dernier des Mohicans... »

Derrière le dos de Roubachof la voix de Gletkin l'interrompit :

« Avez-vous aussitôt remarqué l'intention de Roubachof de vous mettre en état d'ivresse, afin de vous rendre plus accessible à ses projets ? »

Roubachof crut voir se dessiner l'ombre d'un sourire sur le visage ravagé de Bec-de-lièvre : pour la première fois il y aperçut une légère ressemblance avec le jeune homme qu'il avait vu ce soir-là. Mais cette expression s'évanouit aussitôt ; Bec-de-lièvre clignota et lécha sa lèvre fendue.

« Il me parut plutôt suspect, mais alors je ne perçai pas son projet à jour. »

« Pauvre petit salaud, se dit Roubachof, qu'ont-ils fait de toi ?... »

« Continuez », gronda la voix de Gletkin.

Il fallut quelques secondes à Bec-de-lièvre pour se ressaisir après cette interruption. Dans l'intervalle on entendit la maigre sténographe qui taillait son crayon.

« Roubachof et mon père passèrent assez longtemps à échanger des souvenirs. Ils ne s'étaient pas vus depuis des années. Ils parlèrent du temps d'avant la Révolution, de personnes de la vieille génération que je ne connaissais que par ouï-dire, et de la Guerre civile. Ils s'exprimaient fréquemment par des allusions que je ne pouvais pas suivre, et ils riaient de souvenirs que je ne comprenais pas.

— But-on beaucoup ? » demanda Gletkin.

Bec-de-lièvre, en pleine lumière, clignota d'un air désemparé. Roubachof constata qu'il se balançait légèrement tout en parlant, comme s'il avait du mal à rester sur ses jambes.

« Passablement à ce que je crois, poursuivit Bec-de-lièvre. Pendant ces dernières années je n'avais jamais vu mon père aussi gai.

— Cela se passait, fit la voix de Gletkin, trois mois avant la découverte des menées contre-révolutionnaires de votre père, qui provoqua son exécution trois mois plus tard. »

Bec-de-lièvre se lécha les lèvres et garda le silence. Mû par un élan soudain, Roubachof s'était tourné vers Gletkin, mais, aveuglé par la lumière, il ferma les yeux et se retourna lentement, frottant ses verres sur sa manche. Le crayon de la secrétaire crissait sur le papier et s'arrêta. Puis de nouveau ce fut la voix de Gletkin :

« Etiez-vous dès ce moment-là initié aux menées contre-révolutionnaires de votre père ? »

Bec-de-lièvre se lécha les lèvres :

« Oui, dit-il.

— Et vous saviez que Roubachof partageait les opinions de votre père ?

— Oui.

— Rapportez les phrases principales de la conversation. Omettez tout ce qui n'est pas essentiel. »

Bec-de-lièvre s'était maintenant croisé les mains derrière le dos et s'épaulait contre le mur.

« Au bout d'un moment mon père et Roubachof en vinrent au temps présent. Ils s'exprimèrent en termes péjoratifs sur l'état de choses actuel à l'intérieur du Parti, et sur les méthodes employées par sa direction. Roubachof et mon père désignaient toujours le chef comme « le N° 1 ». Roubachof dit que depuis que le N° 1 avait posé sur le Parti son large postérieur, l'air n'y était plus respirable. C'était la raison pour laquelle il préférait être en mission à l'étranger. »

Gletkin se tourna vers Roubachof :

« Cela était peu de temps avant votre première déclaration de loyauté envers le chef du Parti ? »

Roubachof se tourna à demi vers la lumière :

« C'est exact, dit-il.

— Fut-il question pendant la soirée de l'intention qu'avait Roubachof de faire une telle déclaration ? demanda Gletkin à Bec-de-lièvre.

— Oui. Mon père le reprocha à Roubachof et dit qu'il n'aurait pas cru cela de lui. Roubachof se mit à rire, et traita mon père de vieil imbécile et de Don Quichotte. Il dit que ce qui comptait, c'était de tenir plus longtemps que les autres et d'attendre son heure pour frapper.

— Que voulait-il dire par cette expression : « Attendre son heure » ?

Le regard du jeune homme se posa de nouveau sur le visage de Roubachof avec une expression désolée et presque tendre. Roubachof eut l'idée absurde qu'il était sur le point de marcher vers lui et de l'embrasser sur le front. Il sourit de cette absurdité, tandis que la voix agréable répondait :

« L'heure à laquelle le leader du Parti serait écarté de son poste. »

Gletkin, à qui n'avait pas échappé le sourire de Roubachof, dit sèchement :

« Ces souvenirs semblent vous amuser ?

— Peut-être », dit Roubachof en refermant les yeux.

Gletkin remit en place une de ses manchettes et continua d'interroger Bec-de-lièvre :

« Ainsi Roubachof parla de l'heure où le leader du Parti serait écarté de son poste. Comment cela devait-il se faire ?

— Mon père considérait qu'un jour la coupe déborderait et que le Parti le déposerait ou le forcerait à démissionner ; et que l'opposition devait propager cette idée.

— Et Roubachof ?

— Roubachof se riait de mon père, et répéta qu'il était un imbécile et un Don Quichotte. Puis il déclara que le N° 1 n'était pas un phénomène accidentel, mais l'incarnation d'une certaine caractéristique humaine — à savoir, la croyance absolue à l'infaillibilité de ses propres convictions, d'où il tirait la force nécessaire à son manque absolu de scrupules. Donc il ne démissionnerait jamais spontanément, et il ne pouvait être écarté que par la violence. On n'avait rien à espérer du Parti non plus, car le N° 1 tenait tous les fils dans sa main, avait fait de la bureaucratie du Parti un complice qui était solidaire avec lui et le savait. »

Malgré son envie de dormir, Roubachof fut frappé de l'exactitude avec laquelle le jeune homme s'était rappelé ses paroles. Il ne se souvenait plus lui-même des détails de la conversation, mais il ne doutait pas que Bec-de-lièvre ne l'eût rapportée avec fidélité. Il observa le jeune Kieffer à travers son lorgnon avec un renouveau d'intérêt.

La voix de Gletkin retentit à nouveau :

« Ainsi Roubachof souligna la nécessité du recours à la violence contre le N° 1 — c'est-à-dire le leader du Parti ? »

Bec-de-lièvre hocha la tête affirmativement.

« Et ses arguments, aidés d'une consommation libérale de spiritueux, firent sur vous une forte impression ? »

Le jeune Kieffer ne répondit d'abord pas. Puis il dit, d'un ton un peu plus bas qu'auparavant :

« Je n'avais presque rien bu. Mais tout ce qu'il dit fit sur moi une profonde impression. »

Roubachof baissa la tête. Un soupçon montait en lui, qui lui causait presque une douleur physique et lui faisait oublier tout autre sujet. Se pouvait-il que ce malheureux jeune homme eût en effet tiré les conclusions de sa pensée à lui, Roubachof — et qu'il se tînt là devant lui dans l'éblouissement du réflecteur, vivante incarnation des conséquences de sa logique ?

Gletkin ne lui permit pas d'aller au bout de sa pensée. Il dit de sa voix âpre :

« ... Et après cette préparation théorique vint l'instigation directe aux actes ? »

Bec-de-lièvre se tut. Il leva vers la lumière ses yeux clignotants.

Gletkin attendit la réponse quelques secondes. Roubachof, lui aussi, sans le vouloir, leva la tête. Plusieurs secondes s'écoulèrent, pendant lesquelles on n'entendit que le ronron de la lampe ; puis ce fut la voix de Gletkin, encore plus correcte et plus terne :

« Voudriez-vous qu'on vous rafraîchisse la mémoire ? »

Gletkin prononça cette phrase avec une désinvolture marquée, mais Bec-de-lièvre tressaillit comme sous un coup de fouet. Il se lécha les lèvres et dans ses yeux passa un éclair de pure terreur animale. Puis sa voix musicale se fit entendre :

« L'incitation ne se fit pas ce soir-là, mais le lendemain matin, au cours d'un *tête-à-tête*[1] entre le citoyen Roubachof et moi. »

Roubachof sourit. Avoir remis la conversation imaginaire au lendemain était évidemment une finesse de *mise en scène*[2] de la part de Gletkin ; que le vieux Kieffer ait assisté de gaieté de cœur à la scène où son fils recevait ses instructions pour empoisonner un homme était chose trop improbable même pour la psychologie de Néanderthal...

Roubachof oublia le saisissement dont il venait d'être frappé ; il se tourna vers Gletkin et demanda, clignant des yeux dans la lumière :

« Je crois que l'accusé a le droit de poser des questions pendant une confrontation ?

— C'est votre droit », dit Gletkin.

Roubachof se tourna vers le jeune homme.

« Si je me souviens bien, dit-il, le regardant à travers son pince-nez, vous veniez de terminer vos études à l'université lorsque vous êtes venu me voir avec votre père ? »

Maintenant que pour la première fois il s'adressait directement à Bec-de-lièvre, le bon regard confiant revint sur le visage du jeune homme, qui hocha la tête.

« C'est donc exact, dit Roubachof. Et si mes souvenirs sont ici encore exacts, vous aviez alors l'intention de vous mettre au travail sous la direction de

1. En français dans le texte.
2. En français dans le texte.

votre père à l'Institut des Recherches Historiques. Est-ce cela que vous avez fait ?

— Oui », dit Bec-de-lièvre, et il ajouta après un instant d'hésitation : « Jusqu'à l'arrestation de mon père.

— Je comprends, dit Roubachof. Cet événement rendit impossible votre maintien à l'Institut, et vous avez dû trouver un moyen de gagner votre vie... »

Il s'arrêta, se tourna vers Gletkin, et poursuivit :

« ... Ce qui prouve qu'au moment de ma rencontre avec ce jeune homme ni lui ni moi n'aurions pu prévoir qu'il allait un jour travailler dans un restaurant ; d'où l'incitation au meurtre par empoisonnement devient logiquement impossible. »

Le crayon de la secrétaire s'immobilisa soudain. Roubachof sentit, sans la regarder, qu'elle avait cessé d'écrire et avait tourné vers Gletkin son visage pointu de souris. Bec-de-lièvre lui aussi regarda Gletkin ; mais ses yeux ne manifestaient aucun soulagement, seulement le trouble et la peur. Le sentiment momentané de triomphe qu'avait éprouvé Roubachof s'évanouit ; il eut la curieuse sensation d'avoir troublé le déroulement régulier d'une cérémonie solennelle. La voix de Gletkin se fit encore plus calme et plus correcte que d'ordinaire :

« Avez-vous d'autres questions à poser ?

— C'est tout pour le moment, dit Roubachof.

— Personne n'a dit que vos instructions limitaient l'assassin à l'emploi du poison, dit Gletkin doucement. Vous avez donné l'ordre d'assassiner ; le choix des moyens, vous l'avez laissé à votre instrument. » Il se tourna vers Bec-de-lièvre : « Est-ce bien cela ?

— Oui », dit Bec-de-lièvre, et sa voix trahit une espèce de soulagement.

Roubachof se souvint que l'accusation disait en termes exprès : incitation au meurtre par empoisonnement, mais tout cela lui était soudain devenu indifférent. Que le jeune homme ait réellement exécuté un attentat insensé, ou qu'il ait seulement conçu un vague projet de ce genre, ou encore que cette confession lui ait été artificiellement soufflée toute ou en partie, cela paraissait maintenant à Roubachof ne présenter qu'un intérêt juridique ; cela ne faisait aucune différence quant à sa culpabilité. L'essentiel, c'était que cette pitoyable créature représentait l'incarnation et la conséquence de sa pensée. Les rôles étaient intervertis ; ce n'était pas Gletkin, mais lui, Roubachof, qui avait tenté de jeter la confusion dans une cause toute claire en coupant des cheveux en quatre. L'accusation, qui jusqu'ici lui avait paru si absurde, venait en fait apporter — bien que lourdement et grossièrement — les chaînons qui manquaient dans une chaîne parfaitement logique.

Et cependant, sur un point, il semblait à Roubachof qu'on commettait envers lui une injustice. Mais il était trop épuisé pour formuler cela en paroles.

« Avez-vous d'autres questions ? » demanda Gletkin.

Roubachof secoua la tête.

« Vous pouvez disposer », dit Gletkin à Bec-de-lièvre. Il appuya sur un bouton ; un geôlier en uniforme entra et mit les menottes au jeune Kieffer. Avant de se laisser emmener, à la porte, Bec-de-lièvre tourna encore la tête vers Roubachof, comme il le faisait à la fin de sa promenade dans la cour. Roubachof sentit ce regard peser lourdement sur lui ; il enleva son pince-nez, le frotta sur sa manche, et détourna les yeux.

Quand Bec-de-lièvre fut parti, il fut presque jaloux de lui. La voix de Gletkin lui râpait les oreilles, précise, et avec une brutale fraîcheur :

« Reconnaissez-vous maintenant que la déposition de Kieffer est conforme aux faits en ses points essentiels ? »

Roubachof dut se retourner vers la lampe. Il avait un bourdonnement dans les oreilles et la lumière traversait comme une flamme rouge et chaude la mince membrane de ses paupières. Cependant l'expression « en ses points essentiels » ne lui échappa pas. Avec ce membre de phrase Gletkin jetait un pont sur le trou qu'il venait de faire dans l'accusation, et se donnait la possibilité de modifier « incitation au meurtre par empoisonnement » en « incitation au meurtre » tout court.

« En ses points essentiels — oui », dit Roubachof.

Les manchettes de Gletkin crissèrent et la sténographe elle-même se déplaça sur sa chaise. Roubachof s'aperçut qu'il avait maintenant prononcé la phrase décisive et signé l'aveu de sa culpabilité. Comment ces hommes de Néanderthal comprendraient-ils jamais ce que lui, Roubachof, considérait comme sa culpabilité — ce que lui, d'après ses critères à lui, appelait la vérité ?

« Est-ce que la lumière vous gêne ? » demanda tout à coup Gletkin.

Roubachof sourit. Gletkin payait comptant. Telle était la mentalité de l'homme de Néanderthal. Et pourtant, lorsque l'aveuglante lumière de la lampe s'adoucit d'un degré, Roubachof éprouva un soulagement et même quelque chose qui s'apparentait à de la gratitude.

Bien qu'en clignotant, il lui était maintenant possible de regarder Gletkin en face. Il revit la large cicatrice rouge sur le crâne rasé de près.

« ... sauf un seul point que je considère essentiel, dit Roubachof.

— A savoir ? » demanda Gletkin, redevenu roide et correct.

« Naturellement, il croit que je fais allusion au *tête-à-tête*[1] qui n'a jamais eu lieu, pensa Roubachof. C'est ce qui compte pour *lui* : il met les points sur les « i »,

1. En français dans le texte.

même si ces points ressemblent plutôt à des pâtés. Mais, de son point de vue à lui, peut-être a-t-il raison... »

« Ce qui compte pour moi, dit-il tout haut, c'est ceci : il est vrai que d'après mes convictions de l'époque, j'ai parlé de la nécessité d'employer la violence. Mais par là j'entendais une action politique, et non le terrorisme individuel.

— Vous préfériez donc la guerre civile ? dit Gletkin.

— Non, l'action par les masses.

— Laquelle, comme vous le savez, aurait inévitablement mené à la guerre civile. Est-ce là la distinction à laquelle vous tenez tant ? »

Roubachof ne répondit pas. C'était bien le point qui, il n'y avait qu'un moment, lui avait semblé si important. A présent il lui était indifférent. En fait, si l'opposition ne pouvait l'emporter contre la bureaucratie du Parti et son immense machine que par la guerre civile — pourquoi cela valait-il mieux que de glisser du poison dans la collation du N° 1, dont la disparition ferait peut-être écrouler le régime plus rapidement et avec moins de sang ? En quoi l'assassinat politique était-il moins honorable que la tuerie politique collective ? Ce malheureux enfant s'était évidemment mépris sur ce qu'il voulait dire — mais n'y avait-il pas plus de logique dans l'erreur du jeune homme que dans sa propre conduite au cours de ces dernières années ?

Quinconque s'oppose à la dictature doit accepter la guerre civile comme moyen. Quiconque recule devant la guerre civile doit abandonner l'opposition et accepter la dictature.

Ces simples phrases, écrites par Roubachof dans une polémique avec les « modérés », il y avait presque toute une vie, contenaient sa propre condamnation. Il ne se sentait pas à même de poursuivre la discussion avec Gletkin. La conscience de sa propre défaite le remplissait d'une sorte de soulagement ; l'obligation de poursuivre la lutte, le fardeau de sa responsabilité, il en était déchargé ; la somnolence qui l'avait saisi auparavant revenait. Il n'entendait le martèlement dans sa tête que comme un lointain écho, et pendant quelques instants il lui sembla que derrière la table était assis, non pas Gletkin, mais le N° 1, avec cet air d'ironie étrangement entendu dont il avait regardé Roubachof en lui serrant la main lorsqu'ils avaient pour la dernière fois pris congé l'un de l'autre. Une inscription lui revint à l'esprit ; il l'avait lue sur la porte du cimetière d'Errancis où étaient enterrés Saint-Just, Robespierre et seize de leurs camarades décapités. Elle consistait en un seul mot :

Dormir[1]

A partir de ce moment les souvenirs de Roubachof se faisaient à nouveau nébuleux. Il s'était probablement endormi pour la seconde fois pendant quelques minutes ou quelques secondes ; mais cette fois-ci il ne se souvenait pas avoir rêvé. Il devait avoir été réveillé par Gletkin pour signer la déclaration. Gletkin lui passa son stylo ; Roubachof y sentit avec un léger dégoût la chaleur de sa poche. La sténographe avait cessé d'écrire ; un silence absolu régnait dans la pièce. La lampe ne ronronnait plus et répandait une lueur normale, plutôt fanée, car l'aube paraissait déjà à la fenêtre.

Roubachof signa.

Le sentiment de soulagement et d'irresponsabilité subsistait, bien qu'il en eût oublié la raison ; puis, ivre de sommeil, il parcourut la déposition dans laquelle il avouait avoir incité le jeune Kieffer à assassiner le chef du Parti. Pendant quelques secondes il eut le sentiment qu'il ne s'agissait que

1. En français dans le texte.

d'un grotesque malentendu ; il eut envie de barrer sa signature et de déchirer le document ; puis tout lui revint, il frotta son pince-nez sur sa manche et tendit le papier à Gletkin au-dessus de la table.

Son prochain souvenir était de marcher dans le couloir, escorté par le géant en uniforme qui l'avait amené au bureau de Gletkin un temps infini auparavant. A demi endormi, il passa devant le coiffeur et l'escalier de la cave ; il se remémora la peur qu'il avait eue en venant ; il s'étonna un peu de la chose et sourit vaguement à la ronde. Puis il entendit se fermer sur lui la porte de la cellule et il s'effondra sur sa couchette avec un sentiment de bien-être physique ; il vit la lumière grise du matin sur les vitres et le morceau de journal familier collé au carreau, et il s'endormit tout de suite.

Lorsque la porte de sa cellule se rouvrit, il ne faisait pas encore tout à fait jour ; il n'avait guère dû dormir plus d'une heure. Il pensa d'abord qu'on lui apportait son déjeuner ; mais dehors, au lieu du vieux geôlier, c'était le géant en uniforme. Et Roubachof comprit qu'il devait retourner chez Gletkin et que l'interrogatoire allait continuer.

Il se passa de l'eau froide sur le front et le cou au lavabo, mit son pince-nez, et se remit en marche par les couloirs, par-delà le coiffeur et l'escalier de la cave, d'un pas qui titubait un peu sans qu'il le sût.

IV

A partir de ce moment le voile de brume s'épaississait autour des souvenirs de Roubachof. Il ne put ensuite se remémorer que des fragments isolés de son dialogue avec Gletkin, qui occupait plusieurs jours et plusieurs nuits, avec de brefs intervalles d'une heure ou deux. Il n'aurait même pas pu dire exactement combien de jours et de nuits cela avait duré ; peut-être une semaine. Roubachof avait entendu parler de cette méthode d'écrasement physique total de l'accusé ; deux ou trois juges d'instruction s'y relevaient d'ordinaire pour un interrogatoire sans arrêt. La méthode de Gletkin différait en ceci qu'il ne se faisait jamais relever, et qu'il exigeait tout autant de lui-même que de Roubachof. Il privait ainsi Roubachof de son dernier recours psychologique : le pathétique des êtres maltraités, la supériorité morale de la victime.

Au bout de quarante-huit heures, Roubachof avait perdu tout sentiment du jour et de la nuit. Lorsque après une heure de sommeil le géant le secouait pour le réveiller, il n'était plus en état de décider si la lumière grise de la fenêtre était celle de l'aube ou celle du soir. Le corridor, avec la salle du coiffeur, l'escalier de la cave et la porte grillée, était toujours éclairé par la même lumière falote des ampoules électriques. Si au cours de l'audience le jour se faisait peu à peu plus clair à la fenêtre, si bien que Gletkin finissait par éteindre la lampe, c'était le matin. S'il faisait plus sombre, et si Gletkin allumait la lampe, c'était le soir.

Si Roubachof avait faim pendant l'interrogatoire, Gletkin lui permettait d'envoyer chercher du thé et des sandwiches. Mais il était rare qu'il eût de l'appétit ; c'est-à-dire qu'il avait des accès d'une faim dévorante, mais lorsque le pain se trouvait devant lui, il était pris de nausée. Gletkin ne mangeait jamais devant lui, et Roubachof pour quelque inexplicable raison trouvait humiliant de demander à manger. Tout ce qui touchait aux fonctions physiques était humiliant pour Roubachof en présence de Gletkin, qui ne montrait jamais de signes de fatigue, ne bâillait jamais, ne fumait jamais, ne semblait ni manger ni boire, et restait toujours assis derrière sa table de travail dans la même pose correcte, vêtu du même uniforme empesé aux manchettes crissantes. La pire dégradation pour Roubachof était d'avoir à demander la permission de faire ses besoins. Gletkin le faisait conduire aux cabinets par le geôlier de service, généralement le géant, qui l'attendait dehors. Une fois Roubachof s'endormit derrière la porte close. Dès lors la porte resta toujours entrouverte.

Son état pendant les audiences alternait entre l'apathie et une clarté d'esprit anormale et vitreuse. Il ne perdit connaissance qu'une seule fois ; il se sentait souvent sur le point de le faire, mais un sentiment d'orgueil le soutenait toujours au dernier moment. Il allumait une cigarette, clignait des yeux, et l'audience continuait.

Il lui arrivait d'être surpris de pouvoir y tenir. Mais il savait que le profane attribue des limites beaucoup plus étroites à la capacité de résistance physique chez les humains ; on n'a aucune idée de leur étonnante élasticité. Il avait entendu parler de prisonniers qui avaient été empêchés de dormir entre quinze et vingt jours et qui avaient résisté à ce traitement.

Lors de son premier interrogatoire par Gletkin, après avoir signé sa déposition, il avait pensé que tout était fini. A la seconde audience il vit clairement que tout ne faisait que commencer. Il y avait sept chefs d'accusation et il n'avait encore avoué que pour un seul. Il s'était imaginé avoir bu jusqu'à la lie le calice de l'humiliation. Il devait maintenant découvrir que l'impuissance a autant de degrés que le pouvoir ; que la défaite peut devenir aussi vertigineuse que la victoire, et que ses profondeurs sont un abîme sans fond. Et pas à pas, Gletkin le forçait à descendre cette échelle.

Il aurait évidemment pu se simplifier la tâche. Il n'avait qu'à signer tout en bloc, ou à tout nier d'un seul coup et il aurait la paix. Un sentiment étrange et compliqué de son devoir l'empêchait de céder à cette tentation. La vie de Roubachof avait tellement été remplie d'une seule idée absolue qu'il n'avait connu qu'en théorie le phénomène « tentation ». A présent la tentation l'accompagnait au travers des jours et des nuits qui ne faisaient qu'un, dans sa marche titubante par le corridor, dans la lumière blanche de la lampe de Gletkin, une tentation consistant dans ce simple mot écrit dans le cimetière des vaincus : Dormir.

Il était difficile de lui résister, car c'était une tentation calme et paisible ; elle n'était pas fardée de couleurs voyantes, elle n'était pas charnelle. Elle était silencieuse ; elle ne se servait pas d'arguments. Tous les arguments étaient du côté de Gletkin ; elle se contentait de répéter les mots qui étaient écrits sur le message du coiffeur : « Mourez en silence. »

Parfois, dans les moments d'apathie qui alternaient avec la lucidité de l'éveil, les lèvres de Roubachof remuaient, mais Gletkin n'entendait pas les paroles. Alors Gletkin se raclait la gorge et rajustait ses manchettes ; et Roubachof frottait son pince-nez sur sa manche et secouait la tête d'un air désemparé et endormi ; car il avait identifié le tentateur avec ce muet partenaire qu'il croyait avoir déjà oublié, et qui n'avait rien à faire dans cette pièce, ici moins que nulle part ailleurs : la fiction grammaticale...

« Ainsi vous niez avoir négocié avec les représentants d'une Puissance étrangère pour le compte de l'opposition, dans le but de renverser le régime actuel avec l'aide de cette Puissance ? Vous contestez l'accusation d'avoir été prêt à payer de concessions territoriales — c'est-à-dire du sacrifice de certaines provinces de notre pays — l'appui direct ou indirect qui aurait été donné à vos projets ? »

Oui, Roubachof contestait cela ; Gletkin lui répéta le jour et l'endroit où avait eu lieu sa conversation avec le diplomate étranger en question — et Roubachof se souvint de cette petite scène anodine qui était remontée dans sa mémoire lorsque Gletkin lui avait lu l'acte d'accusation. A demi endormi et tout interdit, il regarda Gletkin et comprit que rien ne servait d'essayer de lui expliquer cette scène. Elle se plaçait après un déjeuner diplomatique à la légation en B. Roubachof était assis à côté du gros Herr von Z., second secrétaire de l'Ambassade du pays même où, quelques mois auparavant, Roubachof avait perdu ses dents. Il avait eu avec lui une conversation des plus intéressantes au sujet d'une certaine rare variété de cobayes, élevée à la fois sur les terres de Herr von Z., et sur celles du père de Roubachof ; selon toute probabilité, le père de Roubachof et celui de von Z. avaient même échangé des spécimens en leur temps.

« Que sont devenus à présent les cochons d'Inde de Monsieur votre père ? demanda Herr von Z.

— Ils ont été abattus pendant la Révolution, et mangés, dit Roubachof.

— Avec les nôtres, on fait aujourd'hui des ersatz de graisses », dit Herr von Z. d'un ton mélancolique. Il ne faisait aucun effort pour déguiser le mépris que lui inspirait le nouveau régime de son pays ; sans doute n'était-ce que par accident que l'on avait jusqu'ici omis de le chasser de son poste.

« Vous et moi, nous sommes réellement dans une situation analogue, dit-il en se mettant à son aise et en vidant sa liqueur. Nous avons tous deux survécu à notre époque. L'élevage des cochons d'Inde est chose du passé ; nous vivons au siècle de la Plèbe.

— Mais n'oubliez pas que je suis du côté de la Plèbe, dit Roubachof avec un sourire.

— Ce n'est pas ce que je voulais dire, dit Herr von Z. Au fond, moi aussi, je suis d'accord sur le programme de notre bonhomme à moustache noire. — Si seulement il ne criait pas si fort. Après tout, on ne peut se faire crucifier qu'au nom de sa propre foi. »

Ils restèrent encore quelque temps à boire leur café, et à la deuxième tasse Herr von Z. dit :

« Si par hasard vous deviez refaire une révolution dans votre pays, monsieur Roubachof, et déposer votre N° 1, alors soyez plus gentil pour vos cochons d'Inde.

— Cela est très peu probable, dit Roubachof, et il ajouta après un temps d'arrêt : ... bien que vos amis paraissent compter sur cette éventualité ?

— Très certainement, avait répondu Herr von Z. du même ton dégagé. Après ce que vos procès nous ont fait entendre, il doit se passer chez vous quelque chose d'assez drôle.

— Alors, chez vos amis, on doit aussi avoir quelque idée des mesures qui seraient prises de votre côté dans cette très improbable éventualité ? » avait demandé Roubachof.

Là-dessus, Herr von Z. répondit de façon très précise, comme s'il s'était attendu à la question :

« Nous ne bougerons pas. Mais il faudra y mettre le prix. »

Ils étaient debout près de la table, leurs tasses à café à la main.

« Et le prix, lui aussi, est-il déjà fixé ? demanda Roubachof, se rendant compte que sa légèreté de ton semblait plutôt affectée.

— Certainement », répondit Herr von Z. ; et il nomma une province productrice de blé habitée par une minorité nationale. Là-dessus ils avaient pris congé l'un de l'autre...

Roubachof n'avait pas songé à cette scène depuis des années — tout au moins pas consciemment. Des bavardages à l'heure du café et de la fine — comment en expliquer à Gletkin la totale insignifiance ? Roubachof à demi endormi regardait Gletkin assis en face de lui, aussi dur et aussi impassible que jamais. Non, il était impossible de se mettre à lui parler de cochons d'Inde. Ce Gletkin ne comprenait rien aux cochons d'Inde. Il n'avait jamais pris le café avec des Herr von Z. Roubachof se souvint des hésitations de Gletkin en lisant, de ses nombreuses fausses intonations. Il était d'origine prolétarienne, et il avait appris à lire et à écrire à l'âge adulte. Il ne comprendrait jamais qu'une conversation commençant par des cochons d'Inde puisse aboutir Dieu sait où.

« Ainsi vous admettez que la conversation eut lieu, dit Gletkin.

— Elle fut complètement inoffensive, dit Roubachof avec lassitude ; il se rendit compte que Gletkin l'avait fait descendre encore d'un échelon.

— Aussi inoffensive, dit Gletkin, que vos dissertations purement théoriques devant le jeune Kieffer sur la nécessité d'écarter le chef du gouvernement par la violence ? »

Roubachof frotta son pince-nez sur sa manche. La conversation avait-elle vraiment été aussi inoffensive qu'il cherchait à se le persuader ? Il n'avait certainement ni « négocié » ni conclu d'accord ; et ce bon Herr von Z. n'était en aucune façon autorisé à en conclure un. Toute cette affaire pouvait au pire passer pour ce qui s'appelle en langage diplomatique « faire des sondages ». Mais ce genre de sondages avait été un chaînon dans la chaîne logique de ses idées d'alors ; et d'ailleurs, il était conforme à certaines traditions du Parti. Le vieux leader, peu avant la Révolution, n'avait-il pas fait usage des services de l'Etat-Major de ce même pays afin de pouvoir rentrer d'exil et conduire la Révolution à la victoire ? N'avait-il pas ensuite, dans le premier traité de paix, abandonné certains territoires comme prix de la paix ? « Le vieux sacrifice de l'espace pour gagner du temps », avait fait observer spirituellement un ami de Roubachof. L'entretien oublié et inoffensif s'insérait si bien dans la chaîne que Roubachof trouvait maintenant difficile de l'envisager autrement que par les yeux de Gletkin. Ce même Gletkin, qui lisait lentement, dont l'intelligence fonctionnait tout aussi lentement et aboutissait à des résultats simples et palpables, précisément peut-être parce qu'il n'entendait rien aux cochons d'Inde... A propos, comment Gletkin était-il au courant de cette conversation ? Ou bien elle avait été écoutée par un tiers, ce qui dans les circonstances où elle avait eu lieu était assez peu probable ; ou bien le bon Herr von Z. avait joué le rôle d'*agent provocateur*[1] — Dieu seul savait pour quels motifs complexes. Un piège avait été tendu à Roubachof — un piège conçu selon la mentalité primitive de Gletkin et du N° 1 ; et lui, Roubachof, n'avait rien eu de plus pressé que de s'y fourrer.

« Puisque vous êtes si bien renseigné sur ma conversation avec Herr von Z., dit Roubachof, vous devez aussi savoir qu'elle n'a pas eu de conséquences.

— Certainement, dit Gletkin. Parce que nous vous avons arrêté à temps, et que nous avons anéanti l'opposition dans toute l'étendue du territoire. Les résultats de cette tentative de trahison seraient parus au grand jour si nous n'avions pas agi. »

Que pouvait-on répondre à cela ? Qu'en tout cas la chose n'aurait pas eu de conséquences graves, ne serait-ce que parce que lui, Roubachof, était trop vieux et trop usé pour agir avec toute la logique qu'exigeaient les traditions du Parti, comme Gletkin aurait agi à sa place ? Que toute l'activité de la soi-disant opposition n'avait été que bavardages séniles, parce que toute la génération de la vieille garde était aussi usée que lui ? Usée par les années de lutte illégale, rongée par l'humidité des cachots où elle avait passé la moitié de sa jeunesse ; spirituellement desséchée par l'effort nerveux permanent qu'exigeait la répression de la crainte physique dont on ne parlait

1. En français dans le texte.

jamais, que chacun avait dû maîtriser à lui tout seul, pendant des années, des dizaines d'années. Usée par les années d'exil, la brûlante acidité des factions à l'intérieur du Parti, l'absence totale de scrupules avec laquelle elles étaient pourchassées ; usée par les défaites incessantes, et par la démoralisation de la victoire finale ? Fallait-il dire qu'il n'avait jamais vraiment existé d'opposition active et organisée à la dictature du N° 1 ? Que tout n'avait été que caquetages d'impuissants jouant avec le feu, parce que cette génération de la vieille garde avait donné tout ce qu'elle contenait, avait été pressurée jusqu'à la dernière goutte, jusqu'à sa dernière calorie spirituelle ? Et, comme les morts du cimetière d'Errancis, qu'elle n'avait plus qu'une chose à espérer : dormir et attendre que la postérité lui rende justice ?

Que répondre à cet inébranlable Néanderthalien ? Qu'il avait raison sur toute la ligne, mais qu'il commettait une erreur fondamentale : celle de croire qu'il avait encore assis en face de lui le vieux Roubachof, alors que ce n'était que son ombre ? Que tout revenait à ceci — à le punir, non pas pour des actes qu'il avait commis, mais pour ceux qu'il avait négligé de commettre ? « On ne peut se faire crucifier qu'au nom de sa propre foi », avait dit ce bon Herr von Z...

Avant de signer sa déposition et d'être ramené dans sa cellule pour y rester étendu sans connaissance sur sa couchette jusqu'à ce que la torture recommence, Roubachof posa une question à Gletkin. Elle n'avait rien à voir avec le point discuté, mais Roubachof savait que chaque fois qu'une nouvelle déposition était sur le point d'être signée, Gletkin devenait un tant soit peu plus traitable — Gletkin payait comptant. La question de Roubachof se rapportait au sort d'Ivanof.

« Le citoyen Ivanof est arrêté, dit Gletkin.

— Peut-on savoir pour quelle raison ? demanda Roubachof.

— Le citoyen Ivanof a mené l'instruction de votre cas avec négligence, et dans une conversation particulière, il a exprimé des doutes cyniques quant au bien-fondé de l'accusation.

— Et s'il ne pouvait vraiment pas y croire ? demanda Roubachof. Peut-être avait-il trop bonne opinion de moi ?

— Dans ce cas, dit Gletkin, il aurait dû suspendre l'enquête, aviser officiellement les autorités compétentes que selon son opinion, vous étiez innocent. »

Gletkin se moquait-il de lui ? Il avait l'air aussi correct et aussi impassible que jamais.

La prochaine fois que Roubachof se trouva de nouveau penché sur le procès-verbal de sa séance, le stylo tout chaud de Gletkin à la main — la sténographe avait déjà quitté la pièce — il dit :

« Puis-je vous poser encore une question ? »

Tout en parlant, il regardait la large cicatrice sur le crâne de Gletkin.

« On m'a dit que vous étiez partisan de certaines méthodes draconiennes — ce qu'on appelle « la manière forte ». Pourquoi n'avez-vous jamais usé avec moi de pression physique directe ?

— Vous voulez dire la torture physique, dit Gletkin d'un air dégagé. Comme vous le savez, cela est interdit par notre code criminel. »

Il fit une pause. Roubachof achevait de signer le procès-verbal.

« D'ailleurs, poursuivit Gletkin, il y a un certain type d'accusé qui avoue quand on fait pression sur lui, mais qui se rétracte à l'audience publique. Vous êtes de cette espèce tenace. L'utilité politique de votre confession au procès consistera en son caractère volontaire. »

C'était la première fois que Gletkin parlait d'audience publique. Mais au retour, dans le corridor, alors qu'il marchait au côté du géant à petits pas fatigués, ce n'était pas cette perspective qui préoccupait Roubachof, mais la phrase : « Vous êtes de cette espèce tenace. » Malgré lui, cette phrase le remplissait d'aise et de satisfaction.

« Je vieillis et je retombe en enfance », se dit-il en se couchant sur son lit. Et pourtant le sentiment de plaisir se prolongea jusqu'à ce qu'il s'endormît.

Chaque fois qu'il avait, après une discussion tenace, signé de nouveaux aveux, puis s'était étendu sur sa couchette, épuisé et pourtant étrangement satisfait, sachant qu'il serait réveillé dans une heure ou tout au plus dans deux — chaque fois, Roubachof n'avait qu'un désir : que Gletkin veuille bien, ne serait-ce qu'une seule fois, le laisser dormir et retrouver ses esprits. Il savait que son désir ne serait pas exaucé avant que le dernier point soit mis sur le dernier « i » — et il savait également que chaque nouveau duel se terminerait par une nouvelle défaite et qu'il ne pouvait y avoir le moindre doute quant au résultat final. Pourquoi donc continuer à se tourmenter et à se laisser tourmenter, au lieu d'abandonner une bataille perdue, afin qu'on ne le réveille plus ? L'idée de la mort avait depuis longtemps perdu tout caractère métaphysique ; elle avait une signification douillette, tentatrice et corporelle — celle du sommeil. Et cependant un étrange et tortueux sentiment du devoir le forçait à rester éveillé et à livrer jusqu'au bout la bataille perdue — même si ce n'était qu'une bataille contre des moulins à vent. A continuer jusqu'au moment où Gletkin l'aurait poussé jusqu'au dernier barreau de l'échelle, et où devant ses yeux clignotants le dernier grossier pâté de l'accusation se serait transformé en un « i » logiquement pointé. Il fallait suivre le chemin jusqu'au bout. Ce ne serait qu'alors, lorsqu'il entrerait dans l'obscurité les yeux grands ouverts, qu'il aurait conquis le droit de dormir et de ne plus être réveillé.

Chez Gletkin également, un certain changement se produisit pendant cette chaîne ininterrompue de jours et de nuits. Ce n'était pas grand-chose, mais cela n'échappa nullement aux yeux enfiévrés de Roubachof. Jusqu'au bout, Gletkin resta assis raide, le visage insensible, avec ses manchettes qui crissaient, dans l'ombre de la lampe derrière sa table de travail ; mais peu à peu, la brutalité s'effaça de sa voix, de même que petit à petit il avait réduit la lumière criarde de la lampe, qui avait fini par devenir à peu près normale. Il ne sourit jamais, et Roubachof se demandait si l'homme de Néanderthal était capable de sourire ; et sa voix n'avait pas assez de souplesse pour exprimer la moindre nuance de sentiment. Mais une fois, Roubachof se trouvant à court de cigarettes après un dialogue de plusieurs heures, Gletkin, qui ne fumait pas, en prit un paquet dans sa poche et le tendit à Roubachof par-dessus la table.

Sur un point, Roubachof parvint même à remporter un succès ; il s'agissait du chef d'accusation relatif au prétendu sabotage de l'Office de l'aluminium. C'était une accusation de peu de poids dans le total des crimes qu'il avait déjà avoués, mais Roubachof la contesta avec la même obstination que les points décisifs. Ils restèrent assis l'un en face de l'autre pendant presque une nuit entière. Roubachof avait réfuté point par point tous les témoignages l'incriminant et les statistiques partiales ; la voix épaisse de fatigue, il avait cité des chiffres et des dates, qui revenaient comme par miracle au moment opportun dans sa tête endolorie ; et de tout ce temps, Gletkin n'avait jamais été à même de trouver le point de départ d'où il pouvait dérouler sa chaîne logique. Car dès leur seconde ou leur troisième rencontre, une espèce d'accord tacite était intervenu entre eux : si Gletkin pouvait prouver que la racine de l'accusation était fondée — même si cette racine n'était que d'une nature logique et abstraite — il était libre d'interpoler les détails manquants ; de « mettre les points sur les i », comme disait Roubachof. Sans s'en rendre compte, ils s'étaient accoutumés à ces règles de leur jeu, et ni l'un ni l'autre ne distinguait plus entre les actes que Roubachof avait en fait commis et ceux qu'il aurait seulement dû commettre en raison de ses opinions ; ils avaient peu à peu perdu tout sentiment de ce qui était apparence ou réalité, fiction logique ou fait. Roubachof s'en rendait parfois compte dans ses rares moments de lucidité, et il avait alors la sensation de se réveiller après une curieuse ivresse ; Gletkin, de son côté, ne semblait jamais s'en apercevoir.

Vers le matin, Roubachof n'ayant toujours pas cédé sur la question du sabotage de l'Office de l'aluminium, la voix de Gletkin prit une intonation nerveuse — tout comme au début, lorsque Bec-de-lièvre s'était trompé de réponse. Il augmenta l'intensité de la lampe, chose qui ne s'était pas produite depuis longtemps. Mais il la diminua de nouveau lorsqu'il vit le sourire ironique de Roubachof. Il posa encore plusieurs questions qui restèrent sans effet, puis il dit d'une manière concluante :

« Ainsi vous niez catégoriquement avoir commis aucun acte de sabotage ou de subversion dans l'industrie qui vous était confiée — ou même avoir projeté de tels actes ? »

Roubachof secoua la tête — curieux, malgré son envie de dormir, de savoir ce qui allait se passer. Gletkin se tourna vers la sténographe :

« Ecrivez : le juge d'instruction recommande que « ce chef d'accusation soit abandonné faute de « preuves. »

Roubachof alluma vite une cigarette pour cacher

le mouvement de triomphe puéril qui s'empara de lui. Pour la première fois, il venait de remporter une victoire sur Gletkin. Une pauvre petite victoire, bien sûr, dans une bataille perdue, mais une victoire tout de même ; et il y avait tant de mois, et même d'années, qu'il n'avait pas éprouvé ce sentiment... Gletkin prit le procès-verbal de la journée des mains de la secrétaire et la congédia, conformément au rituel qui s'était dernièrement institué entre eux.

Quand ils furent seuls, et que Roubachof se fut levé pour signer le procès-verbal, Gletkin dit en lui tendant le stylo :

« L'expérience montre que le sabotage industriel est le moyen le plus efficace dont dispose l'opposition pour causer des difficultés au gouvernement et pour provoquer le mécontentement chez les ouvriers. Pourquoi soutenez-vous avec tant d'obstination que vous ne vous êtes pas servi de cette méthode — ou que vous n'aviez pas l'intention de vous en servir ?

— Parce que c'est techniquement parlant une absurdité, dit Roubachof. Et cette perpétuelle antienne au sujet du sabotage, dont on se sert comme d'un épouvantail, provoque une épidémie de dénonciations qui me révolte. »

La sensation de triomphe, dont il avait été si longtemps privé, rendait Roubachof plus alerte, et il parlait plus fort que d'ordinaire.

« Si vous estimez que le sabotage est pure fiction, quelles sont, selon vous, les causes réelles de l'état défectueux de nos industries ?

— Les tarifs aux pièces trop bas, les méthodes de gardes-chiourme et les mesures disciplinaires barbares, dit Roubachof. Je connais plusieurs cas dans mon Office où des ouvriers ont été fusillés comme saboteurs à cause de quelque infime négligence causée par un excès de fatigue. Si un homme est en retard de deux minutes au pointage à l'arrivée, il est congédié, et sa carte d'identité est estampillée d'un coup de tampon qui le met dans l'impossibilité de trouver du travail ailleurs. »

Gletkin regarda Roubachof de son regard impassible habituel, et lui demanda, de sa voix impassible habituelle :

« Vous a-t-on donné une montre dans votre enfance ? »

Roubachof le regarda d'un air surpris. Le trait de caractère le plus saillant de l'homme de Néanderthal était sa totale absence d'humour, ou, pour être plus précis, son absence de frivolité.

« Vous ne voulez pas répondre à ma question ? demanda Gletkin.

— Mais si, dit Roubachof, de plus en plus étonné.

— Quel âge aviez-vous quand on vous a donné votre montre ?

— Je ne sais plus très bien, dit Roubachof ; j'avais sans doute huit ou neuf ans.

— Moi, dit Gletkin, de sa voix correcte, j'avais seize ans lorsque j'ai appris que l'heure se divisait en soixante minutes. Dans mon village, lorsque les paysans devaient aller à la ville, ils allaient à la gare au lever du soleil et se couchaient pour dormir dans la salle d'attente jusqu'à ce que vînt le train, qui passait normalement vers midi ; parfois il ne venait que le soir ou le lendemain matin. Ce sont ces paysans qui travaillent maintenant dans nos usines. Par exemple, il y a maintenant dans mon village la plus grande fabrique de rails au monde. La première année, les contremaîtres se couchaient par terre pour dormir entre deux coulées du haut fourneau, et cela continua jusqu'à ce qu'ils soient fusillés. Dans tous les autres pays, les paysans ont eu cent ou deux cents ans pour acquérir l'habitude de la précision industrielle et du maniement des machines. Ici, ils n'ont eu que dix ans. Si nous ne les fichions pas à la porte et ne les fusillions pas pour la moindre bagatelle, tout le pays s'arrêterait de produire, et les paysans se coucheraient pour dormir dans les cours des usines jusqu'à ce que l'herbe pousse dans les cheminées et que tout soit redevenu comme avant. L'an dernier, une délégation féminine est venue nous voir de Manchester en Angleterre. On leur a tout montré, et après elles ont écrit des articles indignés, disant que les ouvriers des textiles de Manchester n'accepteraient jamais de se laisser traiter ainsi. J'ai lu quelque part que l'industrie du coton à Manchester est vieille de deux cents ans. J'ai lu aussi comment on y traitait les ouvriers, il y a deux cents ans, quand elle en était à ses débuts. Vous, citoyen Roubachof, vous venez d'employer les mêmes arguments que cette délégation féminine de Manchester. Vous, naturellement, vous êtes mieux renseigné que ces femmes. Aussi peut-on se demander pourquoi vous faites usage des mêmes arguments. Mais voici, vous avez quelque chose de commun avec elles : on vous a donné une montre dans votre enfance... »

Roubachof ne dit rien et regarda Gletkin avec un renouveau d'intérêt. Quoi ? L'homme de Néanderthal sortait-il de sa coquille ? Mais Gletkin restait rigide sur son fauteuil, aussi impassible que jamais.

« Vous avez peut-être raison d'un certain côté, dit Roubachof en fin de compte. Mais c'est vous qui m'avez lancé sur ce sujet. A quoi bon inventer des boucs émissaires pour des difficultés dont vous venez de décrire de façon si convaincante les causes naturelles ?

— L'expérience apprend, dit Gletkin, que l'on doit donner aux masses une explication simple et facilement intelligible de tous les phénomènes difficiles et complexes. Selon ce que je connais de l'histoire, je constate que l'humanité ne saurait se passer de boucs émissaires. Je crois qu'ils ont été de tout temps une institution indispensable ; votre ami Ivanof m'a enseigné qu'elle était d'origine religieuse. Si je me souviens bien, il m'a expliqué que le mot lui-même venait d'une coutume des Hébreux, qui, une fois par an, sacrifiaient à leur Dieu un bouc chargé de tous leurs péchés. »

Gletkin fit une pause et remit ses manchettes en place.

« D'ailleurs, il y a aussi dans l'histoire des exemples de boucs émissaires volontaires. A l'âge où on vous donnait une montre, le prêtre du village m'apprenait que Jésus-Christ se désignait lui-même comme l'agneau qui avait pris sur lui tous les péchés. Je n'ai jamais compris en quelle façon cela pouvait aider l'humanité que quelqu'un déclarât se sacrifier pour elle. Mais depuis deux mille ans les hommes ont apparemment trouvé cela tout naturel. »

Roubachof regarda Gletkin. Où voulait-il en venir ? Quel était le but de cette conversation ? Dans quel labyrinthe l'homme de Néanderthal s'égarait-il ?

« Quoi qu'il en soit, dit Roubachof, il serait plus conforme à nos idées de dire au peuple la vérité, au lieu de peupler le monde de *saboteurs*[1] et de démons.

— Si on allait dire aux gens de mon village, dit Gletkin, qu'ils sont encore lents et arriérés, malgré la Révolution et les usines, cela n'aurait sur eux aucun effet. Si on leur dit qu'ils sont des héros au travail, que leur rendement est supérieur à celui des Américains, et que tout le mal n'est que le fait de démons et de *saboteurs*[2], cela a du moins un certain effet. La vérité, c'est ce qui est utile à l'humanité ; le mensonge, ce qui lui est nuisible. Dans le précis d'Histoire publié par le Parti pour les classes du soir pour adultes, il est souligné que pendant les premiers siècles la religion chrétienne réalisa un progrès objectif pour l'humanité. Que Jésus ait dit la vérité

1. En français dans le texte.
2. En français dans le texte.

ou non lorsqu'il affirmait être le fils de Dieu et d'une vierge, cela est sans intérêt pour un homme sensé. On dit que cela est symbolique, mais les paysans le prennent au pied de la lettre. Nous avons tout autant le droit d'inventer d'utiles symboles que les paysans prennent au pied de la lettre.

— Vos raisonnements, dit Roubachof, me rappellent parfois ceux d'Ivanof.

— Le citoyen Ivanof, dit Gletkin, appartenait, comme vous, à la vieille intelligentsia ; en conversant avec lui, il était possible d'acquérir un peu de ces connaissances historiques que l'on ne possédait pas par suite d'études insuffisantes. La différence est que j'essaie de me servir de ces connaissances au service du Parti ; mais le citoyen Ivanof était un cynique.

— Etait ?... demanda Roubachof, en ôtant son pince-nez.

— Le citoyen Ivanof, dit Gletkin, le regardant d'un œil impassible, a été fusillé hier soir, en exécution d'une décision administrative. »

Après cet entretien, Gletkin laissa dormir Roubachof deux heures entières. En rentrant à sa cellule, Roubachof se demandait pourquoi la nouvelle de la mort d'Ivanof n'avait pas fait sur lui une plus profonde impression. Elle avait seulement dissipé l'effet réconfortant de sa petite victoire, et lui avait rendu sa fatigue et sa somnolence. Il avait apparemment atteint un état d'où toute émotion profonde était exclue. D'ailleurs, même avant d'apprendre la mort d'Ivanof, il avait eu honte de ce futile sentiment de triomphe. La personnalité de Gletkin avait acquis tant d'empire sur lui que même ses triomphes se changeaient en défaites. Massif et impassible, il était là, assis, brutale incarnation de l'Etat qui devait son existence même aux Roubachofs et aux Ivanofs. Chair de leur chair, devenu indépendant et insensible en grandissant, Gletkin ne s'était-il pas reconnu pour l'héritier spirituel d'Ivanof et de la vieille intelligentsia ? Roubachof se répétait pour la centième fois que Gletkin et les nouveaux Néanderthaliens ne faisaient que parachever l'œuvre de la génération aux têtes numérotées. Le fait que la même doctrine fût devenue si inhumaine sur leur bouche avait des raisons pour ainsi dire climatiques. Lorsque Ivanof avait invoqué les mêmes arguments, il restait encore dans sa voix des intonations provenant du passé, des souvenirs d'un monde évanoui. On peut renier son enfance, mais on ne l'efface pas. Ivanof avait traîné son passé après lui jusqu'au bout ; c'était pourquoi il donnait à tout ce qu'il disait ce ton de frivole mélancolie ; c'était pourquoi Gletkin le traitait de cynique. Les Gletkins n'avaient rien à effacer ; ils n'avaient pas besoin de renier leur passé, ils n'en avaient pas. Ils étaient nés sans cordon ombilical, sans frivolité, sans mélancolie.

V

FRAGMENT DE JOURNAL DE N. S. ROUBACHOF

« ... *De quel droit nous autres qui disparaissons de la scène regardons-nous les Gletkins avec tant de hauteur ? Les singes ont dû rire lorsque l'homme de Néanderthal fit son apparition sur la terre. Les singes hautement civilisés s'élançaient gracieusement de branche en branche ; l'homme de Néanderthal était gauche et rivé à la terre. Les singes repus et paisibles, vivaient dans une atmosphère de badinage raffiné, ou croquaient leurs puces dans leur recueillement philosophique ; le Néanderthalien allait de par le monde à pas lourds, donnant des coups de massue à la ronde. Ironiques, les singes s'amusaient à le regarder du haut de la cime des arbres et lui lançaient des noix. Parfois, ils étaient saisis d'horreur : ils mangeaient avec pureté et délicatesse des fruits et des plantes succulents ; le Néanderthalien dévorait de la viande crue, massacrait des animaux et ses semblables. Il abattait les arbres qui avaient toujours été là, déplaçait des rochers de leur position immémoriale et consacrée, transgressait toutes les lois et toutes les traditions de la jungle. Il était grossier, cruel, dénué de toute dignité animale ; du point de vue des singes cultivés, il représentait un barbare recul de l'histoire. Les quelques chimpanzés qui vivent encore lèvent toujours la tête d'un air dégoûté à la vue d'un être humain... »*

VI

Au bout de cinq ou six jours, un incident se produisit : Roubachof s'évanouit en plein interrogatoire. Ils venaient d'arriver à la conclusion de l'acte d'accusation : la question des motifs qui avaient dicté les actes de Roubachof. L'accusation définissait le motif simplement comme « une mentalité contre-révolutionnaire », et mentionnait en passant, comme une chose évidente, qu'il était au service d'une puissance étrangère. Roubachof livra sa dernière bataille contre cette formule. La discussion se prolongea depuis l'aube jusqu'au milieu de la matinée ; c'est alors que Roubachof, en un moment des moins dramatiques, glissa de côté de sa chaise et resta étendu par terre.

Quand il reprit connaissance quelques minutes plus tard, il vit au-dessus de lui le petit crâne duveteux du docteur qui lui versait de l'eau sur le visage avec une bouteille et lui frictionnait les tempes. Roubachof sentit l'haleine du docteur, avec son odeur de menthe poivrée et de tartines de graisse, et il se mit à vomir. Le docteur réprimandait de sa voix perçante, et recommanda que Roubachof soit conduit au grand air pendant un moment. Gletkin avait suivi la scène de ses yeux impassibles. Il sonna et donna l'ordre de nettoyer le tapis ; puis il fit reconduire Roubachof à sa cellule. Quelques minutes après, le vieux geôlier l'emmenait dans la cour à l'exercice.

Pendant le début de sa promenade, Roubachof tut comme enivré par la morsure de l'air frais. Il découvrit qu'il avait des poumons qui savouraient l'oxygène comme le palais savoure une boisson doucement rafraîchissante. Le soleil brillait, pâle et clair ; il était exactement onze heures du matin — heure à laquelle on l'emmenait jadis faire sa promenade, dans les temps infiniment lointains qui avaient précédé cette longue et nébuleuse suite de jours et de nuits. Quel imbécile il avait été de ne pas apprécier ce bienfait ! Pourquoi ne pouvait-on pas simplement vivre et respirer et se promener dans la neige et sentir sur son visage la pâle tiédeur du soleil ? Secouer le cauchemar du bureau de Gletkin, la lumière aveuglante de la lampe, toute cette fantomatique *mise en scène*[1] — et vivre comme les autres ?

Comme c'était l'heure habituelle de son exercice, il avait de nouveau pour voisin de ronde le paysan maigre aux souliers de teille. Il regardait de côté Roubachof qui marchait d'un pas légèrement vacillant ; il se racla la gorge une ou deux fois, et dit en jetant un regard aux gardiens :

« Il y a longtemps que je ne t'ai pas vu, monsieur. Tu as l'air malade, comme si tu ne devais pas durer longtemps. On dit qu'il va y avoir la guerre. »

Roubachof ne répondit pas. Il luttait contre la tentation de ramasser une poignée de neige et de la pétrir en boule dans sa main. Le manège tournait

1. En français dans le texte.

lentement dans la cour. A vingt pas en avant, le couple précédent allait piétinant entre les petits talus de neige — deux hommes en pardessus gris, à peu près de la même taille, ayant chacun son petit nuage de buée devant la bouche.

« Ce sera bientôt le temps des semailles, dit le paysan. Après la fonte des neiges, les moutons vont à la montagne. Il leur faut trois jours pour y monter. Autrefois, tous les villages de la région mettaient leurs moutons en route le même jour. Cela commençait au lever du soleil ; des moutons partout, sur tous les sentiers et dans tous les champs, et tout le village accompagnait les troupeaux le premier jour. De toute ta vie, monsieur, tu n'as peut-être jamais tant vu de moutons, ni tant de chiens ni de poussière, ni entendu tant de jappements et de bêlements... Sainte Mère de Dieu, comme on s'amusait !... »

Roubachof tendait son visage au soleil encore pâle mais qui déjà pénétrait l'air d'une tiède douceur. Il regardait les ébats des oiseaux qui planaient et ondoyaient très haut au-dessus de la tourelle.

La voix plaintive du paysan continuait :

« Un jour comme aujourd'hui, quand l'air sent la fonte des neiges, ça me fait quelque chose. Ni toi ni moi, nous ne durerons bien longtemps, monsieur. Ils nous ont écrasés parce que nous sommes des réactionnaires, et parce qu'il ne faut pas qu'ils reviennent, ces jours d'autrefois où nous étions heureux...

— Etais-tu vraiment si heureux, dans le temps ? » demanda Roubachof ; mais le paysan ne fit que murmurer des paroles inintelligibles, cependant que sa pomme d'Adam s'agitait à plusieurs reprises. Roubachof l'observait de côté ; au bout d'un moment, il dit :

« Te souviens-tu du passage de la Bible où les tribus dans le désert se mettent à crier : « Nommons « un chef et retournons en Egypte ! »

Le paysan hocha la tête avec ferveur sans le comprendre... Puis, on les ramena à l'intérieur.

L'effet de l'air pur se dissipa, la torpeur de plomb, le vertige et la nausée recommencèrent. A l'entrée, Roubachof se pencha, ramassa une poignée de neige et en frotta son front et ses yeux brûlants.

Il ne fut pas ramené dans sa cellule comme il l'avait espéré, mais fut conduit tout droit chez Gletkin. Celui-ci était assis à sa table, dans la position où Roubachof l'avait quitté — combien de temps y avait-il de cela ? Il semblait n'avoir pas fait un mouvement pendant l'absence de Roubachof. Les rideaux étaient tirés, la lampe brûlait ; le temps s'était immobilisé dans cette pièce, comme dans une eau stagnante. Comme il se rasseyait en face de Gletkin, le regard de Roubachof se posa sur une tache humide sur le tapis. Il se souvint de son malaise. Il n'y avait donc somme toute qu'une heure qu'il était sorti.

« Je présume que vous vous sentez mieux, à présent, dit Gletkin. Nous en étions restés à la dernière question, celle du mobile de vos menées contre-révolutionnaires. »

Il regarda d'un air légèrement surpris la main droite de Roubachof, qui serrait encore une petite boule de neige. Roubachof suivit son regard ; il sourit et leva la main vers la lampe. Tous deux regardèrent la petite boule fondre dans sa main à la chaleur de l'ampoule.

« La question du motif est la dernière, dit Gletkin. Lorsque vous aurez signé cette déposition, nous en aurons fini l'un avec l'autre. »

La lampe émettait une lumière plus vive qu'elle n'avait fait depuis longtemps. Roubachof fut forcé de cligner des yeux.

« ... Et alors vous pourrez prendre du repos », dit Gletkin.

Roubachof passa sa main sur ses tempes, mais la fraîcheur de la neige était partie. Le mot « repos », sur lequel Gletkin avait terminé sa phrase, resta suspendu dans le silence. Repos et sommeil. « Nommons un chef et retournons en Egypte !... » Il jeta un regard pénétrant à Gletkin en clignotant à travers son pince-nez.

« Vous connaissez mes motifs aussi bien que moi, dit-il. Vous savez que je n'ai pas agi sous l'impulsion d'une « mentalité contre-révolutionnaire », et que je n'étais pas au service d'une puissance étrangère. Ce que j'ai pensé et ce que j'ai fait, je l'ai pensé et fait selon mes convictions et ma conscience. »

Gletkin avait sorti un dossier de son tiroir. Il le compulsa, en sortit un feuillet et lut de sa voix monotone :

« ... Pour nous, la question de la bonne foi « subjective est dépourvue d'intérêt. « Celui qui a tort « doit expier ; celui qui a raison recevra l'absolution. « C'était notre loi... » Vous avez écrit cela dans votre « journal peu après votre arrestation. »

Roubachof perçut derrière ses paupières le papillotement familier de la lampe. Sur les lèvres de Gletkin, la phrase qu'il avait conçue et écrite prenait un son étrangement nu, comme si une confession uniquement destinée au prêtre anonyme avait été enregistrée sur un disque de phono qui la répétait maintenant de sa voix de fausset.

Gletkin avait sorti une autre page du dossier, mais il n'en lut qu'une seule phrase, son regard impassible rivé sur Roubachof :

« L'honneur, c'est de servir sans vanité, et jusqu'à l'ultime conséquence. »

Roubachof s'efforça de soutenir son regard.

« Je ne vois pas, dit-il, en quoi cela peut servir le Parti que ses membres se vautrent dans la boue à la face du monde. J'ai signé tout ce que vous avez voulu. J'ai plaidé coupable d'avoir suivi une politique erronée et objectivement nuisible. Cela ne vous suffit-il pas ? »

Il mit son pince-nez, regarda par-delà le réflecteur d'un air désemparé en clignant des yeux, et conclut d'une voix lasse et rauque :

« Après tout, le nom de N.S.Roubachof est en lui-même une page de l'histoire du Parti. En le traînant dans la fange, vous salissez l'histoire de la Révolution. »

Gletkin parcourut le dossier :

« Je puis encore une fois vous répondre en vous citant vos propres écrits. Vous avez écrit :

« Il convient de faire entrer chaque phrase dans « l'esprit des masses à force de répétitions et de « simplifications. Ce qu'on leur présente comme bon « doit briller comme l'or ; ce qu'on leur présente « comme mauvais doit être noir comme l'ébène. « Pour la consommation des masses, les phéno- « mènes politiques doivent être coloriés comme des « bonshommes de pain d'épice à la foire. »

Roubachof se taisait. Puis il dit :

« C'est donc là ce que vous voulez : je dois jouer le diable dans votre guignol — hurler, grincer des dents et tirer la langue — et spontanément par-dessus le marché. Danton et ses amis se sont tout de même vu épargner cela. »

Gletkin referma le dossier. Il se pencha un peu en avant et rajusta ses manchettes.

« Votre déposition au procès sera le dernier service que vous puissiez rendre au Parti. »

Roubachof ne répondit pas. Il fermait les yeux et se détendait sous les rayons de la lampe comme un dormeur épuisé sous le soleil ; mais on n'échappait pas à la voix de Gletkin.

« Votre Danton et la Convention, disait la voix, n'étaient qu'enfantillages en face de ce qui est en jeu ici. J'ai lu des livres là-dessus ; ces gens-là portaient des perruques poudrées et déclamaient au sujet de leur honneur personnel. Pour eux, tout ce qui comptait était de mourir avec un beau geste, sans se soucier de savoir si ce geste faisait du bien ou du mal. »

Roubachof se tut. Il avait un bourdonnement, un ronronnement dans les oreilles ; la voix de Gletkin était sur lui ; elle venait de toutes parts autour de lui ; elle martelait sans pitié son crâne endolori.

« Vous savez ce qui est en jeu ici, poursuivit Gletkin. Pour la première fois dans l'histoire, une révolution n'a pas seulement pris le pouvoir, mais elle l'a gardé. Nous avons fait de notre pays un bastion de l'ère nouvelle. Il recouvre le sixième de la surface du globe et renferme le dixième de la population du monde. »

La voix de Gletkin se faisait maintenant entendre derrière Roubachof. Il s'était levé et marchait de long en large dans la pièce. C'était la première fois que pareille chose se produisait. Ses bottes grinçaient à chaque pas, et une odeur aigrelette de sueur et de cuir se répandit.

« Lorsque notre Révolution eut réussi chez nous, nous nous sommes imaginé que le reste du monde allait nous suivre. Au lieu de quoi il se produisit une vague de réaction, qui menaça de nous engloutir. Il y avait deux courants dans le Parti. L'un se composait d'aventuriers, qui voulaient hasarder nos conquêtes dans le but de fomenter la révolution à l'étranger. Vous êtiez un de ceux-là. Nous avons reconnu que ce courant était dangereux et nous l'avons liquidé. »

Roubachof voulut lever la tête pour parler. Les pas de Gletkin résonnaient dans sa tête. Il était trop las. Il se laissa retomber en arrière, et n'ouvrit pas les yeux.

« Le chef du Parti, reprit la voix de Gletkin, avait une perspective plus large et une tactique plus tenace. Il a compris que tout dépendait de notre capacité de survivre à la période de réaction mondiale et de garder notre bastion. Il avait compris que cela pourrait durer dix, peut-être vingt, peut-être cinquante ans, jusqu'à ce que le monde soit mûr pour une nouvelle vague révolutionnaire. Jusque-là, nous serons seuls. Jusque-là, nous n'avons qu'un seul devoir : ne pas périr. »

Une phrase surnagea vaguement à la surface de la mémoire de Roubachof : « Le devoir du révolutionnaire est de préserver son existence. » Qui avait dit cela ? Lui-même ? Ivanof ? C'était au nom de ce principe qu'il avait sacrifié Arlova. Et où cela l'avait-il mené ?

— Ne pas périr, disait la voix de Gletkin. Il faut tenir le rempart, au prix de n'importe quel sacrifice. Le chef du Parti a reconnu ce principe avec une lucidité sans égale, et l'a constamment appliqué. La politique de l'Internationale a dû être subordonnée à notre politique nationale. Quiconque ne comprenait pas cette nécessité devait être exterminé. Des équipes complètes de nos meilleurs fonctionnaires en Europe ont dû être physiquement liquidées. Nous n'avons pas hésité à écraser nos propres formations à l'étranger lorsque les intérêts du Bastion l'exigeaient. Nous n'avons pas reculé devant la collaboration avec la police des pays réactionnaires pour supprimer des mouvements révolutionnaires qui surgissaient au mauvais moment. Nous n'avons pas hésité à trahir nos amis et à transiger avec nos ennemis, afin de préserver le Bastion. C'était la tâche que l'histoire nous avait confiée, à nous autres représentants de la première révolution victorieuse. Les myopes, les esthètes, les moralistes n'ont pas compris. Mais le leader de la Révolution a compris que tout dépendait d'une seule chose : avoir plus de souffle que les autres. »

Gletkin s'arrêta d'arpenter la pièce. Il fit halte derrière la chaise de Roubachof. La cicatrice de son crâne rasé luisait de sueur. Il haletait, s'épongea le front avec son mouchoir, et parut embarrassé d'avoir manqué à son habituelle réserve. Il se rassit à sa table et rajusta ses manchettes. Il baissa un peu la lumière, et poursuivit de son habituelle voix terne :

« La ligne du Parti est nettement tracée. Sa tactique est déterminée par le principe selon lequel la fin justifie les moyens — tous les moyens, sans exception. C'est dans l'esprit de ce principe, citoyen Roubachof, que le procureur de la République demandera votre tête.

« Votre faction, citoyen Roubachof, est battue et exterminée. Vous avez voulu scinder le Parti, alors que vous deviez savoir que la scission du Parti, c'était la guerre civile. Vous êtes au courant du mécontentement chez les paysans, qui n'ont pas encore appris à comprendre le sens des sacrifices qui s'imposent à eux. Dans une guerre qui n'est peut-être l'affaire que de quelques mois, de pareils courants peuvent aboutir à une catastrophe. De là l'impérieuse nécessité pour le Parti de rester uni. Il doit être pour ainsi dire coulé dans un moule unique — imbu d'aveugle discipline et de confiance absolue. Vous et vos amis, citoyen Roubachof, vous avez ouvert une plaie dans le corps du Parti. Si votre repentir est authentique, vous devez nous aider à guérir cette plaie. Je vous l'ai dit, c'est le dernier service que le Parti vous demandera.

« Votre tâche est simple. Vous vous l'êtes tracée vous-même : dorer le Bien, noircir le Mal. La politique de l'opposition est mauvaise. Votre tâche consiste donc à rendre l'opposition méprisable ; à faire comprendre aux masses que l'opposition est un crime et que les chefs de l'opposition sont des criminels. C'est le simple langage que comprennent les masses. Si vous vous mettez à parler de vos mobiles complexes, vous ne ferez que jeter la confusion parmi elles. Votre tâche, citoyen Roubachof, consiste à éviter d'éveiller la sympathie et la pitié. La sympathie et la pitié pour l'opposition sont un danger pour le pays.

« Camarade Roubachof, j'espère que vous avez compris la tâche que vous a assignée le Parti. »

C'était la première fois depuis qu'ils se connaissaient que Gletkin appelait Roubachof « camarade ». Roubachof leva vivement la tête. Il sentit monter en lui une vague de chaleur contre laquelle il ne pouvait rien. Son menton tremblait un peu tandis qu'il enfourchait son pince-nez.

« Je comprends.

— Remarquez, poursuivit Gletkin, que le Parti ne vous offre aucune perspective de récompense. Certains des accusés ont été amadoués par une pression physique. D'autres, par la promesse d'avoir la vie sauve — ou celle que leurs parents tombés entre nos mains comme otages auraient la vie sauve. A vous, camarade Roubachof, nous ne vous proposons aucune transaction, et nous ne vous promettons rien.

— Je comprends », répéta Roubachof.

Gletkin jeta un coup d'œil au dossier.

« Il y a dans votre journal un passage qui m'a « impressionné, poursuivit-il. Vous avez écrit : « J'ai « pensé et agi comme il fallait que je le fasse. Si « j'avais raison, je n'ai pas à me repentir ; si j'avais « tort, je paierai. »

Il leva les yeux et regarda Roubachof bien en face :

« Vous aviez tort, et vous paierez, camarade Roubachof. Le Parti ne prend qu'un seul engagement : après la victoire, un jour, quand cela ne pourra plus faire aucun mal, les archives secrètes seront publiées. Alors le monde apprendra ce qu'il y avait dans les coulisses de ce guignol —.comme vous dites — que nous avons dû monter devant lui pour agir conformément au manuel de l'histoire... »

Il hésita quelques secondes, rajusta ses manchettes, et conclut assez gauchement, tandis que le rouge montait à sa cicatrice :

« Et alors, vous et quelques-uns de vos amis de la vieille génération, vous bénéficierez de la sympathie et de la pitié qui vous sont refusées aujourd'hui. »

Tout en parlant, il avait poussé la déclaration toute prête vers Roubachof, et avait posé son stylo à côté. Roubachof se leva et dit avec un sourire forcé :

« Je m'étais toujours demandé ce qui se passait quand les Néanderthaliens se laissaient aller au sentiment. Maintenant, je sais.

— Je ne comprends pas », dit Gletkin, debout lui aussi.

Roubachof signa la déclaration dans laquelle il avouait avoir commis des crimes pour des motifs contre-révolutionnaires et au service d'une puissance étrangère. Lorsqu'il releva la tête, son regard rencontra le portrait du N° 1 accroché au mur, et il y reconnut l'expression d'ironie entendue avec laquelle, il y avait de cela plusieurs années, le N° 1 avait pris congé de lui — ce cynisme mélancolique contemplant l'humanité du haut de ce portrait omniprésent.

« Cela ne fait rien si vous ne comprenez pas, dit Roubachof. Il y a des choses que seule cette vieille génération, les Ivanofs, les Roubachofs et les Kieffers ont comprises. Cela est fini maintenant.

— Je donnerai des ordres pour qu'on ne vous dérange pas avant le procès », dit Gletkin après un bref silence.

Il était redevenu rigide et précis. Le sourire de Roubachof l'irritait.

« Avez-vous quelque autre désir particulier ?

— Dormir », dit Roubachof.

Debout dans l'embrasure de la porte, à côté du geôlier géant, il n'était qu'un petit vieux insignifiant avec son pince-nez et sa barbiche.

« Je donnerai des ordres pour que votre sommeil ne soit pas troublé », dit Gletkin.

Lorsque la porte se fut refermée sur Roubachof, il retourna à sa table de travail. Il demeura assis immobile pendant quelques secondes. Puis il sonna pour appeler sa secrétaire.

Elle s'assit dans le coin, à sa place habituelle.

« Je vous félicite de votre succès, camarade Gletkin », dit-elle.

Gletkin ramena la lampe à un éclairage normal.

« Cela, dit-il, en jetant un regard à la lampe, plus le manque de sommeil et l'épuisement physique. Tout cela est affaire de tempérament. »

LA FICTION GRAMMATICALE

En nous montrant le but, montrez-nous le
[chemin,
Car l'enchevêtrement des moyens et des
[fins,
Veut qu'en changeant les uns vous trans-
[formiez les autres ;
Chaque nouveau sentier découvre un but
[nouveau.

FERDINAND LASSALLE.
(Franz von Sickingen.)

I

« Quand on lui demanda s'il plaidait coupable, l'accusé Roubachof répondit : « Oui » d'une voix nette. Le procureur de la République lui ayant ensuite demandé s'il avait agi au service de la contre-révolution, l'accusé répondit encore : « Oui » d'une voix plus basse... »

La fille du portier Vassilii lisait lentement en détachant chaque syllabe. Elle avait déplié le journal sur la table et suivait les lignes avec le doigt ; de temps en temps, elle lissait de la main son fichu fleuri.

« ... On demande à l'accusé s'il désire être défendu par un avocat ; il déclare qu'il ne se prévaudra pas de ce droit. Le tribunal passe ensuite à la lecture de l'acte d'accusation... »

Le portier Vassilii était couché sur son lit, tourné vers le mur. Vera Vassiliovna ne savait jamais au juste si le vieillard écoutait sa lecture ou s'il dormait. Parfois, il se marmottait quelque chose à lui-même. Elle avait appris à ne pas faire attention à cela, et avait pris l'habitude de lire le journal à haute voix tous les soirs, « pour des raisons éducatives » — même lorsque après son travail à l'usine elle devait aller à une réunion de sa cellule et rentrait tard chez elle.

« ... L'acte d'accusation déclare que la culpabilité de l'accusé Roubachof est démontrée pour tous les chefs qui y figurent, tant par des preuves documentaires que par les aveux qu'il a faits à l'instruction. Le président du tribunal lui demande s'il a quelque plainte à formuler quant à la procédure de l'instruction ; l'accusé répond négativement, ajoutant qu'il a fait ses aveux spontanément, dans un geste de sincère repentir pour ses crimes contre-révolutionnaires... »

Le portier Vassilii ne bougeait pas. Au-dessus du lit, juste au-dessus de sa tête, était accroché le portrait du N° 1. A côté un clou rouillé était planté dans le mur : il y avait peu de temps encore, il soutenait la photographie de Roubachof en commandant de partisans. La main de Vassilii chercha automatiquement dans son matelas le trou où il cachait sa Bible crasseuse loin des regards de sa fille ; mais peu après l'arrestation de Roubachof, la fille l'avait trouvée et l'avait jetée, pour des raisons éducatives.

« ... A la demande du procureur, l'accusé Roubachof se mit alors à décrire son évolution depuis le moment où il était opposé à la politique du Parti jusqu'à celui où il devint un contre-révolutionnaire et un traître à la Patrie. Devant un auditoire sus pendu à ses lèvres, l'accusé commence ainsi sa déclaration : « Citoyens « juges, je vais expliquer ce qui m'a amené à capituler « devant le juge d'instruction et devant vous, les « représentants de la justice de notre pays. Mon « histoire va vous démontrer comment la moindre « déviation de la ligne tracée par le Parti aboutit « inévitablement au banditisme contre-révolution« naire. Le résultat inéluctable de notre lutte contre« révolutionnaire était de nous pousser de plus en « plus avant dans le bourbier. Je vais vous décrire ma « chute, afin qu'elle serve d'avertissement à ceux qui, « à cette heure décisive, hésitent encore, et nour« rissent en secret des doutes sur la direction du Parti « et le bien-fondé de la politique du Parti. Couvert de « honte, foulé dans la poussière, et sur le point de

« mourir, je vais vous décrire la triste carrière d'un « traître, afin qu'elle serve de leçon et de terrifiant « exemple à nos millions de concitoyens... »

Le portier Vassilii s'était retourné sur son lit et enfonçait son visage dans la paillasse. Il avait devant les yeux l'image du commandant barbu Roubachof, chef de partisans qui, dans le pire des pétrins, savait trouver de si beaux jurons que c'en était un plaisir pour Dieu et les hommes. « Foulé dans la poussière, sur le point de mourir... » Vassilii gémit. La Bible n'était plus là, mais il en savait par cœur de nombreux passages.

« ... Le procureur interrompt alors le récit de l'accusé pour lui poser quelques questions relatives à l'ancienne secrétaire de Roubachof, la citoyenne Arlova, exécutée sous l'inculpation de trahison. Selon les réponses de l'accusé Roubachof, il paraîtrait que ce dernier, acculé à une impasse à cette époque par la vigilance du Parti, avait fait retomber sur Arlova la responsabilité de ses crimes, afin de sauver sa tête et de pouvoir poursuivre ses menées infâmes. N. S. Roubachof avoue ce crime avec une candeur éhontée et cynique. Le citoyen procureur fait observer : « Vous êtes apparemment dénué de « tout sens moral. » L'accusé réplique avec un sourire sarcastique : « Apparemment. » Sa conduite provoque dans l'auditoire des démonstrations réitérées et spontanées de colère et de mépris, qui sont toutefois promptement arrêtées par le citoyen président du tribunal. A un certain moment, ces expressions du sentiment de la justice révolutionnaire firent place à une vague de gaieté — à savoir, lorsque l'accusé interrompit la description de ses crimes pour demander une suspension d'audience de quelques minutes, sous prétexte qu'il souffrait « de maux de dents intolérables ». Il est typique de la correction qui préside à la procédure de justice révolutionnaire que le président accéda immédiatement à cette requête, et, avec un haussement d'épaules méprisant, donna l'ordre d'une suspension d'audience de cinq minutes. »

Le portier Vassilii était couché sur le dos et songeait aux jours où Roubachof avait été porté en triomphe de réunion en réunion, après avoir échappé aux étrangers ; et comment il se tenait debout sur ses béquilles, sur l'estrade, au-dessous des drapeaux rouges et des décorations, et, tout souriant, avait frotté ses verres sur sa manche, au milieu des cris et des vivats incessants.

« Les soldats conduisirent Jésus dans l'intérieur de la cour, c'est-à-dire dans le prétoire, et ils assemblèrent toute la cohorte. Ils le revêtirent de pourpre. Et ils lui frappaient la tête avec un roseau, crachaient sur lui, et, fléchissant les genoux, ils se prosternaient devant lui. »

« Qu'est-ce que tu marmonnes là tout seul ? demanda la fille.

— Rien », dit le vieux Vassilii en se retournant vers le mur. Il mit la main dans le trou du matelas, mais il n'y avait rien dedans. Au-dessus de sa tête, il n'y avait rien non plus au clou. Quand sa fille avait enlevé du mur le portrait de Roubachof et l'avait jeté à la poubelle, il n'avait pas protesté — il était trop vieux maintenant pour supporter l'humiliation d'aller en prison.

La fille avait interrompu sa lecture et avait mis le réchaud à pétrole sur la table pour faire le thé. Une forte odeur de pétrole se répandit dans la loge.

« Ecoutais-tu ma lecture ? » demanda la fille.

Vassilii tourna la tête vers elle avec obéissance.

« J'ai tout entendu, dit-il.

— Alors tu vois, dit Vera Vassiliovna, tout en pompant du pétrole dans la machine qui sifflait. Lui-même déclare maintenant qu'il est un traître. Si ce n'était pas vrai, il ne le dirait pas lui-même. A la réunion à notre fabrique, nous avons déjà voté une résolution que tous devront signer.

— Tu y comprends grand-chose ? » dit Vassilii dans un soupir.

Vera Vassiliovna lui jeta un regard rapide qui eut pour effet de le faire se retourner contre le mur. Chaque fois qu'elle le regardait comme cela, Vassilii se rappelait qu'il gênait Vera Vassiliovna, qui voulait la loge pour elle. Il y avait trois semaines de cela, elle et un jeune mécanicien de son usine avaient inscrit leurs noms ensemble sur le registre des mariages, mais le couple n'avait pas de foyer ; le jeune homme partageait une chambre avec deux de ses collègues et, de nos jours, il fallait souvent plusieurs années avant de se voir assigner un appartement par l'Office du logement.

Le réchaud à pression avait enfin pris. Vera Vassiliovna y posa la bouilloire.

« Le secrétaire de la cellule nous a lu la résolution. Il y est écrit que nous exigeons l'extermination sans pitié des traîtres. Quiconque montre de la pitié pour eux est lui-même un traître et doit être dénoncé, expliqua-t-elle d'un ton délibérément dégagé. Les travailleurs doivent se montrer vigilants. Chacun de nous a reçu un exemplaire de la résolution afin de recueillir des signatures. »

Vera Vassiliovna sortit de sa blouse une feuille de papier légèrement froissée et l'étala sur la table. Vassilii était maintenant étendu sur le dos ; le clou rouillé dépassait du mur juste au-dessus de sa tête. Il loucha dans la direction du papier, déplié à côté du réchaud. Puis il tourna soudain la tête.

« Et Jésus dit : Pierre, je te le dis, le coq ne chantera pas aujourd'hui que tu n'aies nié trois fois de me connaître... »

L'eau se mit à chanter dans la bouilloire. Le vieux Vassilii prit un air futé :

« Faut-il qu'ils signent aussi, ceux qui ont fait la Guerre civile ? »

Coiffée de son fichu à fleurs, la fille était penchée sur la bouilloire.

« Personne n'est obligé, dit-elle avec le même regard bizarre. A l'usine, naturellement, on sait qu'il habitait ici. Le secrétaire de la cellule m'a demandé après la réunion si vous étiez restés amis jusqu'au bout, et si vous vous parliez souvent. »

Le vieux Vassilii se mit tout d'un coup sur son séant. L'effort le fit tousser, et les veines de sa gorge maigre et scrofuleuse s'enflèrent.

La fille mit sur le bord de la table deux verres dans lesquels elle jeta un peu de poussière de thé qu'elle prit dans un sac en papier.

« Qu'est-ce que tu marmonnes encore ? demanda-t-elle.

— Donne-moi ton sacré papier », dit le vieux Vassilii.

La fille le lui passa.

« Veux-tu que je te le lise, pour que tu saches exactement ce qu'il dit ?

— Non, dit le vieux, en y écrivant son nom. Je ne veux pas savoir. Maintenant, donne-moi du thé. »

La fille lui tendit le verre. Les lèvres de Vassilii remuaient ; il se marmonnait quelque chose à lui-même tout en sirotant le liquide jaune pâle.

Quand ils eurent bu leur thé, la fille reprit la lecture du journal. Le procès des accusés Roubachof et Kieffer tirait à sa fin. Les débats sur le projet d'assassinat du chef du Parti avaient déchaîné dans l'auditoire des tempêtes d'indignation ; des cris de : « Fusillez ces chiens enragés ! » se firent entendre à maintes reprises. La dernière question du procureur à l'accusé Roubachof portait sur le mobile de ses actes. Roubachof, qui semblait effondré, répondit d'une voix basse et traînante :

« Tout ce que je puis dire, c'est qu'une fois que nous, l'opposition, eûmes conçu le criminel dessein d'écarter le gouvernement de la Patrie de la Révolution, nous avons usé de méthodes qui paraissaient appropriées à notre but, et qui étaient tout aussi basses et aussi viles que ce dessein. »

Vera Vassiliovna se leva en repoussant violemment sa chaise.

« C'est dégoûtant, dit-elle. C'est à vous faire vomir, la façon dont il se met à plat ventre. »

Elle posa le journal et se mit à ranger bruyamment le réchaud et les verres. Vassilii l'observait. Le thé chaud lui avait rendu courage. Il se mit sur son séant.

« Ne t'imagine pas que tu y comprends quelque chose, dit-il. Dieu sait ce qu'il avait en tête lorsqu'il a dit cela. Le Parti vous a appris à tous à être des roublards, et quiconque devient trop roublard perd toute dignité. Ça ne sert à rien de hausser les épaules, ajouta-t-il avec colère. Le monde en est venu à cela, de nos jours, que l'adresse et la dignité se sont brouillées, et que celui qui est du côté de l'une d'elles doit se passer de l'autre. Ça ne vaut rien de trop calculer. C'est pourquoi il est écrit : « Que votre parole « soit oui, oui, non, non ; ce qu'on y ajoute vient du « malin. »

Il se laissa retomber sur sa paillasse et détourna la tête, pour ne pas voir la grimace que ferait sa fille. Il y avait longtemps qu'il ne l'avait pas contredite si bravement. Dieu sait où cela pouvait mener, une fois qu'elle s'était mis en tête qu'elle avait besoin de la chambre pour elle et son mari. Il fallait être roublard dans cette vie après tout — ou bien on pouvait dans sa vieillesse aller en prison ou être forcé de dormir sous les ponts dans le froid. C'était bien ça ; ou bien on était malin, ou bien on était honnête : les deux n'allaient pas ensemble.

« Maintenant, je vais te lire la fin », annonça la fille.

Le procureur avait terminé l'interrogatoire de Roubachof. Ensuite l'accusé Kieffer fut interrogé encore une fois ; il répéta dans tous ses détails sa précédente déposition sur la tentative d'assassinat.

« ... Le président demande à l'accusé Roubachof s'il désire poser des questions à Kieffer, comme c'est son droit de le faire. L'accusé répond qu'il ne se prévaudra pas de ce droit. Ceci termine les dépositions des témoins et la Cour s'ajourne. A la reprise de séance, le citoyen procureur commence sa plaidoirie... »

Le vieux Vassilii n'écoutait pas le discours du procureur. Il s'était retourné vers le mur et s'était endormi. Il ne sut pas ensuite combien de temps il avait dormi, combien de temps sa fille avait remis l'huile dans la lampe, ni combien de fois son index avait atteint le bas de la page et recommencé au sommet de la colonne suivante. Il s'éveilla seulement lorsque le procureur, résumant son discours, demandait la peine de mort. Peut-être la fille avait-elle changé de ton vers la fin, peut-être avait-elle fait une pause ; en tout cas, Vassilii était éveillé lorsqu'elle en vint à la dernière phrase du discours du procureur, imprimée en caractères gras :

« J'exige que tous ces chiens enragés soient fusillés. »

Les accusés furent alors autorisés à prononcer leurs dernières paroles.

« ... L'accusé Kieffer se tourna vers les juges et les supplia, eu égard à sa jeunesse, de lui faire grâce de la vie. Il reconnut une fois de plus la bassesse de son crime et essaya d'en faire retomber toute la responsabilité sur son instigateur Roubachof. Il se mit alors à bégayer d'un air agité, ce qui provoqua chez les spectateurs une gaieté rapidement réprimée par le citoyen président. Puis Roubachof eut la parole... »

Ici le reporter décrivait sous de vives couleurs comment l'accusé Roubachof avait « examiné l'auditoire d'un œil avide et, n'y trouvant aucun visage bien disposé envers lui, avait baissé la tête d'un air désespéré ».

Le dernier discours de Roubachof était court. Il renforça l'impression désagréable déjà produite par sa conduite devant le tribunal.

« Citoyen président, déclarait l'accusé Roubachof, je parle ici pour la dernière fois de ma vie. L'opposition est battue et exterminée. Si je me demande aujourd'hui : « Pourquoi meurs-tu ? » je me trouve en face du néant absolu. Il n'y aurait rien qui vaille la peine de mourir, si l'on mourait sans se repentir et sans se réconcilier avec le Parti et le Mouvement. C'est pourquoi, au seuil de ma dernière heure, je fléchis les genoux devant le pays, les masses et tout le peuple. La mascarade politique, la momerie des discussions et des conspirations est finie. Nous étions politiquement décédés bien avant que le citoyen procureur demande nos têtes. Malheur aux vaincus, que l'histoire foule dans la poussière ! Je n'ai devant vous, citoyens juges, qu'une justification : de n'avoir pas choisi pour moi la voie la plus douce. La vanité et les derniers vestiges d'orgueil me chuchotaient : Meurs en silence, ne dis rien ; ou bien meurs avec un beau geste, avec un émouvant chant du cygne ; laisse déborder ton cœur et jette un défi à tes accusateurs. Cela aurait été plus facile pour un vieux rebelle, mais j'ai surmonté cette tentation. Avec cela ma tâche s'achève. J'ai payé ; mon compte avec l'histoire est réglé. Vous demander pitié serait ridicule. Je n'ai plus rien à dire. »

« ... Après une brève délibération, le président donne lecture de la sentence. Le Conseil de la Cour suprême de justice révolutionnaire condamne chacun des accusés dans chaque cas à la peine maximum : la mort (passé par les armes) et la confiscation de tous ses biens personnels. Ils seront fusillés. »

Le vieux Vassilii regardait fixement le clou rouillé au-dessus de sa tête. Il murmura :

« Que ta volonté soit faite. Ainsi soit-il. » Et il se retourna face au mur.

II

Tout donc était fini maintenant. Roubachof savait que d'ici minuit il aurait cessé d'exister.

Il allait et venait dans sa cellule, où il était retourné après le tumulte du procès ; six pas et demi vers la fenêtre, six pas et demi en sens inverse. Lorsqu'il s'arrêtait, attentif, sur le troisième carreau noir à partir de la fenêtre, le silence qui régnait entre les murs badigeonnés venait à sa rencontre, comme s'il montait des profondeurs d'un puits. Il ne comprenait toujours pas pourquoi tout était devenu si tranquille, au-dedans comme au-dehors. Mais il savait que maintenant rien ne pouvait plus troubler cette paix.

En faisant un retour sur le passé, il se rappelait même le moment précis où cette bienheureuse quiétude l'avait envahi. C'était au procès, avant de commencer son dernier discours. Il croyait avoir éliminé de son être conscient les derniers vestiges d'égoïsme et de vanité, mais à ce moment-là, lorsque son regard avait scruté les visages de l'auditoire et n'y avait trouvé qu'indifférence et dérision, il s'était une dernière fois laissé emporter par le désir effréné de se voir jeter, comme un os à un chien, un peu de pitié ; transi, il avait voulu se réchauffer à la flamme de ses propres paroles. Il avait été empoigné par la tentation de parler de son passé, de se cabrer, ne serait-ce qu'un moment, et de déchirer le filet dans lequel Ivanof et Gletkin l'avaient enveloppé ; de crier comme Danton à ses accusateurs : « Vous avez mis vos mains sur ma vie entière. Puisse-t-elle se dresser devant vous comme un défi... » Oh ! comme il le connaissait ce discours de Danton devant le tribunal révolutionnaire ! Il aurait pu le répéter mot pour mot. Dans sa jeunesse, il l'avait appris par cœur : « Vous voulez étouffer la République dans le sang. Combien de temps faudra-t-il encore que les pas de la liberté soient des pierres tombales ? La tyrannie est en marche ; elle a déchiré son voile, elle porte la tête haute, elle s'avance sur nos cadavres. »

Les mots lui avaient brûlé la langue. Mais la tentation n'avait duré qu'un moment ; et lorsqu'il se mit à prononcer son dernier discours, il s'était senti enveloppé de cette cloche de silence. Il s'était rendu compte qu'il était trop tard.

Trop tard pour rebrousser chemin, pour suivre la piste de pierres tombales qui marquaient ses pas. Les mots ne déferaient rien.

Trop tard pour eux tous. Lorsque sonnait l'heure de paraître pour la dernière fois devant le monde, aucun d'entre eux ne pouvait faire du banc dès accusés une tribune, dévoiler la vérité aux yeux du monde et, comme Danton devant ses juges, réfuter l'accusation.

Il y en avait qui étaient réduits au silence par la terreur physique, comme Bec-de-lièvre ; d'autres qui espéraient avoir la vie sauve ; d'autres comptaient tout au moins tirer leur femme ou leur fils des griffes de Gletkin. Les meilleurs gardaient le silence afin de rendre au Parti un dernier service, en se laissant sacrifier comme boucs émissaires — et d'ailleurs chacun des meilleurs avait une Arlova sur la conscience. Ils étaient trop profondément empêtrés dans leur propre passé, pris dans la toile qu'ils avaient tissée eux-mêmes, conformément aux lois de leur propre morale tortueuse et de leur tortueuse logique ; ils étaient tous coupables, mais pas de ces actes dont ils s'accusaient eux-mêmes. Ils ne pouvaient pas rebrousser chemin. Ils sortaient de la scène strictement selon les règles de leur jeu étrange. Le public n'attendait pas d'eux le chant du cygne. Ils devaient se conformer au manuel, et leur rôle était de hurler comme les loups dans la nuit...

Donc, c'était fini. Il n'avait plus rien à faire avec tout cela. Il ne lui fallait plus hurler avec les loups. Il avait payé, son compte était réglé. Il était un homme qui a perdu son ombre, libre de toute entrave. Il avait suivi chaque pensée jusqu'à son ultime conséquence et agi conformément à celle-ci jusqu'au bout ; les heures qui lui restaient appartenaient à ce partenaire silencieux dont le royaume commençait au point précis où finissait la pensée logique. Il l'avait baptisé « la fiction grammaticale » avec cette pudeur devant la première personne du singulier que le Parti avait inculquée à ses disciples.

Roubachof s'arrêta devant le mur qui le séparait du N° 406. La cellule était vide depuis le départ de Rip Van Winkle. Il ôta son pince-nez, jeta autour de lui un regard furtif et tapa :

2-5 ; 1-5...

Il écouta avec un sentiment de honte puérile, puis tapa encore :

2-5 ; 1-5 ;

Il écouta encore, puis répéta la même série de signaux. Le mur restait muet. Il n'avait jamais encore consciemment tapé le mot « JE ». Il ne l'avait probablement jamais tapé du tout. Il écoutait. Les coups se moururent sans réverbération.

Il continua de marcher dans sa cellule. Depuis que la cloche du silence s'était abaissée sur lui, il se creusait la cervelle au sujet de certaines questions auxquelles il aurait voulu trouver réponse avant qu'il fût trop tard. C'étaient des questions plutôt naïves ; elles se rapportaient au sens de la douleur, ou, plus exactement, à la différence entre la douleur qui avait un sens et celle qui n'en avait pas. Evidemment, seule la souffrance qui avait un sens était inévitable ; c'est-à-dire celle qui était enracinée dans la fatalité biologique. D'autre part, toute souffrance d'origine sociale était accidentelle, donc sans rime ni raison. Le seul objet de la révolution était l'abolition de toute souffrance sans raison. Mais il s'était trouvé que l'élimination de cette seconde espèce de souffrance n'était possible qu'au prix d'un immense accroissement temporaire du total de la première. Aussi la question se posait-elle à présent sous cette forme : une telle opération est-elle justifiée ? Elle l'était évidemment, si l'on parlait dans l'abstrait de « l'humanité » ; mais, appliqué à « l'homme » au singulier, au symbole 2-5 ; 1-5, l'être humain réel de chair et d'os, de peau et de sang, ce principe conduisait à une absurdité. Dans sa jeunesse, il avait cru qu'en travaillant pour le Parti il trouverait la réponse à toutes les questions de ce genre. Son travail avait duré quarante ans, et dès le commencement il avait oublié la question qui l'avait poussé à entreprendre cette tâche. Maintenant, quarante ans s'étaient écoulés, et il revenait à sa première perplexité d'adolescent. Le Parti avait pris tout ce qu'il avait à donner et ne lui avait jamais donné la réponse. Et le partenaire muet, dont il avait tapé le nom magique sur le mur de la cellule vide, ne répondait pas lui non plus. Il était sourd à toute question directe, si urgente et si désespérée fût-elle.

Et cependant, il y avait des chemins qui menaient vers lui. Il lui arrivait de réagir à l'improviste à une mélodie et même au simple souvenir d'une mélodie, aux mains jointes de la *Pietà,* à certaines scènes de son enfance. Ses harmoniques répondaient à certains appels comme à un diapason, et, une fois ces échos éveillés, il se produisait un de ces états que les mystiques appellent « extase » et les saints « contemplation » ; les plus grands et les plus posés des psychologues modernes avaient reconnu comme un fait l'existence de cet état et l'avaient appelé « sentiment océanique ». Et en vérité, la personnalité s'y dissolvait comme un grain de sel dans la mer ; mais au même moment, l'infini de la mer semblait être contenu dans le grain de sable. Le grain ne se localisait plus ni dans le temps ni dans l'espace. C'était un état dans lequel la pensée perdait toute direction et se mettait à tourner en rond, comme l'aiguille de la boussole au pôle magnétique ; et en fin de compte, elle se détachait de son axe et voyageait librement à travers l'espace, comme un faisceau de lumière dans la nuit ; et il semblait alors que toutes les pensées et toutes les sensations, et jusqu'à la douleur et jusqu'à la joie, n'étaient plus que des raies spectrales du même rayon de lumière, décomposé au prisme de la conscience.

Roubachof marchait dans sa cellule. Autrefois, il se serait pudiquement privé de cette espèce de rêverie puérile. Maintenant, il n'en avait pas honte. Dans la mort, le métaphysique devenait réel. Il s'arrêta près de la fenêtre et posa son front contre le carreau. Par-dessus la tourelle, on voyait une tache bleue. D'un bleu pâle qui lui rappelait un certain bleu qu'il avait vu au-dessus de sa tête, une fois que, tout enfant, il était étendu sur l'herbe dans le parc de son père, à regarder les branches de peuplier qui se balançaient lentement contre le ciel. Apparemment, même un coin de ciel bleu suffisait à provoquer « l'état océanique ». Il avait lu que, selon les dernières découvertes de la physique astrale, le volume du monde était fini — bien que l'espace n'ait pas de limites, il formait un système clos, comme la surface d'une sphère. Il n'était jamais parvenu à comprendre cela ; à présent, il éprouvait un urgent désir de comprendre. Il se souvenait maintenant de l'endroit où il avait lu cela : pendant sa première arrestation en

Allemagne, des camarades lui avaient fait passer secrètement dans sa cellule une feuille de l'organe illégal du Parti ; au sommet, il y avait trois colonnes sur une grève dans une filature ; au bas d'une colonne, en bouche-trou, était imprimée, en tout petits caractères, la découverte selon laquelle l'univers était fini, et au beau milieu de l'article la page était déchirée. Il n'avait jamais su ce qui était écrit sur la partie manquante.

Roubachof était debout à la fenêtre et tapait avec son pince-nez sur le mur vide. Dans son enfance, il avait réellement eu l'intention d'étudier l'astronomie, et voilà que depuis quarante ans il faisait autre chose. Pourquoi le procureur ne lui avait-il pas demandé : « Accusé Roubachof, que pensez-vous de l'infini ? » Il n'aurait pas su que répondre — et voilà, c'était là la véritable source de sa culpabilité... Y en avait-il de plus grave au monde ?

Quand il avait lu cet article de journal, alors comme à présent seul dans sa cellule, les articulations encore endolories après la dernière séance de torture, il avait été plongé dans un état d'exaltation bizarre — le « sentiment océanique » l'avait emporté. Plus tard, il en avait eu honte. Le Parti désapprouvait de tels états. Il appelait cela mysticisme *petit-bourgeois*[1], fuite dans la tour d'ivoire, « abandon de sa tâche », « désertion en pleine lutte des classes ». Le « sentiment océanique » était contre-révolutionnaire.

Car dans toute lutte il faut avoir les deux pieds fermement plantés au sol. Le Parti vous enseignait comment. L'infini était une quantité politiquement suspecte, le « Je » une qualité suspecte. Le Parti n'en reconnaissait pas l'existence. La définition de l'individu était : une multitude d'un million divisée par un million.

1. En français dans le texte.

Le Parti niait le libre arbitre de l'individu — et en même temps exigeait de lui une abnégation volontaire. Il niait qu'il eût la possibilité de choisir entre deux solutions — et en même temps il exigeait qu'il choisît constamment la bonne. Il niait qu'il eût la faculté de distinguer entre le bien et le mal — et en même temps il parlait sur un ton pathétique de culpabilité et de traîtrise. L'individu — rouage d'une horloge remontée pour l'éternité et que rien ne pouvait arrêter ou influencer — était placé sous le signe de la fatalité économique, et le Parti exigeait que le rouage se révolte contre l'horloge et en change le mouvement. Il y avait quelque part une erreur de calcul, l'équation ne collait pas.

Pendant quarante ans, il avait lutté contre la fatalité économique. C'était le mal central de l'humanité, le cancer qui lui dévorait les entrailles. C'était là qu'il fallait opérer ; le reste du processus de guérison suivrait de lui-même. Tout le reste était dilettantisme, romantisme, charlatanisme. On ne guérit pas un malade mortellement atteint avec de pieuses exhortations. L'unique solution était le bistouri du chirurgien et son froid calcul. Mais partout où le bistouri avait passé, une nouvelle plaie était apparue au lieu de l'ancienne. Et encore une fois, l'équation ne collait pas.

Pendant quarante ans, il avait vécu strictement selon les vœux de son ordre, le Parti. Il s'en était tenu aux règles du calcul logique. Il avait brûlé dans sa conscience avec l'acide de la raison les restes de la vieille morale illogique. Il s'était détourné des tentations offertes par le muet partenaire, et il avait lutté de toute son énergie contre « le sentiment océanique ». Où cela l'avait-il mené ? Des prémisses d'une vérité incontestable avaient abouti à un résultat complètement absurde ; les déductions irréfutables d'Ivanof et de Gletkin l'avaient conduit tout droit à cette étrange et fantastique partie qu'avait été le procès public. Peut-être qu'il ne convenait pas à l'homme de suivre chacune de ses pensées jusqu'à sa conclusion logique.

Roubachof regardait entre les barreaux de la fenêtre la tache bleue au-dessus des mitrailleuses de la tourelle. Lorsqu'il se penchait sur son passé, il lui semblait maintenant que pendant quarante ans, il avait fait de la folie furieuse — l'Amok malais de la raison pure. Peut-être qu'il ne convenait pas à l'homme de se trouver complètement libéré des vieilles entraves, des freins stabilisateurs que sont le « Tu ne feras pas ceci » et « Tu n'as pas le droit de faire cela ». Peut-être ne valait-il rien de pouvoir se ruer tout droit au but.

Le bleu avait commencé de passer au rose, le soir tombait ; autour du mirador, un essaim d'oiseaux noirs tournoyaient avec des battements d'ailes lents et mesurés. Non, l'équation ne collait pas. Il ne suffisait évidemment pas de tourner les yeux de l'homme vers le but et de lui mettre un bistouri entre les mains ; les expériences avec un bistouri ne lui convenaient pas. Plus tard, peut-être, le jour viendrait. Pour le moment, l'homme était encore trop jeune et trop maladroit. Comme il avait fait rage dans ce grand terrain d'expérience, la Patrie de la Révolution, le Bastion de la Liberté ! Gletkin justifiait tout ce qui arrivait au nom de ce principe, qu'il fallait sauver le Bastion. Mais de quoi avait-il l'air au-dedans ? Non, on ne bâtit pas le Paradis avec du ciment armé. Le Bastion serait sauvé, mais il n'avait plus de message à envoyer au monde, ni d'exemple à lui donner. Le régime du N° 1 avait sali l'idéal de l'Etat Social, tout comme certains papes du Moyen Age avaient sali l'idéal d'un Empire Chrétien. Le drapeau de la Révolution était en berne.

Roubachof marchait dans sa cellule. Tout était tranquille et il faisait presque noir. Sans doute, viendraient-ils bientôt le chercher. Il y avait une erreur quelque part dans l'équation — non, dans tout le système de pensée mathématique. Il en avait eu vent depuis longtemps déjà, depuis l'histoire de Richard et la Pietà, mais il n'avait jamais osé se l'avouer tout à fait. Peut-être la Révolution était-elle venue avant terme, avorton aux membres monstrueusement difformes. Peut-être tout tenait-il à quelque grave erreur chronologique. La civilisation romaine, elle aussi, avait paru condamnée dès le premier siècle avant Jésus-Christ ; elle avait semblé aussi profondément pourrie que la nôtre. Dans ce temps-là aussi, les meilleurs avaient cru que le moment était mûr pour un grand changement ; et pourtant le vieux monde usé avait encore tenu cinq cents ans. L'histoire avait le pouls lent ; l'homme comptait en années, l'histoire en générations. Peut-être n'était-ce encore que le deuxième jour de la création. Comme il aurait aimé vivre et échafauder la théorie de la maturité relative des masses !

Tout était tranquille dans la cellule. Roubachof n'entendait que le crissement de ses pas sur le carrelage. Six pas et demi vers la porte, d'où ils viendraient le chercher, six pas et demi vers la fenêtre, derrière laquelle la nuit tombait. Bientôt ce serait fini. Mais quand il se demandait : Pourquoi au juste meurs-tu ? il ne trouvait pas de réponse.

Il y avait une erreur dans le système ; peut-être résidait-elle dans le précepte qu'il avait jusqu'ici tenu pour incontestable, au nom duquel il avait sacrifié autrui et se voyait lui-même sacrifié : le précepte selon lequel la fin justifie les moyens. C'était cette phrase qui avait tué la grande fraternité de la Révolution et les avait tous jetés en pleine démence. Qu'avait-il naguère écrit dans son journal ? « Nous avons jeté par-dessus bord toutes les conventions, notre seul principe directeur est celui de la conséquence logique ; nous naviguons sans lest moral. »

Peut-être le cœur du mal était-il là. Peut-être qu'il

ne convenait pas à l'humanité de naviguer sans lest. Et peut-être que la raison livrée à elle-même était une boussole faussée, conduisant par de tortueux méandres, si bien que le but finissait par disparaître dans la brume.

Peut-être allait-il venir maintenant, le temps des grandes ténèbres ?

Peut-être que plus tard, beaucoup plus tard, le nouveau mouvement allait naître — avec de nouveaux drapeaux, un esprit nouveau connaissant à la fois la fatalité économique et le « sentiment océanique ». Peut-être les membres du nouveau parti porteront-ils des capuchons de moines et prêcheront-ils que seule la pureté des moyens peut justifier les fins. Peut-être enseigneront-ils qu'il est faux, le principe selon lequel un homme est le quotient d'un million par un million et introduiront-ils une nouvelle arithmétique basée sur la multiplication : sur la combinaison d'un million d'individus pour former une nouvelle entité qui, n'étant plus une masse amorphe, sera dotée d'une conscience et d'une individualité à elle, d'un « sentiment océanique » multiplié par un million, dans un système spatial illimité mais cependant clos.

Roubachof interrompit sa marche pour écouter. Le son d'un roulement de tambour étouffé lui parvenait le long du corridor.

III

Le roulement semblait être apporté de loin par le vent ; il était encore éloigné, et se rapprochait. Roubachof ne bougea pas. Ses jambes sur le carrelage n'étaient plus soumises à sa volonté ; il sentait la force de gravité de la terre monter en elles peu à peu.

Il fit trois pas à reculons vers la fenêtre, sans quitter des yeux le judas. Il respira profondément et alluma une cigarette. Il entendit un petit bruit au mur près de la couchette :

ILS VIENNENT CHERCHER BEC-DE-LIÈVRE. IL VOUS ENVOIE SES SALUTATIONS.

La lourdeur de ses jambes se dissipa. Il alla à la porte et se mit à frapper sur le métal à coups rapides et rythmés du plat de ses deux mains. Inutile maintenant de passer la nouvelle au N° 406. La cellule était vide ; la chaîne y était interrompue. Il tambourinait et collait son œil au judas.

Dans le couloir, la lumière électrique brûlait comme toujours de son faible éclat. Il vit comme toujours les portes de fer des N° 401 à 407. Le roulement s'enfla. Des pas approchaient, lents et traînants. On les entendait distinctement sur le carrelage. Soudain Bec-de-lièvre fut debout dans le champ visuel du judas. Il se tenait là, les lèvres tremblantes, comme dans la lumière du réflecteur dans le bureau de Gletkin ; ses mains prises dans les menottes pendaient derrière son dos dans une pose bizarrement contournée. Il ne voyait pas l'œil de Roubachof derrière le judas et il regardait la porte avec des pupilles aveugles et scrutatrices, comme si son dernier espoir de salut était derrière cette porte. Puis on entendit donner un ordre, et Bec-de-lièvre se tourna avec obéissance pour partir. Derrière lui venait le géant en uniforme avec ses revolvers dans son ceinturon. Ils disparurent du champ visuel de Roubachof, l'un après l'autre.

Le roulement de tambour se perdit au loin, tout était de nouveau tranquille. Au mur, près de la couchette, se faisait entendre le petit bruit :

IL S'EST TRÈS BIEN TENU...

Depuis le jour où Roubachof avait informé le N° 402 de sa capitulation, ils ne s'étaient pas parlé. Le N° 402 poursuivit :

IL VOUS RESTE ENCORE ENVIRON DIX MINUTES. COMMENT VOUS SENTEZ-VOUS ?

Roubachof comprit que le N° 402 avait engagé la conversation pour lui faciliter l'attente. Il lui en fut reconnaissant. Il s'assit sur la couchette et répondit :

JE VOUDRAIS QUE CELA SOIT DÉJÀ FINI...

VOUS N'ALLEZ PAS AVOIR LE TRAC, tapota le N° 402. NOUS SAVONS TOUS QUE VOUS ÊTES UN DIABLE D'HOMME... Il hésita, puis, rapidement, répéta ses derniers mots : UN DIABLE D'HOMME... Il désirait évidemment ne pas laisser mourir la conversation. VOUS VOUS RAPPELEZ : « DES SEINS DORÉS COMME DES POMMES ? HA-HA ! QUEL DIABLE D'HOMME...

Roubachof tendit l'oreille aux sons du couloir. On n'entendait rien. Le N° 402 parut avoir deviné sa pensée, car il reprit tout de suite :

NE TENDEZ PAS L'OREILLE, JE VOUS DIRAI EN TEMPS UTILE QUAND ILS VIENDRONT... QUE FERIEZ-VOUS SI VOUS ÉTIEZ GRACIÉ ?

Roubachof réfléchit, puis il tapa :

J'ÉTUDIERAIS L'ASTRONOMIE.

HA-HA ! fit le N° 402. MOI AUSSI, PEUT-ÊTRE. ON DIT QUE D'AUTRES ASTRES SONT PEUT-ÊTRE HABITÉS EUX AUSSI. PERMETTEZ-MOI DE VOUS DONNER UN CONSEIL.

CERTAINEMENT, répondit Roubachof surpris.

MAIS NE LE PRENEZ PAS EN MAUVAISE PART. SUGGESTION TECHNIQUE DE SOLDAT. VIDEZ VOTRE VESSIE. CELA VAUT TOUJOURS MIEUX EN PAREIL CAS. L'ESPRIT EST CONSENTANT, MAIS LA CHAIR EST FAIBLE. HA-HA !

Roubachof sourit et, obéissant, alla au seau. Puis il se rassit sur la couchette et tapa :

MERCI. EXCELLENTE IDÉE. ET QUEL EST VOTRE AVENIR ?

Le N° 402 se tut pendant quelques secondes. Puis il tapa, un peu plus lentement qu'avant :

ENCORE DIX-HUIT ANS. PAS TOUT À FAIT, SEULEMENT 6530 JOURS...

Il s'arrêta. Puis il ajouta :

... AU FOND JE VOUS ENVIE...

Puis, après une nouvelle pause :

PENSEZ-Y. ENCORE 6530 NUITS SANS FEMME.

Roubachof ne dit rien. Puis il tapa :

MAIS VOUS POUVEZ LIRE, ÉTUDIER...

JE N'AI PAS LA TÊTE À ÇA, tapa le N° 402.

Puis avec force, et à la hâte :

ILS VIENNENT...

Il s'arrêta, puis, quelques secondes plus tard, il ajouta :

DOMMAGE, JUSTE COMME NOUS CAUSIONS SI AGRÉABLEMENT...

Roubachof se leva sur la couchette. Il réfléchit un moment et puis tapa :

VOUS AVEZ ÉTÉ TRÈS GENTIL. MERCI.

La clef tourna dans la serrure. La porte s'ouvrit toute grande. Au-dehors étaient le géant en uniforme et un civil. Le civil appela Roubachof par son nom et lui lut un texte tiré d'un document. Tandis qu'ils lui tordaient les bras derrière le dos et lui passaient les menottes, il entendit le N° 402 qui tapait en toute hâte :

JE VOUS ENVIE. JE VOUS ENVIE. ADIEU.

Au-dehors, dans le couloir, le roulement de tambour avait repris. Il les accompagna jusque devant le barbier. Roubachof savait que derrière chaque porte de fer un œil le regardait par le judas, mais il ne tourna la tête ni à gauche ni à droite. Les menottes lui écorchaient les poignets ; le géant les avait trop serrées et lui avait forcé les bras en les lui tordant derrière le dos ; les bras lui faisaient mal.

Ils aperçurent l'escalier de la cave. Roubachof ralentit le pas. Le civil s'arrêta au sommet de l'escalier. Il était petit et avait des yeux légèrement saillants. Il demanda :

« Avez-vous quelque autre désir ?

— Aucun », dit Roubachof ; et il se mit à descendre l'escalier de la cave. Le civil resta debout au sommet et le regarda de là-haut de ses yeux saillants.

L'escalier était étroit et mal éclairé. Roubachof dut prendre garde de ne pas tomber, car il ne pouvait pas se tenir à la rampe. Le roulement de tambour avait cessé. Il entendit l'homme en uniforme qui descendait à trois pas derrière lui.

L'escalier tournait en spirale. Roubachof se pencha en avant pour mieux y voir ; son binocle se décrocha de son visage et tomba sur le sol à deux pas au-dessous de lui ; il rebondit deux marches plus loin en volant en éclats et s'arrêta au pied de l'escalier. Roubachof s'arrêta une seconde, hésitant ; puis il continua son chemin en tâtonnant jusqu'au bas de l'escalier. Il entendit l'homme derrière lui se pencher et mettre le binocle cassé dans sa poche, mais il ne retourna pas la tête.

Il était à présent presque aveugle, mais il avait de nouveau la terre ferme sous les pieds. Un long couloir l'accueillit ; les murs en étaient indistincts et il n'en voyait pas le bout. L'homme en uniforme restait toujours à trois pas derrière lui. Roubachof sentait peser son regard sur sa nuque, mais il ne tourna pas la tête. Il mettait prudemment un pied devant l'autre.

Il lui semblait qu'ils marchaient dans ce corridor depuis déjà plusieurs minutes. Toujours rien n'arrivait. Sans doute entendrait-il l'homme en uniforme tirer le revolver de son étui. Donc jusque-là il avait le temps, il était encore en sûreté. Ou bien l'homme qui marchait derrière lui faisait-il comme le dentiste, qui cache ses instruments dans sa manche tout en se penchant sur le patient ? Roubachof essayait de penser à autre chose, mais dut concentrer toute son attention pour s'empêcher de tourner la tête.

Etrange que son mal de dents ait cessé à la minute même où ce bienheureux silence s'était refermé sur lui, pendant le procès. Peut-être l'abcès avait-il crevé à cette minute précise. Que leur avait-il dit ? « Je fléchis les genoux devant le pays, devant les masses, devant tout le peuple. » Et après ? Que devenaient ces masses, ce peuple ? Pendant quarante ans, il avait été mené par le désert, à force de menaces et de promesses, de terreurs imaginaires et de récompenses imaginaires. Mais où était la Terre promise ?

Existait-il vraiment un pareil but pour cette humanité errante ? Cela était une question à laquelle il aurait voulu avoir une réponse avant qu'il fût trop tard. Moïse, lui non plus, n'avait pas été autorisé à pénétrer dans la Terre promise. Mais il lui avait été donné de la voir étendue à ses pieds, du haut de la montagne. Comme cela, il était facile de mourir, avec, devant les yeux, la certitude visible de l'existence de son but. Lui, Nicolas Salmanovitch Roubachof, n'avait pas été mené au sommet d'une montagne ; et partout où il portait son regard il ne voyait que le désert et les ténèbres de la nuit.

Un coup sourd l'atteignit derrière la tête. Il s'y attendait depuis longtemps et cependant il fut pris au dépourvu. Il fut tout étonné de sentir ses genoux céder sous lui et son corps décrire la moitié d'une spirale. « Comme c'est théâtral, se dit-il en tombant, et pourtant, je ne sens rien. » Il gisait à terre, replié sur lui-même, la joue sur les dalles fraîches. Il faisait noir, la mer l'emportait en le berçant sur sa surface nocturne. Des souvenirs le traversèrent comme des traînées de brume sur les eaux.

Dehors, on frappait à la porte d'entrée, il rêvait qu'on venait pour l'arrêter ; mais dans quel pays était-il ?

Il fit un effort pour passer le bras dans la manche de sa robe de chambre. Mais cette chromo accrochée au-dessus de son lit et le regardant, de qui était-ce le portrait ?

Etait-ce le N° 1 ou l'autre — l'homme au sourire ironique ou l'homme au regard vitreux ?

Une silhouette informe se pencha sur lui, il sentit le cuir neuf du ceinturon ; mais quel insigne portait-elle sur les manches et les épaulettes de son uniforme — et au nom de qui levait-elle le canon noir de son pistolet ?

Un second coup de massue l'atteignit derrière l'oreille. Puis tout fut calme. C'était de nouveau la mer et son mugissement. Une vague le souleva lentement. Elle venait de loin et poursuivait majestueusement son chemin, comme un haussement d'épaules de l'éternité.

Table

Le Livre de Poche s'engage pour l'environnement en réduisant l'empreinte carbone de ses livres. Celle de cet exemplaire est de :

450 g éq. CO_2

Rendez-vous sur www.livredepoche-durable.fr

Composition réalisée par JOUVE

Achevé d'imprimer en septembre 2022 en France par
La Nouvelle Imprimerie Laballery
N° d'impression : 208064
Dépôt légal 1re publication : octobre 1953
Édition 19 – octobre 2022

Librairie Générale Française
21, rue de Montparnasse – 75283 Paris Cedex 06

30/0035/3